星河

瓊瑤◉著

全集自序

從我出版第一部小說『窗外』到今天，已經足足過去了二十六年。有時，眞不相信，四分之一個世紀，就在我的塗塗寫寫中悄然而逝。這二十六年，不管我生命中有多少風風雨雨，多少喜怒哀樂，我的『寫作』，卻一直是我生命中的一條主線。在我沮喪時，我會逃遁到寫作裡去，當我歡樂時，我會表現到寫作裡去，當我寂寞時，我用寫作塡補空虛，當我充實時，我又迫不及待要拾起筆來，寫出我的感覺……因而，這漫長的二十六年，我雖然偶爾會蟄伏、會休息，卻從不曾眞正停止過寫作。就這樣，細細數來，從『窗外』開始，到『我的故事』爲止，二十六年來，我已出版了四十四本書。

去年年初，因爲開放大陸探親，我有幸在離鄉三十九年後，首次回大陸。到了北京，發現我的四十幾部作品，被出版得亂七八糟。當時，就有一種強烈的願望，要好好整理一下這些作品。

返台後，又因為有好幾部作品需要再版，我和鑫濤，就決定藉再版之便，重新整理我的作品，改換版本形式，統一編排，出版這套『瓊瑤全集』。

因為時代已經不同，出版品也隨著時代進步，現在的紙張、字體、編輯、版本形式……都遠勝以往。再加上，我過去的作品，有的書太薄（如『月滿西樓』），有的書太厚（如『幸運草』）。有的排版太密，有的又排得太鬆，有的字體太小，有的又太大。這一次，我們把所有的缺失更正，做完全的調整。作品內容，也有更改，例如，『六個夢』一書中，居然有七個故事，這是件挺荒謬的事，如今，抽出一個故事，還原成『六個夢』。又例如，『月滿西樓』只是一部中篇，勉強成書，總覺份量不夠，現在，加入另外幾部中篇，重新結集。

在我這所有的作品中，最特別的是『不曾失落的日子』。這部書嚴格說來，是一部我自己『殘缺的自傳』，有『童年』部份，缺掉了成長以後的過程。今年春天，我將此書重新寫過，把我成長以後的部份補齊，改名為『我的故事』。這部書，在我的全集中取代了『不曾失落的日子』。因而，四十四部書，經過整理後，變成四十三部。至於『不曾失落的日子』中的散文部份，以後，可能會滙集我的其他散文，出版一部散文專輯。

當然，重新編撰一套全集，是件工程浩大的事，以往的書中，錯字別字漏字都很多，借此機會，全部修正。這樣浩大的工程，不是一朝一夕就能完成。但，我們總算開始了這件工作。在重選封面，重選字體，重選版本形式……的時候，我雖忙碌，却也興奮。過去的作品，不管好不好，都是我生命中最重要的一部份。重新編撰，重新出版，也算我的一種『重生』吧！

從來不曾覺得自己的作品寫得好，也從來不曾自滿過。每次出書，都戰戰兢兢，如履薄冰。生怕自己的作品禁不起讀者的考驗，和時間的考驗。現在，在『全集』出版前夕，這種情懷，仍然强烈。總覺得自己渺小平凡，寫出的每部書，也都是一些渺小平凡的故事。儘管書中常有『轟轟烈烈』的感情，那也只是『平凡人』的感情。

且讓我把這套『瓊瑤全集』，獻給全天下平凡的，和不平凡的朋友們！

瓊瑤寫於一九八九年七月三十一日
於台北可園

1

心虹依稀又來到那條走廊裏。

那條走廊好長好長，黝黑，寒冷，巨大的廊柱在牆壁上投下了幢幢黑影，處處都彌漫著一份陰森森的、瑟瑟逼人的氣息。心虹赤裸的小脚踩在那冷冰冰的地板上，手裏顫巍巍的擎著一支蠟燭，小小的身子在那白色的睡袍中顫抖。她畏怯的、瑟縮的向前邁著步子。恐懼、驚惶，和强烈的渴望壓迫著她。她茫然四顧，走廊邊一扇扇的門，那麼多的房間，那麼多！但是，他們把母親藏到那兒去了？媽媽！她的心在呼號著；媽媽！媽媽！四周那樣安靜，那樣窒息的安靜，媽媽！媽媽！一滴滾熱的蠟燭油滴落在她手上，她驚跳起來，哦，媽媽！媽媽！她站定，發著抖傾聽，然後，從一扇門裏傳出一聲那樣恐怖的、裂人心魂的慘號。哦，媽媽！媽媽！她衝過去，撲打著那扇門，哭泣著狂喊：

『媽媽！媽媽！媽媽！』

門開了，出現的是父親那高大的身影，她小小的身子被抱了起來，父親的聲音疲倦而蒼涼的響著：

『噢，心虹，妳不能進去，好孩子，妳的母親，剛剛去世了！』

『媽媽！媽媽！』她哭喊著，在父親的肩上掙扎。『我要媽媽！我要媽媽！我要媽媽！』哦，媽媽！媽媽！她的頭痛苦的轉側著，媽媽！媽媽！走廊裏響起了空洞的回音：媽媽！媽媽！她像掉在一個冰涼的大海裏，柔弱，孤獨，而無依。媽媽！媽媽！她不住的狂喊，掙扎。她要離開那走廊，離開那走廊，她掙扎，掙扎，掙扎……。

『心虹！心虹！醒一醒，怎麼又做惡夢了？心虹？』

一隻溫暖的手突然落在她的額上，搖撼著，撫摸著。她一驚，陡的清醒了過來，長長的吐出一口氣，她在驚悸中張大了眼睛，屋子裏的燈光明亮，那裱著玫瑰花壁紙的房間決不是什麼陰森的長廊，那深紅的窗帘靜悄悄的掩著，天花板上垂下來的玻璃吊燈，明亮的放射著一屋子柔和的光線。她躺在床上，蜷縮在那溫軟的錦緞和棉被之中，手上決沒有燭油燙傷的痕迹，她也決不是一個四歲的、找不着母親的小女孩！是的，母親！她的母親正坐在床沿上，帶著那樣溫和而安慰的笑，半憂愁半擔心的望著她。

『怎麼了？心虹？』她問，拭去了心虹額上的冷汗。

『哦，媽，沒什麼。又是那些討厭的夢！』心虹說，仍然有些兒震顫。『我在叫嗎？』

『是的，我聽到妳在喊，就進來看看是怎麼了？夢到什麼？』

『沒……沒有什麼，我記不得了。』心虹囁嚅的說，不自覺的輕蹙起眉梢。

吟芳坐在床邊上，憂愁的看著心虹。她知道她是記得的，她在叫著媽媽！叫得像個孤獨無助的小嬰兒！但是，她不是在叫她，她叫的是另一個媽媽。吟芳不自禁的打了個寒顫，摔了摔頭，她強迫自己摔開某些思想，對心虹勉強的笑了笑。

『再睡吧，心虹，別做夢了，晚上的藥吃過了嗎？』

『吃了。』

『那麼，睡吧！』她本能的整理著心虹的被褥。『別想得太多，嗯？』

心虹望著她，也勉強的微笑了一下。

『對不起，吵醒了妳。』

吟芳搖了搖頭，沒說什麼。『對不起，吵醒了妳。』是禮貌嗎？但卻多麼疏遠，明顯的缺少了一份母女間的親暱。心霞就不會這樣說，她會滾在她懷中，撒嬌撒癡的拉住她的衣服不放她，嚷著叫：『不許媽走，陪我睡！』當然，也許這是年齡的關係，心霞才十九歲，心虹到底已經二十四了。不願再多想，她對心虹又投去了憂愁的一瞥，就默默的退出去了。

心虹目送母親的身影消失，等到房門一闔攏，她就推開棉被坐了起來。弓著膝，她把下巴放在膝上，呆呆的坐了好半天。然後，她看了看手錶，凌晨三點鐘，她知道，她又將無眠到天亮，近來，那每晚臨睡時的鎮定劑早已失去了作用，等待天明已成爲每夜必定的課程。夜，爲什麼總是那樣漫長？

乾脆掀開了被，她跨下床來，拿起床前椅子背上搭著的晨褸，她穿上了，繫好帶子，走到窗子前面。拉開了窗帘，她憑窗而立，迎面一陣帶著秋意的涼風撲面而來，她機伶伶的打了個冷顫。眞的，夜涼如水。她雙手抱著胳膊，仰頭看了看那黑暗的穹蒼。那廣漠無邊的天空裏，曉月將沉，疎星數點。她望著那些星星，那一顆顆閃熠著的星星，下意識的在搜尋著什麼。夜風簌簌然，在附近的山凹中回響。秋深了，夜也深了。離天亮還有多久？她一瞬也不瞬的看著那些星光，再過一段時間，那些星光會隱沒在曙色的黎明裏。又一陣風來，她閉了閉眼睛，深吸了一口氣，心中模糊的想起長恨歌中的句子：

『夕殿螢飛思悄然，孤燈挑盡未成眠，
遲遲鐘鼓初長夜，耿耿星河欲曙天，
鴛鴦瓦冷霜華重，翡翠衾寒誰與共？
悠悠生死別經年，魂魄不曾來入夢！』

一種難言的愴惻跟隨着這些句子掩上了她的心頭，她驟然垂下頭去，用手蒙住臉，無聲的啜泣了。好一會兒，她放下手來，蹌踉的走到梳妝台前，在椅子裏坐下來，對著鏡子，她瞪視著自己，一時間，她茫然而困惑。鏡子中，那憔悴的面孔好蒼白，而那對含淚的眸子裏却像燃燒著火焰，那樣清亮，那樣充滿了燒灼般的痛苦。怎麼了？這一切是怎麼了？隱隱中，她似乎聽到了一個聲音，在她耳邊輕輕的、幽幽的說：

『我願爲妳死！我願爲妳死！』

她猛的一摔頭，那聲音沒有了。鏡中的臉顯出了一份驚愕和倉皇。怎麼了？到底是怎麼了？她從沒有死去的朋友，從沒有！這些都是幻覺，她知道，都是幻覺！總是這樣，那些惡夢，那些幻覺，那些莫名其妙的愴惻之情！這種種種種，像蛛網般把她重重纏住，她總是掙不出去。然後，有一天，她會被這些蛛網勒死，哦！她不要！她必須振作起來，她必須！她想起李醫生在她出院時對她說的話：

『多找些朋友，多享受一些，快樂起來，心虹，妳沒有什麼該煩惱的事！』

是嗎？沒有什麼該煩惱的事嗎？她蹙起眉，腦中像有什麼東西閃過，一個模糊的影子，一個她抓不著的影子，好模糊，好遙遠，但是，它存在著！她驚懼的屏息靜思，有誰在窗外低喚嗎？有誰？聲音那樣迫切，那樣凄涼，像來自地獄裏的哀聲：

『心虹，跟我走！心虹，跟我走！』

她驚跳起來，衝到窗前，張大眼睛向外注視。窗外，是那花木扶疏的深深院落，夜色裏，花影被風搖動。除樹木花影外，什麼都沒有。那聲音已消失了，只有風聲，蕭蕭瑟瑟，在秋意濃郁的深山裏迴盪。而遠處的天邊，第一線曙光已把山巔燃亮了。

2

梁逸舟下樓吃早餐的時候，餐廳裏依舊冷冷清清的，只有吟芳在那兒用烤麵包機烤著麵包，高媽在一邊幫忙服侍著。他大踏步的走過去，在餐桌前坐下來，高媽立即送上了一份牛奶和煎蛋，一面含笑問：

『老爺，還要點什麼？』

『夠了，』梁逸舟說，看了吟芳一眼：『給我兩片麵包，要——』

『烤焦一點。』吟芳接口說，對著梁逸舟，兩人不禁相視一笑。『這麼多年了，你每次還是要叮囑，還怕我摸不熟你的習慣。』

取出麵包，她慢慢的在上面塗著牛油。梁逸舟下意識的打量著妻子，他驚奇經過這麼漫長的二十幾年，她仍然能引動他心腑深處的那份柔情。這個早上，吟芳顯得有幾分憔悴，他知道，昨夜她沒有睡好。抬起頭來，他望了望那寂靜的樓梯。

『我看，我們家永遠不能要求大家一起吃早餐！而且，小一輩的似乎比老一輩的還懶散！』他有些不滿的說。

『哦，別苛求，逸舟。』吟芳很快的說：『她們還是孩子嘛！』

『孩子？』梁逸舟盯著吟芳：『別糊塗了，她們早就不是孩子了，心霞已經滿十九，心虹都過了二十四了，如果心虹結婚得早，我們都是該做外祖父母的人了。吟芳，我看妳年紀越大，就越縱容孩子了！』

『別說了吧，』吟芳輕蹙了一下眉梢。『你明明知道……』她嚥下了說了一半的句子，一層輕愁不知不覺的飄了過來，罩在她的面龐上。她把塗好牛油的麵包遞給逸舟，又輕聲的說了句：『心虹也是怪可憐的……』

『我告訴妳毛病出在那裏，』梁逸舟打斷了她：『就出在我們太寵她了，如果早聽我……』

『逸舟！』吟芳祈求似的喊了聲。

逸舟怔了怔，接觸到吟芳那對帶著點兒悲愁意味的眼睛，他心頭立刻掠過一陣怛惻。不自覺的，他把手壓在吟芳的手上，聲音頓時柔和了下來：

『抱歉，吟芳，我沒有責怪妳的意思。』

『我知道。』吟芳瞅著他，嘴角有個微弱的笑。『我告訴你，一切都過去了，什麼都會好轉的。』

『我相信妳。』逸舟說，收回手來，拿起麵包咬了一口，他的眼睛仍然注視著吟芳。『還有件事忘了告訴妳，狄家今天就要搬進農莊了。』

『今天嗎？』吟芳皺了皺眉。『你有沒有告訴那個狄——狄什麼？』

『狄君璞。不，我什麼都沒對他說。』

『哦，我希望，』吟芳有些不安的說：『我希望我們沒有做錯什麼才好。』

『妳放心，』逸舟吃著早餐：『狄君璞不是個好管閒事的人，那人穩重而有深度，即使他聽說了什麼，他也不會妄加揣測。』

『我想你是對的，』吟芳也開始吃早餐。『總之，老讓農莊空在那裏也不是辦法，事實上，』她的聲音變低了：『早幾年就該把它租出去了。那麼，或者不至於……』

她的話只說了一半，就被樓梯上一陣急促的腳步聲所打斷了，她轉過身子，面對樓梯，心霞正三步併作兩步的從樓上衝下來，手裏抓著一疊書，穿了件紅色套頭毛衣和黑長褲，滿頭短髮亂蓬蓬的，掩映著一張年輕、紅潤，充滿了青春氣息的臉龐，她看來是精神飽滿而且充滿活力的。一直奔到餐桌旁邊，她抓了一塊麵包就往嘴裏塞，一面口齒不清的嚷著說：

『爸爸，媽！我不吃早飯了，第一節有課，我來不及了，還得趕公路局的班車！』

『站住！心霞，別永遠毛毛躁躁的！』梁逸舟說：『安安靜靜的把早飯吃了，我要去公司，妳跟我一起進城，我讓老高兜一下，先送妳去學校！』

『眞的？』心霞揚著眉毛問，難得父親願意讓她搭他的車，梁逸舟一向主張孩子們要能吃苦，不能養成上學都要私家車送去的習慣。她跑回到餐桌邊，在父親的面頰上閃電似的吻了一下，笑嘻嘻的說：『這才是好爸爸，事實上啊，不讓我搭您的車，是件完全損人不利己的事兒！』

『又得意忘形了！』梁逸舟呵叱著，聲音却怎樣也嚴厲不起來，你怎麼可能對這樣一個撒嬌撒癡的女兒板臉呢！『記住，已經是大學生了啊！』

『等我當老祖母的時候，』心霞含著一口麵包，又口齒不清了：『我還是你的女兒，爸爸，所以，別提醒我已經讀大學了。』

『不要含著東西說話，』吟芳說：『不禮貌。』

『媽，您知道所有當父母的都有一個毛病，就是喜歡說不要這個，不要那個！』

『瞧！居然批評起父母來了！』吟芳笑著說：『這孩子越大越沒樣子！』

『還不是……』梁逸舟剛開口，心霞就搶著對母親一本正經的接了下去：

『……妳慣的！』

吟芳忍不住噗哧一笑，梁逸舟也笑了起來，心霞對父親調皮的擠著眼睛笑，連那站在一邊的高媽，也忍俊不禁。就在這一片笑聲中，樓梯上一陣輕微的響動，心虹慢慢的走下樓來了。她穿著件長袖的黑色洋裝，披著一頭烏黑的長髮，襯托得那張小小的面孔更加白皙了。她瘦削而苗條，舉步輕盈，像一隻無聲無息的小貓。梁逸舟夫婦和心霞都望著她，笑聲消失了，餐桌上那抹輕鬆的空氣在剎那間隱逸無蹤。取而代之的，是一份沉重的寂靜。

心虹來到桌子前面，立即敏感到空氣的變化，她對大家看了一眼，勉強的想笑笑，但是，那笑容還沒有成形就在唇邊消失了。她低低的叫了聲：

『爸爸，媽，早。』

『坐下吧！姐姐！』心霞忽然跳了起來，用一種誇張的活潑，對心虹說，一面把自己的椅子推給她。『姐，妳該多喝點牛奶，那麼，妳就會胖起來。』

『昨晚睡得好嗎？』梁逸舟看著心虹問，其實，這一問是多餘的，不用她那失神的眸子來告訴他，他也知道她並沒有睡好。

『還好，爸爸。』心虹說，聲音溫柔而細緻。這種溫柔，使梁逸舟的心臟抽搐了一下。心虹！他那嬌嬌怯怯的小女兒！

『妳要多吃點！』吟芳把抹好牛油的麵包遞給心虹。

『哦，我不愛吃牛油。』心虹低低的說。

『當藥吃，嗯？』吟芳望著她，關懷的。幾乎是低聲下氣的。

『那……好吧！』心虹虛弱的笑了笑，順從的接過了麵包。高媽已急急的把一個剛煎好的蛋，熱氣騰騰的端了出來，放在心虹的面前，心虹皺皺眉頭，叫了聲：『哦，高媽！』

『小姐！』高媽堆了一臉的笑，請求似的看著心虹。

『哦，好吧！』心虹無奈的輕嘆了一聲：『看樣子，你們都急於想把我餵成大胖子呢！』埋下頭，她開始吃早餐，那牛奶的熱氣衝進了她的眼眶裏，她那黑眼珠又顯得迷濛而模糊了。

『噢，好爸爸！你到底吃好沒有？』心霞抱著書本，焦灼的問。『你再不動身啊，我就遲到遲定了！』

『好了，好了！』梁逸舟站起身來。『高媽，老高把車子準備好了沒有？』

『早就好了。』高媽說。

『姐，要不要我幫妳帶什麼吃的回來？』心霞回頭看著心虹，親熱的微笑著。

『不要了，我不想吃什麼。』

『那麼……我早些回來陪妳！再見啊！』

『再見，爸！再見，心霞！』

『爸，你快一點嘛，快一點嘛！』心霞一疊連聲的催著，不由分說把手臂插進父親的手腕裏，拖著梁逸舟往大門外衝去了，梁逸舟就在女兒的拖拖拉拉中，不住口的喊：

『看妳，成什麼樣子？永遠像個長不大的野丫頭！眞煩人！將來嫁了人也這股瘋相怎麼辦？』

『我不嫁人！』

『哼！我聽著呢，也記著呢！』

『哈哈哈哈！』心霞開心的笑著，父女兩人消失在門外了。立刻，汽車發動的聲音傳了過來，他們走了。

這兒，心霞一走，房內就突然安靜了。心虹低下頭，開始默默的吃著她的早餐。吟芳也不說話，只是悄悄的注視著心虹，帶著一種窺伺和研究的意味。心虹很沉默，太沉默了，那微蹙的眉梢上壓著厚而重的陰霾。那濛濛然的眼珠沉浸在一層夢幻之中，她看來心神恍惚而神思不屬。

很快的，心虹結束了她的早餐。擦了嘴，她站起身來，對吟芳說：

『我出去散散步，媽。』

吟芳怔了怔，本能的叫了聲：

『心虹！』

『怎麼？』

『別去農莊，狄家今天要搬來了。』

『哦？』心虹似乎楞住了，呆在那兒，半天沒有說話。好久之後，才慢吞吞的問：『那個姓狄的是什麼人？爲什麼他要住到這個荒僻的農莊裏來？』

『妳爸爸說他是個名作家，他需要一個安靜的地方寫作，我們也高興有這樣的鄰居，否則，農莊一直空著，房子也荒廢了。』

心虹沉思了片刻。

『名作家？他的筆名是什麼？』

『這……我不知道。』

『難得——他竟會看上農莊！』心虹自語似的說了一句，轉過身子，她不再和母親談話，逕自走向屋外去了。

瑟瑟的秋風迎著她，淸晨的山凹裏帶著涼意。這幢房子建築在羣山環繞中，一向顯得有些孤獨，但是，山中那份甯靜和深深的綠意却是醉人的。最可人的是房子四周的楓林，秋天來的時候，嫣紅一片，深深淺淺，濃濃淡淡，處處都是畫意。所以，梁逸舟給這幢房子取了一個頗饒詩意的名字，叫『霜園』，取『曉來誰染霜林醉』的意思。心虹一直覺得，父親不僅是個成功的企業家，他更是個詩人和學者。如果不是脾氣過於暴躁和固執，他幾乎是個十全十美的人。

走出霜園的大門，有一條車路直通台北，反方向而行，就是山中曲曲折折的蜿蜒小徑，可以一直走向深山裏，或者到達山巔的農莊。心虹選擇了那條小徑，小徑兩邊，依舊是楓樹夾道，無數的羊齒植物和深草，蔓生在楓林之間，偶爾雜著一些紫色的小野花和熟透的、鮮紅的草莓。心虹在路邊摘了一支狗尾草，無意識的擺弄著，一面懶洋洋的，向山中走去。

她深入了山與山之間，這兒是一片平坦的山谷，也是山中最富雅趣的所在點，幾株楓樹綴在綠野之上，一些在混沌初開時可能就存在的巨石，聳立在谷中。平坦的，可坐可臥，尖聳的，直入雲霄。岩石縫中長滿青苔，許多楓樹的落葉，灑在岩石上。岩石的基部，一簇簇的長著柔弱的小雛菊和蒲公英，黃色的花朵夾雜在綠草中，迎風招展，搖曳生姿。她走了過去，選擇了一塊平坦的石頭，坐了下來。她環顧四周，露珠在草葉上閃爍，谷深而幽，彌漫著迷濛的晨霧，樹木岩石，都隱隱約約的籠罩在一片蒼茫裏。這是她的山谷，她所深愛的所在，由於四面環山，太陽要到中午才能直射，所以整個山谷，不是籠罩在晨霧迷濛中，就是在黃昏時的暮色朦朧裏。因此，心虹叫它作『霧谷』。經常在這兒流連數小時，也經常在濃霧中迷失了自己。

現在，她就迷失了。順著她面前的方向，她可以仰望到山巔上的農莊，那農莊建築在山頭的高地上，一面臨著峭壁，從她坐著的地方，正好看到峭壁上圍著的欄杆，和斜伸出欄杆的一棵巨大的紅楓。她呆呆的仰視著，不由自主的陷入了一份沉思裏，她忘記了自己，忘記了許許多多的東西，只是出神的看著那欄杆，那楓樹，和那掩映在楓樹後面的農莊，她是眞的迷失了。然後，她耳邊突然響起了一個聲音，淸晰而有力的在說：

『心虹，跟我走！心虹，跟我走！』

她驚跳起來，迅速回顧，身邊一片寂然，除了岩石和樹木，沒有一個人影。她顫慄的用手摸摸額角，滿頭的冷汗，而一層令人起鷄皮疙瘩的寒意，卻從她的背脊上很快的蔓延開來。

3

經過了三天的忙碌，狄君璞終於把新家給安頓好了。這農莊，高踞於山巔之上，頗有種遺世獨立的味道，呼吸著山野中那清新的空氣，聽松濤，聽竹籟，聽那些小鳥的啁啾，狄君璞覺得自己像得到了一份新的生命一般，整個人都從那抑鬱的、窒息的消沉中復甦了過來。不止他對這山野有這樣的反應，連他那小女兒，六歲的小蕾，也同樣興奮不已，不住的在農莊裏裏外外跑出跑進，嘴裏嚷著說：

『爸！這兒眞好玩！眞好玩！我摘了好多紅果果，你看！還有好多花呢！』

眞的，山坡前後，顯然當初曾被好好的經營過，栽滿了美人蕉、牽牛花、木槿，和扶桑，如今，由於多年乏人照顧，那些花都成了野生植物，山前山後的蔓生著，却也開得燦爛，和那絢麗的紅楓相映成趣。這兒是個世外桃源，狄君璞希望，他能在這桃源裏休憩一下那困乏的身心，恢復他的自我。而小蕾也能健康起來，如果不是爲了小蕾，他或者還不至於下這樣大的決心搬來，但是，醫生的警告已不容忽視：

『這孩子需要陽光，需要到一個氣候乾燥的地方去居住一陣，你知道，氣喘是種過敏性的病，最怕的就是潮濕！小蕾必須好好照顧，她已經太瘦太弱了！』

他終於搬來了，在他這一生，將近四十年，他所剩下的，似乎只有一個小蕾。他已失去了太多太多的東西，他不能再失去小蕾，決不能！他可以犧牲自己的一切，只要小蕾能夠活潑健康！看到僅僅三天工夫，孩子的面頰已經被陽光染紅了，他有說不出來的欣慰，也有一份難言的辛酸，他知道孩子除了陽光還需要什麼。美茹！妳眞不該離去呵！

對於搬到農莊來，最不滿意的大概就是老姑媽和阿蓮了。阿蓮是怕寂寞，她的玩伴都在台北，好在狄君璞每個月許她兩天假日，而農莊到台北，也不過坐一小時的公路局車，她在狄家已經五年了，怎麼也捨不得那個她抱大的小小姐，所以也就怪委屈的跟來了。老姑媽呢，這把一生生命的大半都用來照顧狄君璞的老太太，只是嘰嘰咕咕的說：

『太不方便了！君璞，我就不知道每天買菜該怎麼辦？這裏下山到鎮上要走二十分鐘呢！』

『反正我們有大冰箱，讓阿蓮一星期買一次菜就行了！多走點路，對她年輕人只有好的！』

事實上，搬來的第二天，就有一個五十歲左右的男工，從山坡的小徑上來到農莊，提著一大包的東西，笑嘻嘻的說：

『我是老高，梁先生家的司機，我們太太叫我送點東西來，怕你們剛搬來一切不便。我老婆也在梁家做事，每隔三天，我就開車送她去鎮上買菜，我們太太說，如果你們買菜不方便，以後我可以給你們帶來！』

梁太太！她想得倒挺周到的，那一包東西全是食物，從鷄蛋，火腿，香腸，到生肉應有盡有，老姑媽樂得合不攏嘴，也就再也不提買菜不便的事。事實上，在以後的生活中，買菜確實也沒給他們帶來任何的煩惱。

剛搬到農莊來，狄君璞對於它的地理環境，還沒有完全弄清楚。隨後，他就知道了，農莊有條大路，可以下山直通鎮上，然後去台北。但是，如果要去『霜園』，却只有山中的小徑可通，這小徑也可深入羣山之中，處處風景如畫。狄君璞不能不佩服梁逸舟，他能在二十年前，把這附近的幾個山都買下來。在這山頭建上一座古樸而粗拙的農莊，雖然他的『務農』是完全失敗了，逼得他放棄了羊羣、乳牛，和來杭鷄，又轉入了商業界。最後，竟連農莊也放棄了，另造上一幢精緻的洋房『霜園』。可是，這些荒山却在無形中被開發了，山中處處可以找到小徑，蜿蜒曲折，深深幽幽，似乎每條小徑都可通往一個柳暗花明的另一境界。僅僅三天，狄君璞就被這環境完全迷住了。

農莊的主要建築材料是粗拙的原材，大大的木頭柱子，厚重的木門，和粗實的橫樑。木頭都用原色，門窗都沒有油漆，却『拙』得可愛。屋子裏，也同樣留著許多用笨重木材做成的桌椅，那厚篤篤的矮桌，不知怎麼很給人一種安全踏實的感覺，那寬敞的房間，也毫無偪窄的缺點。對於一些愛時髦的人來說，這房子，這地點，似乎都太笨拙而冷僻了，但對狄君璞，却再合適也沒有。農莊的建築面相當廣，除了一間客廳外，還有五間寬大的房間，現在，其中一間作了狄君璞的書房，四壁原有木材作的隔架，如今堆滿了書。書，是狄君璞除了小蕾以外，最寶貴的財產了。其他四間，分別作了狄君璞、小蕾、姑媽，和阿蓮的臥室。除了這些房間之外，這農莊還有一個閣樓，裏面似乎堆了些舊家具、舊書籍，和箱籠。狄君璞因爲沒有需要，也就不去動用它。在農莊後面，還有幾間堆柴、茅草，和樹枝的房間，旁邊，是一片早已空廢的柵欄，想當初，這兒是養牛羊的所在，鷄舍在最後面，現在也空了。農莊的前面，有一塊平坦的廣場，上面有好幾棵合抱的大樹，一株紅楓，灑了一地的落葉。樹木之間，全是木槿花，紫色的、粉紅的、白色的……燦爛奪目。農莊的後面，却是一座小小的楓林，那些巨大的紅楓，迎著陽光閃爍，如火，如霞，如落日前那一刹那時的天空。楓林的一邊臨著懸崖，沿著懸崖的邊緣，全牢固的築了一排密密的欄杆，整個農莊，只有這欄杆漆著醒目的紅油漆。欄杆外面，懸崖深陡。這欄杆顯然還是新建的，狄君璞料想，這一定是梁逸舟說定了把房子租給他住之後，知道他有個六歲的小女兒，才派人修建了這排欄杆。梁逸舟的這些地方，是頗令人感動的。

搬家是個繁重的工作，尤其對一個男人而言，事後的整理是煩人的，如果沒有老姑媽，狄君璞眞不知道該怎麼辦才好。足足忙了三天，才總算忙完了。這天黃昏，狄君璞才算眞正有閒暇走到山野裏來看看。

沿著一條小徑，狄君璞信步而行，山坡上的草叢裏開著蘆花，一叢叢細碎的、白色的花穗在秋風中搖曳，每當風過，那一層層蘆穗全偏倚過去，起伏著像輕風下的波浪。幾株黃色的雛菊，雜生於草叢之間，細弱的花幹，小小的花朵，看來是楚楚動人的。楓樹的落葉飄墜著，小徑上已鋪滿了枯萎的葉子，落葉經過太陽的曝曬，都變得乾而脆，踩上去簌簌作聲。兩隻白色的小蛺蝶，在草叢裏翩翩飛舞，忽上忽下，忽遠忽近，忽高忽低，忽分忽合。落日的陽光在小蛺蝶的翅膀上染上了一層閃亮的嫣紅。這秋日的黃昏，一草一木，一山一石，在在薰人欲醉。

狄君璞不知不覺的進入了深山裏，在這杳無人迹的山中，在這秋日的柔風裏，在這落日的餘暉下，他有種嶄新的、近乎感動的情緒，那幾乎是凄涼而愴惻的。他不自禁的想著前人所謂『前不見古人，後不見來者，念天地之悠悠，獨愴然而涕下。』的那份感觸。他是深深的被這山林所震懾了。

他前面有塊巨石擋著路，小徑被一段雜草所隔斷了，這是一個山谷，遍佈著嵯峨的巨石。他站住，仰頭望了望天空，彩霞滿天，所有的雲，都是發亮的橙色與紅色，一朵一朵，熙攘著，堆積著。谷裏有些兒幽暗，薄霧蒼茫，巨石的影子斜斜的投在草地上，瘦而長。風在谷內穿梭，發出低幽的聲響。那對小蛺蝶，已經不見了。

他陷入一種深沉的冥想中，在這一刻，他又想起了美茹，如果美茹在這兒，她會怎樣？不，她不會喜歡這個！他知道。可悲呵，茫茫天涯，知音何處？他心頭一緊，那愴惻的感覺就更重了！

忽然間，他被什麼聲音驚動了。他聽到一聲嘆息，一聲低幽、綿邈，而蒼涼的嘆息。這山谷中還有另外一個人！他驚覺的站直了身子，側耳傾聽，又什麼聲音都沒有了。是幻覺嗎？他凝神片刻，眞的，不再有聲音了。他搖了搖頭，回身望著農莊，是的，從這兒可以淸楚的看到農莊的紅欄杆，和那楓葉後的屋脊，這時，一縷炊煙，正從屋脊上裊裊上昇，阿蓮在做晚餐了，他也該回去了。

抬起脚，他準備離去了。可是，就在這時候，那嘆息聲又響了起來，他重新站住，這次，他清楚的知道不是幻覺了，因爲，在嘆息聲之後，一個女性的、柔軟的、清晰的聲音，喃喃的唸了幾句『無言獨上西樓』還是什麼的，接著，又清楚的唸出一闋詞來，頭幾句是這樣的：

『河可挽，石可轉，那一個愁字，却難驅遣……』

僅僅這幾句，狄君璞已經覺得心中怦然一動，這好像在說他呢！他曾以博覽羣書而自傲，奇怪的是對這闋詞並無印象。靜靜的，他傾聽著，那女性聲音好軟，好溫柔，又好清脆：

『河可挽，石可轉，
那一個愁字，却難驅遣。
眉向酒邊暫展，
酒後依舊見。
楓葉滿堦紅萬片，

待拾來，一一題寫教遍，
卻遣霜風吹捲，
直到沙島遠！』

唸完，下面又是一聲輕喟，帶著股惻然的、無奈的幽情。狄君璞再也按捺不住自己，他有種又驚又喜又好奇的情緒，在這孤寂的深山裏，他是做夢也不會想到會聽到這種聲音和這種詩句的。他情不自禁的跟蹤著那聲浪，繞過了那塊擋著他的巨石，向那山凹中搜尋過去。

剛剛繞過了那石塊，他就一眼看到那唸詩的少女了，她坐在一塊岩石上，正面對著他出現的方向。穿著一襲黑白相間的、長袖的秋裝，繫著一條黑色的髮帶，那垂肩的長髮隨風飄拂著，掩映著一張好清秀、好白皙的臉龐。由於他的忽然出現，那少女顯然大大的吃了一驚，她猛的抬起頭來，睜大了一對黑白分明的大眼睛，那眼睛好深好黑好澄淨，卻盛滿了驚惶與畏怯，那樣怔怔的瞪著他。這眼光立刻引起他一陣犯罪似的感覺，他那麼抱歉——顯然，他侵入了一個私人的、寧靜的世界裏。

『哦，對不起，』他結舌的說，不敢走向前去，因爲那少女似乎已驚嚇得不能動彈。『我沒想到打擾了妳，我才搬來，我住在那上面的農莊裏。』

那少女繼續瞪著他，彷彿根本沒有聽懂他在說什麼，那眼睛裏的驚惶未除，雙手緊緊的握著膝上的一本書，一本線裝的舊書，可能就是她剛剛在唸著的一本。

『妳瞭解了嗎？』他再問，嘗試著向她走近。『我姓狄，狄君璞。妳呢？』

他已經走到她面前了，她的頭不由自主的向後仰，眼裏的驚惶更深更重了。當他終於停在她面前的時候，她忽然發出一聲驚喊，迅速的從岩石上跳起來，扭轉身子就向後跑，她身上那本書『噗』的一聲掉落在地上，她『逃』得那樣快那樣急，竟無暇回顧，也不去拾那本書，只是倉皇的奔向那暮色漸濃的深山小徑中。只一會兒，她那纖細而苗條的身子，就隱沒在一片蔥蘢的綠色和薄暮時分的霧氣裏。

狄君璞有好一會兒回不過神來，他實在不瞭解自己有什麼地方會如此驚嚇了她？他雖不是什麼漂亮男子，但也決不是鐘樓怪人呀！站在那兒，他望著她所消失的山谷發楞，完全大惑不解。半晌，他才搖了搖頭，迷惑的想，不知剛才這一幕是不是出自他的幻覺，他那經常構思小說的頭腦，是常會受幻覺所愚弄的。要不然，就是什麼山林的女妖，在這兒幻惑他，聊齋中這類的故事曾層出不已。可是，當他一回顧間，他看到了草地中的一本書——她所落下的書，那麼，一切都是眞實的了？確有一個少女被他的魯莽所嚇跑了？

他有些兒惆悵，有些兒沮喪，他從不知道自己是很可怕的。俯下身子，他拾起了地下的那本書，封面上的書名是『歷朝名人詞選』。翻開第一頁，在扉頁的空白處，有毛筆的題字，寫的是：

『給愛女心虹

爸爸贈於一九六五年耶誕節』

心虹？這是那少女的名字嗎？這又是誰呢？她的家在附近嗎？他心中一動，突然想起霜園，只有霜園，與剛剛那少女的服飾打扮，和這本書的內容是符合的。那麼，她該是梁逸舟的女兒了？一時間，他很想把這本書送到霜園去。可是，再一轉念間，他又作罷了。因爲，太陽不知什麼時候已落了山，暮色厚而重的堆積了過來，山中的樹木岩石，都已蒼茫隱約。再不尋徑歸去，他很可能迷失在這山凹裏。何況，那傍晚時的山風，已不勝寒惻了。

拿著那本書，他回到了農莊。小蕾已經在農莊的門口等待了好半天了，晚餐早就陳列在桌上，只等主人的歸來。菜飯香繞鼻而來，狄君璞這才發現，自己早已餓腸轆轆了。

餐後，他給小蕾補習了一下功課，小蕾因身體太差，正在休學中，但他却不想讓她忘記了功課。補完了書，又帶著她玩了半天，一直等她睡了，狄君璞才回到自己的書房裏。扭開了檯燈，他沉坐在書桌前的安樂椅中，不由自主的，他打開了那本『歷代名人詞選』。

這是清末一個詞人所編撰的，選的詞都趨於比較綺麗的作品。顯然有好幾册，這只是第一册。他隨便翻了幾頁，書已經被翻得很舊了，許多詞都被密密圈點過，他唸了幾首，香生滿口，他就不自禁的看了下去。

然後，他發現書頁的空白處，有小字的評註，字迹細小娟秀，却評得令人驚奇。事實上，那不是『評註』，而是一些讀詞者的雜感，例如：

『所有文學，幾乎都是寫情的，但是，感情到底是什麼？它只是痛苦的泉源而已。眞正的感情與哀愁俱在，這是人類的悲哀！』

『沒有感情，又何來人生？何來歷史？何來文學？』

『好的句子都被前人寫盡，我們這一代的悲哀，是生得太晚，實在創不出新的佳句了！』

『知識實在是人類的束縛，你書讀得越多，你會發現你越渺小！』

『柳永可惜了，既有「針線慵拈伴伊坐，和我。免使少年光陰虛過」的深情，何不眞的把雕鞍鎖？受晏殊揶揄，也就活該了！』

『詩詞都太美了，但也都是消極的。我懷疑如此美的感情，人間是不是眞有？』

其中，也有與詩詞毫無關係的句子，大多是對『感情』的看法，例如：

『不瞭解感情的人，白活了一世，是蠢驢！而眞瞭解感情的人，却太苦太苦！所以，不如做蠢驢，也就罷了！人，必須難得糊塗！』

『利用感情爲工具，達到某種目的的人，該殺！』

『玩弄感情的人，該殺！』

『輕視感情的人！該殺！』

『無情而裝有情的人，更該殺！』

這一連串的幾個『該殺』，倒眞有些觸目驚心，狄君璞一頁頁的翻下去，越翻就越迷惑，越翻也越驚奇。他發現這寫評語的人內心是零亂的，因爲那些句子，常有矛盾之處。但是，也由此發現，那題句者有著滿腔壓抑的激情，如火般燒灼著。而那激情中却隱匿了一些什麼危險的東西！那是個迷失的心靈呵！

狄君璞深思的合起了書，心中有份恍惚，有份蒼涼，然後，他又一眼看到書本的背面，那細小的字迹寫著一闋詞，是：

『寂寞芳菲暗度，歲華如箭堪驚，
緬想舊歡多少事，轉添春思難平，
曲檻絲垂金柳，小窗弦斷銀箏。
深院空聞燕語，滿園閒落花輕，
一片相思休不得，忍教長日愁生，
誰見夕陽孤夢，覺來無限傷情！』

那不僅是個迷失的心靈，而且是個寂寞的心靈呵！狄君璞對著燈，聽那山梟夜啼，聽那寒風低訴，他是深深的陷入了沉思裏。

4

早上，狄君璞起晚了，一夜沒睡好，頭腦仍是昏昏沉沉的。才下床，他就聽到客廳裏傳來小蕾的嘻笑之聲，不知爲什麼，這孩子笑得好高興。然後，他聽到一個陌生的、女性的聲音，在和小蕾攀談著。怎麼？這樣早家裏就會來客嗎？他側耳傾聽，剛好聽到小蕾在問：

『我忘了，我該叫妳什麼？』

『梁阿姨，記住了！梁阿姨！』那女性的聲調好柔媚，好年輕，這會是昨天山中的少女嗎？

『我住在那邊霜園裏，一個好大好大的花園，讓爸爸帶妳來玩，好不好？』

『妳現在帶我去，好嗎？』小蕾興奮的說，一面揚聲叫著：『婆婆！我跟梁阿姨去玩，好嗎？』

『哦，不行，小蕾，現在不行，』那少女的聲音溫柔而坦率：『梁阿姨要去上學了，不能陪妳玩。好吧，妳爸爸還沒起來，我就先走了，告訴妳爸爸，今天晚上……』

狄君璞迅速的換好衣服，洗了把臉，就對客廳衝出去。不成，他不能放她走！如果竟是昨天那少女呢！跑進了客廳，他就一眼看到那說話的人了。不，這不是昨天那個山林的女妖，那個虛幻的幽靈，這是個活生生的、神采飛揚的、充滿了生命、活力，與青春的女孩！他站住，迎視著他的是一對肆無忌憚的眸子，大而亮，帶著點桀驁不馴的野性，和一抹毫不掩飾的好奇，微笑的盯著他。

『哦，妳是——妳是？』他猶疑的問。

『我叫梁心霞！』她微笑著，仍然緊盯著他。『梁逸舟是我爸爸。』

『哦，妳是梁小姐，』他打量著她，粉紅毛衣，深紅長褲，外面隨隨便便的披著一件大紅色的薄夾克。手裏捧著幾本書，站在門前射入的陽光裏，幾乎是個璀璨的發光體，豔光四射。『怎麼不坐下來？小蕾，妳叫阿蓮倒茶，婆婆呢？』

『婆婆在煮稀飯，阿蓮去買菜了。』小蕾說，在一邊用一種無限欣羡的眼光看著心霞，連稚齡的小女兒，也懂得崇拜『完美』呵！

『別忙，狄先生，』心霞急忙說：『我馬上要走，我還要趕去上課。』她對四周環顧著。『你們改變得不多。』

『是的，』狄君璞說：『我盡量想保持原有的樸實氣氛。』

心霞點點頭，又抬起眼睛來看著狄君璞。

『我來有兩件事，狄先生。』她說：『一件是：爸爸和媽媽要我來請你和這個小妹妹，今天晚上到霜園去吃晚飯，從今以後，我們是鄰居了，你知道。』

『噢，妳父母眞太客氣了。』

『你們一定要來哦，』心霞叮囑著：『早一點來，爸爸喜歡聊天。還有一件……』笑容忽然在她唇邊隱沒了，那眼睛裏的光采也被一片不知何時浮來的烏雲所遮蓋了。她深深的望著他，放低了聲音：『我姐姐要我來問一聲，你是不是撿到了一本她的書？』

『妳姐姐？』他怔了怔。

『是的，她叫梁心虹，她說她昨天曾在山中碰到了你。她想，你可能拾走了那本書。』

『哦，』他回過了神來，果然，那是梁家的女兒！但是，爲什麼心霞提到她姐姐的時候，要那樣神祕，隱晦，而且滿面愁容？『是的，我拾到了，是一本詞選。妳等等，我馬上拿給妳！』

他走進書房，取出了那本書，遞給心霞。心霞接了過去，把它夾在自己的書本中，抬起眼睛來，她對狄君璞很快的笑了笑，說：

『謝謝你，狄先生，那麼我走了。晚上一定要來哦，別忘了！』

『一定來！』狄君璞說，牽着小蕾的手，送到門外。『我陪妳走一段，妳去鎭上搭車嗎？』

『是的，你別送了！』

『我喜歡早上散散步！』

沿着去鎭上的路，他們向前走着，只走了幾步，小蕾就被一隻大紅蜻蜓吸引了注意力，掙開了父親的掌握，她歡呼着奔向了路邊的草叢裏，和那隻蜻蜓追逐於山坡上了。看着小蕾跑開，心霞忽然輕聲的、像是必須要解釋什麼似的說：

『我姐姐……她很怕看到陌生人。』

『哦，是嗎？』狄君璞頓了頓。『我昨天嚇到她了嗎？』

『我是怕……她嚇到了你。』心霞勉强的笑了笑。

『怎會？』狄君璞說：『我以爲……』他又噤住了。『她很少去城裏嗎？沒有讀書？』

『不，她已經大學畢業了，唸的是中國文學系。爸爸常說，她是我們家的才女。但是，一年前，她……』心霞停住了，半天，才又接下去：『她生了一場腦病，病得很厲害，病好之後，她就變得有點恍恍惚惚的了，也曾經在精神病院治療過一段時間，現在差不多都恢復了，只是怕見人，很容易受驚嚇。醫生說，慢慢調理，就會好的。』

『噢，原來如此。』狄君璞恍然了，怪不得她那樣瑟縮，那樣畏怯，那樣驚惶呢！

小蕾從山坡上跑回來了，她失去了那隻蜻蜓，跑得直喘氣，面頰紅撲撲的，額上都冒着汗珠了。拉着父親的手，她開始一疊連聲的叫：

『爸，我餓了！爸！我還沒吃早飯！』

『好了，』心霞站住了，笑着說：『別送了，狄先生，晚上見吧！』

『好，晚上見！』狄君璞也笑笑說。

心霞對小蕾揮了揮手，轉身去了，一抹嫣紅的影子，消失在綠野之上。狄君璞牽着小蕾，慢慢的向農莊走回去，老姑媽早已站在農莊門口，引頸而望了。

早餐過後，狄君璞進入書房，開始整理一篇自己寫了一半的舊稿。搬家已經忙完了，也該重新開始工作了。他沉入自己的小說中，有很長一段時間，對外界的一切都茫無所知，直到將近中午，老姑媽推門進來。

『聽說梁家今天晚上請你和小蕾去吃飯！』她說，手裏一面編織着一件小蕾的毛衣。

『是的。』狄君璞抬起頭來，他的神志仍然深陷在自己的小說中。

老姑媽在旁邊的一張椅子裏坐了下來，一面不停的做着活計。她雖竭力做出一副輕描淡寫，無所事事的神情來，但狄君璞根據和老姑媽多年相處的經驗，卻知道她必定有所爲而來。這姑媽是狄君璞父親的親妹妹，兄妹手足之情彌篤，狄君璞的父親結婚後，姑嫂之間感情更好，一直住在一起。後來姑媽結婚了，誰知婚後三年就守了寡，狄君璞的父親憐惜弱妹，就又把她接了回來。從此，老姑媽就再也沒有離開過狄家，狄君璞幾乎是被她帶大的。等到狄君璞父母雙亡，老姑媽就毅然的主持起家務來，對狄君璞和小蕾都照顧備至。所以，對老姑媽，狄君璞有份孺慕之依，更有份感激之情。現在，看到老姑媽那若有所思的樣子，他放下了筆，問：

『有什麼事嗎？』他想，老姑媽一定因爲自己沒有被邀請而有些不快。

『哦，沒什麼，』老姑媽說，神色中卻明顯的有幾分不安，她蠕動了一下嘴唇，忽然問：

『這個梁——梁逸舟，你跟他很熟嗎？』

『哦，並不，怎麼？』

『怎會想到租他的房子呢？認識多久了？』

『也不過半年左右，是在一個宴會上認識的，他說很佩服我的小說，那人很有點深度，我們挺談得來的，就常常來往了。幾個月前，我無意間說起想找一個鄉間的房子，要陽光充足，地勢高亢的，一來給小蕾養病，二來我可以安靜寫作，他就提起他有這樣一座空着的農莊，問我願不願意搬來住？他說空着也是白空着，如果我來住，他就算借給我，他希望有我這樣一個鄰居。我來看過一次，很滿意，就這樣決定了。我當然不好白住他的房子，也形式化的簽過一張租約。但是，現在我付的租金不過是意思意思而已，那兒還可能找到這樣便宜又這樣適當的房子？梁逸舟這人眞是個好人！』他停了停，瞪着老姑媽：『怎麼？妳爲什麼突然問起這個來？有什麼不妥嗎？』

『可是——』老姑媽沉吟了一下，毛線針停在半空中。『阿蓮今天到鎭上去買菜，聽到不少閒話。』

『閒話？』狄君璞有些失笑。『菜場一向是三姑六婆傳播是非的好所在。』

『倒不是是非……』老姑媽遲疑着。

『那麼，是什麼呢？』

『他們驚奇我們會搬進這農莊，據他們說，這兒是一幢——一幢凶宅。』

『凶宅？』狄君璞一楞。『這對我眞是新聞呢！有什麼證據說這兒是凶宅呢？』

『有許多——許多傳說。』

『例如什麼？鬧鬼嗎？』

『不是這種，』老姑媽皺了皺眉：『是有關於死亡一類的。』

『是說這屋子裏死過人嗎？』

『我也不清楚，阿蓮說大家都吞吞吐吐的，只說梁家是一家危險的人，和他們家接近一定會帶來不幸，正談着，因爲梁家的女傭高媽來了，大家就都不說了。』

『咳，』狄君璞笑了。『我說，姑媽，妳別擔心吧，我保證那梁家沒有任何的不妥，也保證我們不會有任何的不幸，那些鄉下人無知的傳說，我們大可以置之不理，是不是？』

『噢，』老姑媽笑了笑。『我知道你會這樣說的，但願我也能和你一樣樂觀。』

『那麼，妳就和我一樣樂觀吧！』狄君璞的笑容裏毫無煩惱。『別聽那些閒言閒語！梁家的人舉止行動，可能和這農村的習性不同，大家就造出些話來，過一陣子，我們可能也會成爲他們談論的對象呢！』

『可是，關於那霜園裏……』

『霜園裏怎樣？』

『哦，我不說了！』老姑媽驀地打了個冷顫，站起身來。『你會當作無稽之談的，我還是不說的好，我去看看阿蓮把午餐做好了沒有？』

『到底是什麼？』狄君璞皺起了眉頭，他有些不耐。『妳還是都說出來吧，姑媽！』

『他們說——他們說……那霜園裏住着一個……一個魔鬼，一個女巫，一個瘋子，她在一年以前，就在我們這棟農莊裏，殺死了一個人！』

『什麼？』狄君璞緊緊的盯着老姑媽。

『哦，哦，』老姑媽結舌的向門口走去。『這——這不過是大家這麼說而已，誰也不知道眞正是怎麼回事，反正你也不信這些，我只是告訴你，姑妄聽之吧！我去看阿蓮和小蕾去！』。

像逃走一般，老姑媽急急的走了，她最怕的就是狄君璞把眉頭鎖得緊緊的，這表示他在生氣了！她有些懊惱，眞不該把這些話告訴他的，他一定嫌她老太婆多管閒事了。

狄君璞看着老姑媽離去，他不能再寫作了，一上午那種平靜安詳的心情，現在已一掃無餘，他站起身來，走到窗前，瞪視着窗外那綠樹濃蔭，他眞無法相信，在這寂靜而優美的深山裏，會有着怎樣的隱秘和罪惡？狠狠的，他摔了一下頭，大聲的說：

『胡說八道！完全胡說八道！』

他的聲音喊得那樣響，把他自己都嚇了一跳，他愕然回顧，房裏靜悄悄的，寬大的房間顯得陰冷幽暗，他忽然覺得天氣變冷了。

5

黃昏時，狄君璞就帶着小蕾往霜園走去。那山中曲折的小徑，那岩石，那野花遍地，那彩霞滿天，以及那山谷中特有的一份醉人的寧靜，使狄君璞再度陷入那種近乎感動的情緒裏。而小蕾呢，她是完全興奮了。不時的，她拋開了父親的手，衝到草叢中去摘下幾顆鮮紅欲滴的草莓，或者，是一把野花。只一會兒，她兩個手都滿了，於是，她又開始追逐起蝴蝶和蜻蜓來，常常跑得不見身影。狄君璞只得站住等她，一面喊着：

『別跑遠了，小蕾！草太深的地方不要去！當心有蛇！別給石頭絆了！』

小蕾一面應着，一面又繞到大石頭後面去了，堅持說她看到一隻好大好大的黑蝴蝶。狄君璞望着她那小小的身影，心頭不自禁的掠過了一抹怛惻。因爲要去霜園吃飯，姑媽把小蕾打扮得很漂亮，白色綉花的小短裙，紅色的小外套，長統的白襪子，小紅皮鞋，再戴了頂很俏皮的小紅帽子，頗有點童話故事中畫的『小紅帽』的味道。孩子長得很美，像她的母親。大而生動的眼睛，小小的翹鼻子，頰上的一對小酒渦……都是她母親的！可是，她的母親在那裏？狄君璞還記得最後那個晚上，美茹哭泣着對他說：

『我愛你，君璞，我眞的愛你。可是繼續跟你一起生活，我一定會死掉，我配不上你。你放了我吧！求求你，放了我吧！』

他當時的回答多麼沉痛，她能聽出來嗎？

『我不想用我的愛情來殺死妳！美茹，如果眞已經到了這個地步，那麼，妳去吧！離開我吧，去吧！』

於是，她去了！就這樣去了！跟着另一個男人去了。他表現得那樣沉默，甚至是懦弱的。他知道，多少人在嘲笑他的軟弱，也有多少人揶揄着他的『大方』，只有他自己明白，他那顆滴着血的心是怎樣也留不住美茹那活躍的靈魂的！一切並不能全怪美茹，他能奉獻給她的，只有一顆心！而美茹，她生來就是天之驕子，那樣美，那樣活潑，那樣生活在羣衆的包圍裏！她說的也是實話，她是不能僅僅靠他的一顆心而活着的！她去了，奇怪的是他竟不能怨她，也不能恨她，他只是消沉與自苦而已。美茹，或者她並沒有想到，她的離去，是將他生命裏的歡笑與快樂一起帶走了，竟沒有留下一絲一毫來。

小蕾從石頭後面跑回來了，她喘着氣，一邊跑，手裏的野花草莓就一路撒着，她的小白裙子飛開了像一把傘，整個人像個小小的散花天使。但是，她跑得那樣急，喘得那樣厲害，她的小臉是蒼白的。

『爸爸！爸爸！爸爸！』她一路喊着。

『怎麼了？』狄君璞一驚，奔過去拉住那孩子。『妳又喘了嗎？準是碰到什麼花粉又過敏了！』

『不是的，不是的！』孩子猛烈的搖着頭，受驚的眸子睜得好大。

『是什麼？妳碰到蛇了？被咬了？』狄君璞慌張的檢視着孩子的手脚：『那兒？那兒疼？』

『不是，爸爸！』孩子恐懼的指着那塊大石頭：『那後面……那後面有一個人！』

『一個人？』狄君璞怔了怔，接着就笑了。『一個人有什麼可怕呢？小蕾？這山什麼人都可以來呀！』

『那個人——那個人瞪着山上我們住的房子，樣子好可怕哦！』

『是嚒？』狄君璞回過頭去，果然看到農莊懸崖邊的紅欄杆和屋脊。這山谷就是他昨日碰到梁心虹的地方。他心中一動，立即問：

『是個女人嗎？』

『是的，一個女人！一個穿黑衣服的女人！』

果然！是那個名叫心虹的女孩子！狄君璞牽着小蕾的手，迅速的向那塊巨石走去，一面說：

『我們去看看！』

『不！不要去！』小蕾瑟縮的後退了兩步。

『別傻！孩子，』狄君璞笑着說：『那個阿姨不會傷害妳的，去吧！別怕！』

拉着小蕾，他跑到那塊石頭後面，那後面是一片草原，開滿了紫色的小野花，還有幾棵聳立着的、高大的紅楓，除此而外，什麼人影都沒有。狄君璞四面打量着，石影參差，樹影髣髴，四周是一片醉人的寧靜。

『這裏沒有人呀，小蕾，妳一定看錯了！』

『眞的！是眞的！』小蕾爭辯着。『她就站在那棵楓樹前面，眼睛……眼睛好大……好可怕哦！』

狄君璞聳了聳肩，如果心虹眞在這兒，現在也早就躲起來，或是跑開了。他拍了拍小蕾的手，微笑的說：

『不要誇張，那個阿姨一點也不可怕，她長得滿好看的，不是嗎？頭髮長長的，是不是？』

『不，不是，』孩子忙不迭的搖着頭：『那是個……是個老太婆！』

『老太婆？』狄君璞是眞的啼笑皆非了，心虹縱使看起來有些憔悴，也決不至於像個老太婆呀！他對小蕾無奈的搖了搖頭，看樣子，這孩子誇張描寫的本能，一定遺傳自他這個寫作的父親！將來也準是個搖筆桿的材料！

『好了，別管那個老太婆了，我們要快點走，別讓人家等我們吃飯！』

片刻之後，他們停在霜園的大門外了，那鏤花的鐵門靜靜的掩着，門內花木扶疏，楓紅似錦，房屋掩映在樹木蔥蘢中，好一個優美靜謐的所在！

他按了門鈴，開門的是他所認識的老高。對狄君璞恭敬的彎了彎腰，老高說：

『狄先生，我們老爺和太太正等着你呢！』

想必老高是梁家從大陸帶出來的傭人，還保留着對主人稱『老爺』的習慣。狄君璞牽着小蕾，跟着老高，穿過了那花香馥郁的花園，走進霜園那兩面都是落地長窗的大客廳裏。

霜園的建築和農莊是個鮮明的對比，農莊古拙而原始，霜園却豪華而精緻，那落地的長窗，玻璃的吊燈，考究的家具，和寬大的壁爐，在在都顯示出主人力求生活的舒適。狄君璞幾乎不能相信這兩棟房子是同一個主人所建造的。梁逸舟似乎看出了狄君璞的驚奇，他從沙發裏站起來，一面和狄君璞握手，一面笑着說：

『和農莊大大不同，是不是？你一定比較喜歡農莊，這兒太現代化了。』

『各有千秋，你懂得生活。』狄君璞笑着，把小蕾拉到面前來：『叫梁伯伯！小蕾！』

『嗨！這可不成！』一個清脆的聲音響了起來，狄君璞看過去，心霞正笑嘻嘻的跑到小蕾面前，親熱的拉着小蕾的手說：『人家今天早上叫我阿姨呢，怎能叫爸爸伯伯？把輩份給叫亂了！』

『胡說！』梁逸舟笑着呵叱：『那有自封爲阿姨的？她頂多叫妳一聲梁姐姐，妳才該叫狄先生一聲伯伯呢！』

『那裏，那裏，梁先生，別把我給叫老了！』狄君璞急忙說：『決不可以叫我伯伯，我可當不起！』

『好吧，這樣，』心霞嚷着說：『我就讓小蕾喊我一聲姐姐，不過哦，我只肯叫你狄先生，你大不了我多少歲！』

『看妳這個瘋丫頭相！一點樣子都沒有！』梁逸舟嘴裏雖然呵斥着，却掩飾不住唇邊的笑意。

一面，他轉頭對一直含笑站在一邊的妻子說：『吟芳，妳也不管管妳的女兒，都是給妳……』

『……慣壞的！』心霞又接了口。

梁逸舟對狄君璞無奈的搖搖頭，笑着問：

『你看過這樣的女兒沒有？』

狄君璞也笑了，他看到的是一個充滿了溫暖與歡樂的家庭。想起老姑媽的道聽塗說，他不禁暗暗失笑。如果他心中真有任何陰霾，這時也一掃而空了。望着吟芳，他含笑的問：

『是梁太太吧？』

『瞧，我都忘了介紹，都是給心霞混的！』梁逸舟說，轉向吟芳：『這就是狄君璞，鼎鼎有名的大作家，他的筆名叫喬風，妳看過他的小說的！』

『是的，狄先生！』吟芳微笑的說，站在那兒，修長的身子，白皙的面龐，她看來高貴而雅致。『我們一家都是你的小說迷！』

『哦，不敢當！』狄君璞說：『我那些見不得人的東西，別提了，免得我難堪。』

『這邊坐吧，君璞，』梁逸舟說：『我要直接喊你名字了，既然做了鄰居，大家還是不拘形迹一些好！』

在沙發上坐了下來，高媽送上了茶。心霞已經推着小蕾到吟芳面前，一疊連聲的說：

『媽，妳看！媽，妳看！我可沒騙妳吧！是不是長得像個小公主似的？妳看那大眼睛，妳看那翹鼻子！還有那長睫毛，放一支鉛筆上去，一定都掉不下來，這樣美的娃娃，妳看過沒有？』

她又低低的加了一句：『當然，除了我小時候以外。』

『嗬！聽她的！』梁逸舟說：『一點也不害臊，這麼大了，一天到晚裝瘋賣傻！』

心霞偷偷的作了個鬼臉，大家都笑了。這時，狄君璞才發現沒有看到心虹，想必她還遊蕩在山谷的黃昏中，尚未歸來吧！可是，就像是答覆狄君璞的思想，樓梯上一陣輕盈的脚步聲，狄君璞抬起頭來，却一眼看到心虹正緩緩的拾級而下。她穿着件純白色滾黑邊的衣服，頭髮鬆鬆的挽在頭頂上，露出修長的頸項，別有一份飄逸的氣質。她並沒有絲毫從外面剛回來的樣子，雲鬢半偏，神色慵懶。看到狄君璞，她楞了楞，臉上立即浮起一抹薄薄的不安和靦腆。帶着股弱不勝衣的嬌柔，她輕聲說：

『哦，客人已經來了！』

『噢，心虹，』吟芳親切的說：『快來見見狄先生，也就是喬風，妳知道的！』

心虹彷彿又楞了一下，她深深的看了狄君璞一眼，眼底閃過了一絲驚奇的光芒。梁逸舟望着心虹說：

『妳睡夠了吧？睡了整整一個下午，再不來我要叫妳妹妹去拖妳下樓了。來，妳愛看小說，又愛寫點東西，可以跟狄先生好好的學習一番。』

心虹瑟縮了一下，望着狄君璞的眼睛裏有些羞怯，但是，顯然她已不再怕他了。她輕輕的說：

『哦，爸爸，我已經見過狄先生了。』

『是嗎?』梁逸舟驚奇的。

『是的,』狄君璞說:『昨天在山谷裏,我們曾經見過一面。』

『那麼,我的兩個女兒你都認識了?』梁逸舟高興的說:『我這兩個女兒眞是極端,大的太安靜了,小的又太野了!』

『爸爸!我抗議!』心霞在叫着。

『你看!還抗議呢,不該她說話的時候,她總是要叫!』

心虹的目光被小蕾所吸引了,走了過去,她驚喜的看着小蕾,蹲下身子,她扶着小蕾的手臂,輕揚着眉毛,喜悅而不信任的說:

『這麼漂亮的小女孩是那裏來的呀?狄先生,這是你的女兒嗎?』

『是的,小蕾,叫阿姨呀!』狄君璞說着,一面仔細的注意着小蕾和心虹。如果心虹今天下午眞在樓上睡覺的話,他不知道小蕾在山谷裏見到的女人又是誰?小蕾正對心虹微笑着,天眞的小臉龐上一絲烏雲都沒有,她並不認得心虹。狄君璞確信,她在這一刻之前,決沒有見過心虹。而且,她顯然絲毫不認爲心虹是『可怕的』,她笑得好甜,好高興,這孩子和她的母親一樣,對於有人誇她漂亮,是有着與生俱來的喜悅的,小小的、虛榮的東西呵!現在,她正順從的用她那軟軟的童音在叫:

『阿姨!』

『不行,叫姐姐!』梁逸舟說。

『姐姐！』孩子馬上又順從的叫。

大家又都笑了，吟芳笑着說：

『瞧你們，把孩子都弄糊塗了。』

心虹站起身來，再看看狄君璞，她似乎在努力的克服她的靦腆和羞怯，扶着小蕾的肩膀，她說：

『孩子的媽媽呢？怎麼沒有一起來？』

梁逸舟立即乾咳了一聲，室內的空氣有一刹那的凝滯，心虹敏感的看看父親和母親，已體會到自己說錯了話，臉色瞬即轉紅了。狄君璞不知該說些什麼，每當別人詢及美茹，對他都是難堪的一瞬，尤其是有知情的人在旁邊代他難堪的時候，他就更覺尷尬了。而現在，他還多了一層不安，因為，心虹那滿面的愧色和歉意，好像自己闖了什麼彌天大禍，那戰戰兢兢的模樣是堪憐的。他深恨自己竟無法解除她的困窘。

幸好，這尷尬的一刻很快就過去了，高媽及時走了進來，請客人去餐廳吃飯。這房子的結構也和一般西式的房子相似，餐廳和客廳是相連的，中間只隔了一道鏤花透空的金色屏架。大家走進了餐廳，餐桌上已琳瑯滿目的陳列着冷盤，梁逸舟笑着說：

『菜都是我們家高媽做的，你嚐嚐看。高媽是我們家的老傭人了，從大陸上帶出來的，她到我家的時候，心虹才只有兩歲呢！這麼多年了，眞是老家人了。』

狄君璞含笑的看了高媽一眼，那是個典型的、好心腸的、善良的婦人，矮矮胖胖的身材，圓圓的臉龐，總是笑嘻嘻的眼睛。坐下了，大家開始吃飯。吟芳幾乎把全部的注意力都放在小蕾身上，幫她佈菜，幫她去魚刺，幫她盛湯，招呼得無微不至。心霞仍然是餐桌上最活躍的一個，滿桌子上就聽到她的笑語喧嘩。而心虹呢，却安靜得出奇，整餐飯的時間，她幾乎沒有開過口，只是自始至終，都用一對朦朦朧朧的眸子，靜悄悄的注視着餐桌上的人。她似乎存在於一個另外的世界裏，因爲，她顯然並沒傾聽大家的談話。狄君璞很有興味的發現，餐桌上每一個人，對她而言，都只像個佈景而已。當狄君璞無意間問她：

『梁小姐，妳是什麼大學畢業的？』

她是那麼吃驚，彷彿因爲被注意到了而大感不安。半天都囁嚅着沒答出來，還是吟芳回答了：

『台大。』

『好學校！』狄君璞說。

心虹勉强的笑了笑，頭又垂下去了。狄君璞不再去打擾她。開始和梁逸舟談一些文學的新趨勢。心霞在一邊熱心的插着嘴，不是問這個作家的家庭生活，就是那個作家的形狀相貌，當她發現狄君璞常常一問三不知的時候，她有些掃興了。狄君璞笑笑說：

『我是文藝界的隱居者，出了名的。我只能蟄居在我自己的天地中，別人的世界，我不見得走得進去，也不見得願意走進去。有人說我孤高，有人說我遁世。其實，我只是瑟縮而已。』

心虹的眼光，輕悄悄的落到他的身上，這是今晚除了她剛下樓的那一刻以外，她第一次正視他。可是，當他驚覺的想捕捉這眼光的時候，那眼光又迅速的溜走了。

一餐飯就在一種融洽而安詳的氣氛中結束了。回到客廳，高媽斟上了幾杯好茶。梁逸舟和狄君璞再度談起近代的小說家，他們討論薩洛揚，討論卡繆，討論存在主義。狄君璞驚奇於梁逸舟對書籍涉獵之廣，因而談得十分投機。小蕾被心霞帶到樓上去了，只聽到她們一片嘻笑之聲，心虹也早已上樓了。當談話告一段落，狄君璞才驚覺時光已經不早，他正想向主人告辭。梁逸舟卻在一陣沉吟之後，忽然說：

『君璞，你對於農莊，沒有什麼——不滿的地方吧？』

『怎麼？』狄君璞一怔，敏感到梁逸舟話外有話。『一切都很好呀！』

『那——那就好！』梁逸舟有些吞吞吐吐的：『如果……你們聽到一些什麼閒話，請不要放在心上，這兒是個小地方，鄉下人常有許多……許多……』他頓住了，似乎在考慮着詞彙的運用。

『我瞭解。』狄君璞接口說：『你放心……』

『事實上，我也該告訴你，』梁逸舟又打斷了他，有些不安的說：『有件事你應該知道……』

他的話沒有說完，樓梯上一陣脚步響，心霞帶着嘻嘻哈哈的小蕾下來了，梁逸舟就住了口，說：

『不是什麼重要的事，將來再談吧！』

狄君璞有些狐疑，却也不便追問。而小蕾已撲進了父親懷中，打了一個好大好大的哈欠。時間不早，小蕾早就該睡了。狄君璞站起身來告辭，吟芳找出了一個手電筒，交給狄君璞說：

『當心晚上山路不好走，要不要老高送一送？』

『不用了，就這麼幾步路，不會迷路的！』

牽着小蕾，他走出了霜園，梁逸舟夫婦和心霞都一直送到大門口來，小蕾依依不捨的向『梁姐姐』揮手告別，她畢竟喊了『梁姐姐』，而沒有喊『阿姨』。狄君璞心中隱隱的有些失望，因爲他沒有再看到那眼光如夢的女孩，心虹並沒有和梁逸舟他們一起送到門口來。

沿着山上的小徑，他們向農莊的方向緩緩走去。事實上，今晚月明如畫，那山間的小路清晰可見，手電筒幾乎是完全不必須的。山中的夜，別有一份肅穆和寧靜，月光下的樹影迷離，岩石高聳，夜霧迷迷茫茫的彌漫在山谷間，一切都披上了一層虛幻的色彩。草地上，夜霧已經將草叢染溼了。

山風帶着寒意，對他們輕輕的捲了過來，小蕾緊緊的抓着父親的手，又一連打了好幾個哈欠。月光把他們的影子投在地下，好瘦、好長。一片帶露的落葉飄墜在狄君璞的衣領裏，涼沁沁的，他不禁嚇了一跳。幾點秋螢，在草叢中上上下下的穿梭着，像一盞盞閃爍在深草中的小燈。

他們已經走入了那塊谷地，農莊上的欄杆在月色裏仍然清晰。小蕾的脚步有點兒滯重，狄君璞怕她的鞋襪會被夜露所溼了。他低問小蕾是不是倦了？小蕾乖巧的搖了搖頭，只是更親近的緊偎着狄君璞。狄君璞彎腰想把孩子抱起來，就在這時，他看到月光下的草地上，有一個長長的人影，一動也不動。他迅速的抬起頭來，清楚的看到一個黑色的人影，在月光下的岩石林中一閃而沒，他下意識的想追過去，又怕驚嚇了孩子。他抱起了小蕾，把她緊攬在懷中，一面對那人影消失的方向極目看去，月光裏，那一塊塊聳立的岩石嵯峨龐大，樹木搖曳，處處都是暗影幢幢，那人影不知藏在何處。但，狄君璞却深深感覺到，在這黑夜的深山裏，有對冷冷的眼睛正對他們悄悄的窺探着。

月色中，寒意在一點一點的加重，他加快了步子，向農莊走去，小蕾伏在他的肩上，已不知不覺的睡着了。

6

接連的幾日裏，山居中一切如恆，狄君璞開始了他的寫作生活，埋首在他最新的一部長篇小說裏，最初幾日，他深怕小蕾沒伴，生活會太寂寞了。可是，接着他就發現自己的顧慮是多餘的，孩子在山上頗爲優遊自在，她常遨遊於楓林之內，收集落葉，採擷野花。也常和姑媽或阿蓮散步於山谷中——那兒，狄君璞是絕對不許小蕾獨自去的，那月夜的陰影在他腦中留下了一個不可磨滅的印象。但，那陰影沒有再出現過，阿蓮也沒有再帶回什麼可怕的流言，她近來買菜都是和高媽結伴去的。生活平靜下來了，也安定下來了，狄君璞開始更深的沉迷在那份鄉居的喜悅裏。

早上，枝頭的鳥啼嘹亮，代替了都市裏的車馬喧囂，看晨霧迷濛的山谷在朝陽上昇的彩霞中變得清晰，看露珠在楓葉上閃爍，看金色的陽光在密葉中穿射出幾條閃亮的光芒，一切是迷人的。黃昏的落日，黑夜的星辰，和那原野中低唱的晚風！山林中美不勝收。隨着日出日落的遭遞，山野裏的景致千變萬化，數不盡有多少種不同的情趣。狄君璞竟懊喪於自己發現這世界發現得這麼晚，在都市裏已埋葬掉了那麼多的大好時光！

連日來，他的工作進展得十分順利，每日平均都可以寫到兩千字以上。如果沒有那份時刻悄然襲來的落寞與惆悵，他就幾乎是身心愉快的了。這晚，吃過晚飯沒有多久，他正坐在書房裏修改白天所寫的文稿。忽然聽到小蕾高興的歡呼聲：

『爸爸！梁姐姐來了！』

梁姐姐？是心霞？還是心虹？一定是心霞！靦腆的心虹不會作主動的拜訪。他走出書房，來到客廳裏，出乎意料之外，那亭亭玉立般站在窗前的，竟是心虹！穿着件白毛衣，黑裙子，披了一件短短的黑絲絨披風，長髮飄垂，臉上未施脂粉，一對烏黑淸亮的眸子，盈盈然如不見底的深潭。斜倚窗前，在不太明亮的燈暈下，她看來輕靈如夢。窗外，天還沒有全黑，襯托着她的，是那蒼灰色的天幕。

『哦，眞沒想到……』狄君璞微笑的招呼着：『吃過晚飯嗎？梁小姐？』

『是的，吃過了！』心虹說，她的眼睛直視着他，唇邊浮起一個幾乎難以覺察的微笑。『我出來散散步，就不知不覺的走到這兒來了。』

『坐吧！』

『不，我不坐了，我馬上就要回去！』

『急什麼？』

阿蓮送上來一杯清茶，心虹接了過來。狄君璞若有所思的看着心虹那黑色的披風。黑色！她是多麼喜愛黑色的衣服。小蕾站在一邊，用仰慕的眼光看着心虹，一面細聲細氣的說：

『梁姐姐，妳怎麼不常常來玩？』

『不是來了嗎？』心虹微笑了。『告訴妳爸爸，什麼時候妳到霜園去住幾天，好不好？』

小蕾面有喜色，看着狄君璞，張口欲有所言，却又忽然噤住了，搖了搖頭說：

『那不好，沒有人陪爸爸。』

狄君璞心頭一緊，禁不住深深的看着小蕾，才只有六歲呢！難道連她也能體會出他的孤寂嗎？心虹似乎也怔了一下，不自禁的看了狄君璞一眼。

『好女兒！』她說。啜了一口茶，她把茶杯放在桌上，對室內打量了一番，輕聲說：『我們曾在這兒住了好些年，小時候，我總喜歡爬到閣樓上，一個人躲在那兒，常躲上好幾小時，害得高媽翻天覆地的找我！』

『妳躲在那兒幹嘛？』

她望着他，沉思了一會兒，輕輕的搖了搖頭。

『我也不知道，』她說：『難道你從來沒有過想把自己藏起來的時候嗎？』

他一楞。心底有一股惻然的情緒。

『常常。』

她微笑了。她今天的情緒一定很好，能在她臉上看到笑容似乎是很難得的事情。她轉身走到農莊門口，望着農莊外的空地、山坡，和那些木槿花。

『我曾經種過幾棵茶花，白茶花。這麼些年，都荒蕪了。』她走出門外，環視着那些空曠的柵欄。狄君璞牽着小蕾，也走到門外來。她看着那些欄杆，說：『你可以沿着那些柵欄，撒一些爬藤花的種子，像牽牛、蔦蘿一類的，到明年夏天，所有的柵欄都會變成了花牆。那就不會像現在這樣看起來光禿禿的了。』

他有些驚喜。

『眞的，這是好建議！』他說：『我怎麼沒想起來，下次去台北，我一定要記得買些花籽。』

『我早就想這麼辦了！』她陷進了一份沉思中。『我愛這兒，遠勝過霜園，爸爸建了霜園，我不能不跟着全家搬過去，但是，霜園僅僅是個住家的所在，這兒，却是一個心靈的休憩所。它古樸，它寧靜，它典雅。所以，雖然搬進了霜園，我仍然常到這兒來，我一直想讓那些柵欄變成花牆，却不知道爲什麼沒有做。』她困惑的搖搖頭。『眞不知道爲什麼，早就該種了。』

他凝視她，再一次感到怦然心動。怎樣的一個女孩子！那渾身上下，竟連一絲一毫的塵俗都沒有！經過這些年在社會上的混迹，他早就認爲這世界上不可能有這一類型的人物了。

『我希望……』他說：『我希望我搬到這兒來，不是佔有了妳的天地。』

她看了他一眼。

『你不會。』她低聲說。『是嗎？我看過你的小說，你應該瞭解這兒，像我瞭解這兒一樣，否則，你不會搬來，是嗎？』

他不語，只是靜靜的迎視着她的目光，那對眸子何等澄淨，何等智慧，又何等深沉。她轉開了眼睛，望着農莊的後面，說：

『那兒有一個楓林。』

『是的，』他說：『那是這兒最精華的所在。』

她向那楓林走去，他跟在她的身邊。

『知道我叫這楓林是什麼嗎？』她又說：『我給它取了一個名字，叫它作「霞林」，黃昏的時候，你站在那林外的欄杆邊，可以看到落日沉沒，彩霞滿天，霧谷裏全是氤氳的霧氣。呵，我沒告訴你，霧谷就是你第一次看到我的地方。谷中的樹木岩石，都被霞光染紅了。而楓葉在落日的光芒下，也像是一樹林的晚霞。那時，林外是雲霞，林內也是雲霞，你不知道那有多美。』

不知道嗎？狄君璞有些眩惑的笑了笑。多少個黃昏，他也曾在這林內收集着落霞！他們走進了林內，天雖然還沒有全黑，楓林內已有些幽暗迷離了，那高大的楓樹，在地下投着搖曳的影子，一切都朦朦朧朧的，只有那紅色的欄杆，看來依然清晰。

她忽然收住了步子，瞪視着那欄杆。

『怎麼了？』他問。

『那欄杆……那欄杆……』她囁嚅着，眉頭緊緊的鎖了起來。『紅色的！你看！』

『怎樣？是紅色的呀！』他說，有點迷惑，她看來有些恍惚，彷彿受了什麼突然的打擊。

『不，不，』她倉卒的說，呼吸急促。『那不是紅的，那不應該是紅的，它不能搶去楓葉和晚霞的顏色！它是白的，是木頭的原色！木頭柱子，一根根木頭柱子，疏疏的，釘在那兒！不是這樣的，不是……』

她緊盯着那欄杆，嘴裏不停的說着，然後，她突然住了口，愕然的張大了眼睛，她的臉色在一瞬間變得死樣的蒼白了。她用手扶住了額，身子搖搖欲墜。狄君璞大吃了一驚，慌忙扶住了她，連聲問：

『怎麼了？梁小姐？妳怎樣？』

小蕾也在一邊吃驚的喊着。

『梁姐姐！梁姐姐！』

心虹呻吟了一聲，好不容易回過氣來，身子仍然軟軟的無法着力。她嘆息，低低的說：

『我頭暈，忽然間天旋地轉。』

『妳必須進屋裏去休息一下。』狄君璞說，用手攬住了心虹的腰，攙扶着她往屋內走去，進了屋子，他一面一疊連聲的叫姑媽拿水來，一面逕自把心虹扶進了他的書房，因爲只有書房中，有一張沙發的躺椅。讓心虹躺在椅子上，姑媽拿着水走了進來，他接過杯子，湊在心虹唇邊，說：

『喝點水，或者會好一點！』

老姑媽關心的看着心虹，說：

『最好給她喝點酒，酒治發暈最有效了。』

『不用了，』心虹輕聲說，又是一聲低低的嘆息，看着狄君璞，她眼底有一抹柔弱的歉意，那沒有血色的嘴唇是楚楚可憐的：『我抱歉……』

『別說話，』狄君璞阻止了她，安慰的用手在她肩上輕按了一下。『妳先靜靜的躺一躺。嗯？』

她試着想微笑，但是沒有成功。轉開了頭，她再一次嘆息，軟弱的闔上了眼睛。狄君璞示意叫姑媽和小蕾都退出去，他自己也走了出來，說：

『我們必須讓她安靜一下，她看來很衰弱。』

『需不需要留她在這兒過夜？』姑媽問。

『看情形吧。』狄君璞說：『如果等會兒沒事了，我送她回去。要不然，也得到霜園去通知一下。』

片刻之後，姑媽去安排小蕾睡覺了。狄君璞折回書房，却驚奇的發現，心虹已經像個沒事人一般，正坐在書桌前閱讀着狄君璞的文稿呢！她除了臉色依然有些蒼白以外，幾乎看不出剛剛昏暈過的痕跡了。狄君璞不贊成的說：

『怎麼不多躺一會兒？』

『我已經好了，』她溫柔的說：『這是老毛病，來得快，去得也快，只一會兒就過去了。』

他走過去，在書桌前的椅子上坐下來。靜靜的注視着她。

『這毛病從什麼時候開始的？』他問。

『一年多以前，我生了一次病，之後就有這毛病，醫生說沒有關係，慢慢就會好。』

他聽心霞提起過那次病。深思的望着她，他說：

『妳不喜歡那欄杆漆成紅色的嗎?我可以去買一些白油漆來重漆一次。』

她皺了皺眉。

『欄杆?』她心不在焉的問:『什麼欄杆?哦,』她似乎剛剛想起來:『讓它去吧!爸爸說紅色比較醒目,築密一點免得孩子們摔下去。』她定了定神,像在思索什麼,接着就閉着眼睛摔了摔頭,彷彿要摔掉某種困擾着她的思想。睁開眼睛來,她對狄君璞靜靜的微笑。『我剛剛在看你的稿子。』她說。

『妳說妳看過我的小說?』

『是的,』她凝視他。『幾乎是全部的作品。』

『喜歡那一本?』

『兩粒細沙。』

他微微一震,那不是他作品中最好的,却是他感情最眞摯的一部書,那幾乎是他的自傳,有他的戀愛,他的喜悅,他的痛苦,哀愁,及內心深處的呼號。他寫那本書的時候,美茹剛剛離開他,他還曾渺茫的希望過,這本書或者會把美茹給喚回來,但是,她畢竟沒有回來。那是兩年前的作品了。

『爲什麼?』他問。

『你知道的。』她說,語氣和緩而安詳。『那是一本眞正有生命的作品,那裏面有許多你心裏的言語。』

『我每本書裏都有我心裏的言語。』他像是辯護什麼似的說。

她微微的笑了。

『當然是的。』她玩弄着桌上的一個鎮尺。『但是，兩粒細沙不是一本思想產品，而是一本情感的產品。』

他瞪着她，忽然間感到一陣微妙的氣惱，妳懂得太多了！他想。注意，妳是無權去揭開別人的隱祕的！妳這魯莽的、率直的人呵！轉開身子，他走到窗前去，憑窗而立，他凝視着窗外那月光下隱隱約約的原野，和天際那些閃爍的星光。

她輕悄的走到他身邊來。

『我說錯了話，是不是？』她有些憂愁的問：『那是你的自傳，是不是？』

他猛的轉過頭來，瞪視着她，一層突然湧上來的痛楚使他憤怒了。皺緊了眉頭，他用頗不友善的語氣，很快的說：

『是的，那是我的自傳，這滿足了妳的好奇心嗎？』

她的睫毛迅速下垂，剛剛恢復紅潤的臉頰又蒼白了，她瑟縮了一下，不自禁的退後了一步，似乎想找個地方把自己隱藏起來，那受驚而又惶恐的面龐像個犯了錯的孩子，而那緊抿着的嘴角却藏不住她那受傷的情緒。抓起了她已解下來放在桌上的披風，她急促的說：

『對不起，我走了。』

他迅速的攔住了她，他的面色和緩了，因爲自己那莫名其妙的壞脾氣而懊喪，而慚愧。尤其，因為傷害了這少女而感到難過與後悔。他幾乎是苦惱的說：

『別生氣，我道歉。』

她站住了，深深的看了他一眼，然後，她慢慢的搖了搖頭。

『我沒有生氣，』她輕聲的。『一年多以來，你是我唯一接觸到的生人，我知道我不會說話。可是……』她的長睫毛把那烏黑的眼珠遮掩了片刻，再揚起來，那重新呈現的眼珠是淸亮而誠摯的。『我並不是好奇，我是……』她困難的頓了頓：『我瞭解你書裏所寫的那種情緒，我只是……只是想告訴你，如果你出書是為了想要獲得讀者的共鳴，那麼，兩粒細沙是一部成功的作品，尤其對我而言。』

狄君璞被震懾住了，望着面前那張輕靈秀氣的臉龐，他一時竟失去了說話的能力。她那麼年輕，那樣未經世故，一個終日藏在深山裏的女孩，對這個世界，對人生，對感情，她到底知道多少？

她在他的眼光下重新瑟縮了，垂下頭，她默默的披上了風衣，她低聲說：

『我眞的要回去了，如果再不回去，爸爸一定又要叫老高滿山遍野的找我，他們似乎總怕這山野中會有什麼魔鬼要把我吞掉。』她看了窗外一眼。『其實，我不怕山野，也不怕黑夜，我怕的是……』她忽然打了個冷顫，把說了一半的話嚥住了。他却沒放鬆她。

『怕什麼？』他追問。

她困惑的搖搖頭。

『如果我知道是什麼就好了，』她說：『我也不知道是什麼。像一個無聲無息的黑影，它常常就這樣靠過來了，不止恐懼，還有憂愁。它們不知從那兒來的，捕捉住你就不放鬆……唉！』她低低嘆息，看着他。『眞奇怪，我今天晚上說的話比我一個月裏說的都要多。我走了，再見，狄先生。』

他再度攔住她。

『我送妳回去！』

『哦，你不必，狄先生，我不怕黑，也不怕山，這條小路我早已走過幾千幾萬次了！』

『我高興，』他說。『我喜歡在這月夜的山谷裏散散步，也想乘此機會去拜訪一下妳的父親。』

她不再說話了，他打開了書房的門，姑媽正在客廳的燈下編織着，他向她交代了一聲。然後，他們走出了農莊，立即置身在那遍山遍野的月色裏了。

7

小徑上，樹影迷離，天邊上，星月模糊。狄君璞和心虹在山中緩慢的走着，有一大段時間，兩人都默默不語，四周很靜，只有那在原野中廻旋穿梭的夜風，簌簌然，瑟瑟然，組成一串蕭索而落寞的音調。

踩碎了樹影，踏過了月光。夜露沾濕了衣襟，荊棘勾住了裙幅，他們走得好慢。這樣的夜色裏，這樣的深山中，似乎很難找到談話的資料，任何的言語都足以破壞四周那懾人的幽靜。

天空黑不見底，星光璀璨的灑在那黑色的穹蒼中，閃閃爍爍，明明暗暗，像許多發光的小水滴。心虹下意識的看着那些星光，成千成萬的星星，有的密集着，熙攘着，在天上形成一條閃亮的光帶。她忽然站住了。

『看那些星星！』她輕語，打破了一路的岑寂。『那兒有一條河，一條星河。』

『是的，』他也仰望着穹蒼：『這是一條最大的河，由數不清的星球組成，誰也沒有辦法算出這條星河究竟有多寬，想想看，我們的祖宗們會讓牛郎和織女隔着這樣一條河，豈不殘忍？』

她搖搖頭。

『其實也沒什麼，』她說，繼續向前走去。『人與人之間，往往也隔着這樣的星河，所不同的，是牛郎織女的星河，有鵲橋可以飛渡，人的星河，却連鵲橋也沒有。』

他深深的看了她一眼。

『妳面前有這條星河嗎？』他微笑的問。

她看着他，眼睛在暗夜裏閃爍，像兩顆從星河裏墜落下來的星星。

『可能。』她說：『我總覺得每個人和我都隔着一條星河，我走不過去，他們也走不過來。』

『包括妳的父母和妹妹？』

『是的。』

『爲什麼？』

『他們愛我，但不瞭解我，人與人間的距離，只有瞭解才能縮短，僅僅憑愛是不夠的，沒有瞭解的愛，像是建築在浮沙上的大厦。像是——』她頓了頓：『兩粒無法黏附的細沙。』

他又一震，却不想把話題轉回到『兩粒細沙』上。再看了一眼天上的星河，他却驀的一楞，是了！他明白了，他和美茹之間，就隔着這樣一條無法飛渡的星河呵！

『你不說話了，』她輕語。『我總是碰觸到你所最不愛談的題目。』

『不，』他衝口而出的說：『妳總是碰觸到我的傷處。』

她很快的抬眼看他，只那樣眼光一閃，那長睫毛就慌亂的掩蓋了下來。她低頭看着脚下的草叢，不再說話了，沉默重新悄悄的籠罩了他們。

他們已經走進了霧谷，岩石的影子交錯的橫亙在地下，巨大的楓樹，在岩影間更增加了雜亂的陰影，到處都是暗影幢幢。谷外的明亮消失了，這兒是幽暗而陰冷的。繞過岩石，越過大樹，他們隨時會觸摸到被夜露沾濕的蒼苔，幽徑之中，風更蕭瑟了。

心虹不自禁的加快了步子，白天的霧谷，充滿了寧靜的美，黑夜裏，霧谷却盛載着一些難以瞭解的神秘。狄君璞跟在她的身邊，他忘了帶手電筒，每當走入岩石的陰影中，他就不由自主的去攙扶她，他的手指碰到了她，她總是遏止不住一陣驚跳。

『妳在怕什麼？』他困惑的問。

『我不知道，』她搖頭驚悸的。『我不怕黑，也不怕霧谷，但是……你不覺得今晚的霧谷有些特別嗎？』

『特別？怎麼呢？』他四面看了看，巨大的岩石，高聳的樹木、山影、樹影、石影、月影、雲影……交織成的夜色，這種氣氛對他並不陌生，他早已領會過。

『聽！』她忽然站住。『你聽！』

他也站住，側耳傾聽，有松濤，有竹籟，有秋蟲的低鳴，有夜風的細訴，遠處的山谷裏，有烏鴉在悲切的輕啼，近處的草叢中，有什麼昆蟲或蜥蜴窸窣的穿過……除此而外，他聽不出什麼不該屬於山野之夜的聲音。

『什麼？』他問：『有什麼？』
『有人在呼吸。』她說，望着他，大眼睛裏有着驚惶和恐懼。
他的背脊上穿過一陣寒意。
『如果有人呼吸，一定是妳或我。』他微笑的說，想放鬆那份突然有些緊張的空氣。
『不，那不是你，也不是我！』她說，肯定的，不自覺的用手抓住了他的手腕。『我知道，我對這山谷太熟悉了，這兒有一個第三者。』
『或者是落葉的聲音。』
『落葉不會走路，』她抓緊他。『你聽，那脚步聲！你聽！』
他再聽，眞的，夜色裏有着什麼。他彷彿聽到了，就在附近，那岩影中，那草叢裏。他搜尋的望過去，黝黑的暗影下一片朦朧，他什麼都看不出來。
『別管它，我們走吧！』他說，感染了她的驚悸，依稀想起上次帶着小蕾回農莊時所看到的人影。但，這兒怎可能有什麼惡意的窺伺呢？
他們重新舉步。可是，就在這時候，身邊那一片陰影中，傳來一聲淸晰的、樹枝斷裂的響聲，在這種寂靜裏，那斷裂的聲音特別的刺耳。
『你聽！』她再度說，驚跳的。
他推開她，迅速的向那片暗影中走去，一面大聲問：
『是誰？』

她拉住了他的衣服，驚慌的喊：

『別去！我們走吧，快些走！』

她拉着他，不由分說的向前快步走去，就在這時候，那岩石影中突然竄出一個黑影，猛然間攔在他們的面前。這黑影出現得那樣突然，心虹忍不住恐怖的尖叫了一聲，返身就往狄君璞身上撲，但，那黑影比什麼都快，像閃電一般，伸出了一隻手，枯瘦的手指如同鳥爪，立即堅固的扣住了心虹的手腕，嘴裏吐出了一連串如夜梟般的尖號：

『我捉住了妳！我總算捉住了妳！妳這個妖怪！妳這個魔鬼！我要殺掉妳！我要殺掉妳！我要殺掉妳！』

這一切來得那樣突然，那樣意外，狄君璞簡直驚呆了。立刻，他恢復了意識，在心虹的掙扎中，那黑影已暴露在月光下，現在，可清楚的看出這是個穿着黑衣的、乾枯的老婦人，她的頭髮花白而凌亂，眼睛灼灼發光，面貌猙獰而森冷，她的面頰瘦削，顴骨高聳。乍一看來，她像極了一個從什麼古老的墳墓裏跑出來作祟的木乃伊。她的聲音尖銳而恐怖：

『我等了妳好幾個晚上了，妳這個女妖，我要殺掉妳！我要報仇！妳還我兒子來！還我兒子來！還我兒子來！我要吃掉妳！咬碎妳！剝妳的皮，喝妳的血，啃妳的骨頭，抽妳的筋……』

心虹掙扎着，尖叫着。狄君璞衝上前去，一把抓住那老婦人的手腕，要把她的手從心虹的手臂上扯開，一面大聲的喝叫：

『妳是誰？這是做什麼？妳從那兒跑出來的？妳放手！放開她！』

那老婦人有着驚人的力氣，她非但沒有放掉心虹，相反的還往她身上撲過去，又撕又打，又扯她的衣服。心虹顯然是嚇昏了，她只是不住口的尖叫着：

『放開我！放開我！妳是誰？放開我！不要打我！不要！不要！不要……』

狄君璞不能不用暴力了，他大叫了一聲：

『住手！』

接着，他就用力箍住了那老婦人的手腕，把她的手臂反剪到身後去，那老婦的力氣畢竟無法和一個健壯的男人相比，她只得放鬆了心虹，來和狄君璞搏鬥。她奮力的掙扎，又吼又叫，又抓又咬，完全像個瘋狂的野獸，狄君璞幾乎使出全力來對付她。但是，他決不忍傷害她，只能想法制服她，這就相當爲難了，他的手背被她咬了好幾口，齒痕都深陷進肉裏去。而心虹呢，一旦被放鬆了，她就用手臂遮着臉，哭泣着往前奔去，她是又驚又嚇又怕，才跑了幾步，她就一頭撞在另一個人身上，她早已嚇壞了，這新來的刺激，使她再也控制不住，放開喉嚨，她發出一聲恐怖的尖叫。

那人抛開了心虹，迅速的衝到狄君璞面前來，大聲叫着說：

『放手！』

狄君璞抬起頭來，那是個年輕的、高大的男人，月光下，他的面色嚴厲而蒼白，但那張年輕的面龐却相當漂亮。他大踏步的走上前來，推開了狄君璞，差不多是把那老婦人從狄君璞的手裏『奪』了下來。那老婦仍然在掙扎、撲打、號叫。那年輕人抱住了她的身子，用一種痛苦而沙啞的聲音喊：

『是我！媽，妳看看，是我呀！是雲揚！妳看呀！媽！媽！妳看呀！』

那老婦怔住了，忽然安靜了下來，然後，她掉過頭來，望着那年輕人，好半天，她就這樣呆呆的望著他。接著，她像是明白了過來，猛的撲在那年輕人的肩上，她喊着說：

『我捉住了她，雲揚！我捉住了她呀！』

喊完，她就爆發了一場嚎啕大哭。

那青年的面容是更加痛苦了，他用手拍撫着那老婦的背脊，像哄孩子似的說：

『是了，媽媽。我們回家去吧，媽媽，我找了妳整個晚上了。』

狄君璞驚奇的看着這母子二人。那年輕人抬起眼睛來，他的目光和狄君璞的接觸了。狄君璞忍不住的說：

『我覺得，先生，你應該把你母親留在家裏或送進醫院，不該讓她在外面亂跑，她差點弄傷了那位小姐了。』

那青年的臉上浮起了一陣怒意，他的眼神是嚴厲的、頗不友善的。

『我想，你就是那個新搬進農莊的作家吧，』他說：『我奉勸你，在一件事沒完全弄清楚之前，最好少妄加斷語！我母親或者精神不正常，但她一生沒有傷害過任何人！』

『但她確實幾乎傷害了那位梁小姐！』狄君璞也憤怒了起來。『難道你認爲我說謊？』

『那位小姐嗎？』他的眼光在心虹身上飄了一下，心虹正蜷縮在一棵樹幹邊，渾身抖顫着，仍然用手遮着臉在哭泣不已。『你對那位小姐瞭解多少呢？你對我們又瞭解多少呢？你還是少管閒事吧！』

『聽你的口氣，你倒是聽任你母親傷害梁小姐呢！』他是眞的生氣了。

『我不是來阻止了嗎？』那青年大聲說，暴怒而痛苦的。『你還希望我怎樣？你說！』挽着他母親，他俯頭看她，聲音變柔和了。『讓我們走，媽，讓我們離開這鬼地方，以後也不要再來了！』

那老婦不再掙扎，也不說話，只是低低的哭泣，現在，她完全像個軟弱的、受了委屈的孩子。跟着她的兒子，他們開始向山下走去。狄君璞也跑到心虹面前，用手挽住了她，安慰的說：

『好了，好了，都過去了，沒事了，梁小姐，那不過是個瘋子而已。』

心虹哭泣得更厲害。

『她爲什麼找着我？我根本不認識他們！根本不認識！』她啜泣而且顫抖。『她爲什麼要打我罵我？爲什麼？爲什麼？我又不知道她兒子是誰？爲什麼呢？』

『瘋人是沒有理性的，妳知道！』他拍着她的肩：『走吧！我們也快些回去！哦，妳看，老高和妳妹妹來了！準是來找妳的！』

眞的，老高和心霞幾乎是奔跑而來的，他們正好和那老婦及青年打了個照面。心霞驚喊了一聲：

『盧雲揚！』

那青年瞪視着心霞，眼底一片痛楚之色，攬住他的母親，他們匆匆的走了。這兒，心霞奔了過來，蒼白着臉，一把扶住心虹，她連聲的喊：

『怎樣了？姐姐？他們把妳怎樣了？他們傷害了妳嗎？姐姐？我和老高出來找妳，在山口聽到妳喊叫，嚇死我們了！妳怎樣了？姐姐？』

心虹被驚嚇得那麼厲害，她簡直止不住自己的哭泣和顫抖，在心霞的扶持下搖搖欲墜，一面仍在啜泣的說：

『我不知道他們是誰？噢，心霞，她罵我是魔鬼，是妖怪，她要殺掉我，噢，心霞，爲什麼呢？』

心霞猛的打了個冷顫。

『哦，姐姐，妳被嚇壞了！我們趕快回去吧！別再想他們了！老高，你來幫我扶扶大小姐！』

在老高和心霞的扶持下，他們急速的向霜園走去。狄君璞本想告辭了，但心霞熱烈的說：

『不，不，狄先生，你一定要到霜園去休息一下，你的手在流血了。』

眞的，在這場混亂中，狄君璞根本沒有注意到自己的手已被那老婦咬傷了。他取出手帕，隨便的包紮了一下，跟着心霞，他們簇擁着心虹回到霜園。

這樣的回來，立即使霜園人仰馬翻，高媽首先就大叫起來，把心虹整個擁進她的懷中，接二連三的喊叫着『太太』，梁逸舟和吟芳都從樓上奔了下來，拿水的拿水，拿毛巾的拿毛巾，大家亂成了一團。在這喧囂和雜亂中，狄君璞簡短的說了說經過情形，再度想告辭，梁逸舟阻止了他：

『君璞，你再坐坐，我有話和你談。』

終於，他們把心虹送到了樓上，吟芳、高媽，和心霞都陪伴着她，客廳裏安靜了下來，狄君璞獨自坐在沙發上，依稀還聽到心虹的啜泣聲。然後，梁逸舟從樓上下來了，臉色凝重而疲倦，望着狄君璞，他懇摯的說：

『謝謝你，君璞，幸虧有你，要不然眞不知道會怎麼樣？你的手要緊嗎？』

『哦，這沒關係。』狄君璞慌忙說。『不過，這老婦人是該送進精神病院的。我在這山谷中已不是第一次看到她了，這樣太危險。』

『是嗎？』梁逸舟注意的看着他。『但，她對別人是沒有危險性的。』

『怎麼說？』

『她不會傷害任何人，除了心虹以外。』

『我不懂。』狄君璞困惑的。

『唉！』梁逸舟再長嘆了一聲，滿臉的沉重。『這事說來話長，我早就預備告訴你了。你如果不忙，願意到我的書房裏坐一下嗎？』

狄君璞按捺不住自己對這事的好奇，何況，對方顯然急於要告訴他一個故事。於是，他站起身來，跟着梁逸舟走進了書房。

8

這間書房並不大，一張書桌，一套三件頭的沙發，和整面牆的書櫥。佈置簡單明朗，却也雅潔可喜。那書櫥中整齊的碼着一排排的書，一目了然，主人也是個有書癖的人，藏書十分豐富。

在沙發上坐了下來，高媽送上了茶，帶上了房門。室內有一刹那的沉靜。落地的玻璃窗外，月光下的花園，一片綽約的樹影。梁逸舟不安的在室內兜了一圈，停在狄君璞面前，把書桌邊的安樂椅拉過來，他坐下了。掏出煙盒，他送到狄君璞面前。

狄君璞取了一支煙，片刻之間，兩人只是默默的噴着煙霧，室內彌漫着香煙氣息。梁逸舟似乎有些不知從何開始，狄君璞也不去催促他。半晌，梁逸舟重重的吸了一口煙，終於說：

『君璞，你寫小說，你愛書，你會不會覺得，書往往是害人之物？』

『確實。』狄君璞微笑了一下。『我記得看過一個電影，假想是若干若干年以後，書都成爲了禁品，消防隊的任務不是救火，而是焚書。因爲書會統馭人的腦子，導致無限的煩惱。』

『眞是這樣，』梁逸舟有些興奮。『書是一樣奇怪的東西，沒有它，人類會變得愚蠢，變得無趣。有了它呢，它啓發人的思想領域，而種下各種煩惱的根源。』

『這是矛盾的，幾乎所有人類創造的東西，都有矛盾的結果，有好的一面，也有壞的一面。不止書是這樣，一切物質文明都是這樣。』狄君璞噴出一口煙霧，深思的看着梁逸舟，繼續說：『假若你所說的書是指文學書籍，那麼，我一向認爲文學是一樣奢侈品。』

『爲什麼？』

『要悠閒，要空暇，你才能走入文學的領域，然後，還要長時間的思想與揣摩。這不是一般人做得到的。』他搖搖頭：『但是，書本裏的世界却是另一番天下，一旦走進去，酸甜苦辣，你可以經歷各種人生了。』

『這種「經歷」是好的嗎？』

『是好的，』狄君璞微微的笑着，仍然凝視着梁逸舟。『也是壞的。同樣的一本書，不同的人看了，常會有不同的反應，有好的，也有壞的。』

『你所謂的矛盾，是嗎？』

『唔。』他哼了一聲，笑笑。『你並不是要跟我討論「書」的問題吧？』

『當然，』梁逸舟輕嘆了一聲，笑笑。『只是，我想，心虹這孩子是被書所害了。』

『怎麼呢？我覺得她很好，最起碼，她吸收了書本裏的一些東西，她有深度，有見解，也有她的境界。』

『你看到了好的一面。另一面呢？她以爲人生都是詩，愛幻想，不務實際，愛做夢，而且多愁善感。』

『這不見得完全是書的問題。你忽略了，她是個少女。這也是少女的通病。』

『心霞呢？心霞就從來沒讓我煩心過。』

『你不能要求兒女都是一樣的個性。』

『好吧，讓我們撇開這些問題不談，還是談談正題吧！』梁逸舟有點煩惱的說，猛抽了一口煙：『我們顯然把話題扯得太遠了！』

狄君璞靠進了椅子中，不再說話，只是靜靜的抽着煙，等着梁逸舟開口。

『你今晚在山裏看到的那個老婦人，』梁逸舟說了，聲調低沉而無奈。『原來並不是這樣的，她原是個正常的女人，而且長得很不錯，雖沒受過高等教育，却也很謙恭有禮。她帶着兩個兒子，住在鎭外的一個農舍裏。她的丈夫很早就死了，除了留給她一個農舍和一點田地之外，什麼都沒有。她守寡十幾年，把兩個兒子帶大，送他們讀大學，受最高的教育，她自己給人縫衣服，來維持家用，等她的孩子們長成，她所有的田地都賣光了，已經貧無立錐之地。

『她的兩個兒子，大的叫盧雲飛，小的叫盧雲揚，都長得非常漂亮，書也唸得不錯。因爲他們家離霜園不遠，我們有時遇見，也點點頭。但是，我們家正式和盧家拉上了關係，却是四年以前開始的。』

梁逸舟停了停，抛掉了手裏的煙蒂，又重新燃上了一支新的。他的眼底是憂鬱而痛苦的。

『四年前，雲飛大學畢業，受完了軍訓，他突然來拜訪我。』他繼續說了下去。『你知道，那時候我的食品公司已經非常發達了，生意做得很大，也很賺錢。雲飛來了，謙和，有禮，漂亮。他開門見山的請求我幫他忙，他希望到我的公司裏來工作，他很坦白的把他的家庭情況告訴我，說他迫切的想找一個待遇較高的工作，報答他母親一番養育的深恩。

『這孩子立即打動了我，我承認，我這人一直是比較重感情的。知道雲飛學的是外文以後，我把他派到國外貿易部做祕書。他工作得非常努力，三個月以後，我調升他爲國外貿易部業務主任，再半年，他升任爲國外貿易部副理，幾乎所有國外的業務，他都掌握實權。

『就這樣，雲飛雲揚這兩個孩子就走入了我的家庭，經常出入於霜園了。』

『可是，』狄君璞不由自主的打斷了梁逸舟的敍述。『心虹說她從沒見過那母子二人。』

梁逸舟作了個阻止的手勢。

『你不要急，』他說：『聽我慢慢的說，你就瞭解了。』他啜了一口茶，眼光暗淡。『是的，就這樣，雲飛兄弟兩個變成了霜園的常客。我當時並沒有想到家裏有個年已及笄的女兒。那時心霞還小，心虹却正讀大學三年級，很快的，小一輩的孩子就建立起一份良好的友誼。心虹和雲飛的行迹漸密。他們經常流連在山野裏，或空廢的農莊中，一去數小時，而我對這事也採取了聽其自然的態度，因爲雲飛除了家世較差之外，從各方面看，都不失爲一個夠水準的好青年。

『可是，就在這時候，公司裏出了點小問題，而且是出在國外貿易部，我先先後後發現不少的紕漏，却不知是誰幹的，經過了一番很仔細的調查，出乎我意料之外，那竟是盧雲飛。

『我開始削弱雲飛的實權，而且暗示他我已注意到了他，但他習性不改，他收賄，他弄權，他盜滙，最後，我發現他竟竄改了帳簿，不斷的、小規模的挪用公款。

『這使我非常的憤怒，我把雲飛叫來訓斥，他以滿面的驚惶對着我，他否認所有一切的不法行爲，他侃侃而談，說我待他恩重如山，他怎能忘恩負義？他使我動搖了，因爲公司的組織龐大。我的調查很可能錯誤，於是，我繼續讓他留在公司裏，一面作更深入的調查，包括了他的私生活在內。

『但是，在這段調查的時間裏，雲飛和心虹的感情却突飛猛進。心虹是個一直沉浸在幻想裏的女孩，看多了小說，唸多了詩詞，總認爲愛情是一片純眞的美。她一旦沉入愛河，就愛得深，愛得摯，愛得狂熱。等我想干涉的時候，已經來不及了，她已那樣單純的信賴的愛上了雲飛，奪去雲飛，似乎是比奪去她的生命更殘忍。我稍有不贊成的暗示，心虹就傷心欲絕，她認爲我是個勢利的、現實的人，是個不瞭解兒女，也不懂得感情的人！她甚至於威脅我，說她可以死，但決不離開雲飛！

『而這時候，雲飛的一切，都顯示出極端的惡劣，時間一久，他的眞面目逐漸暴露，一個典型的，欲達目的，不擇手段的青年，我發現我被利用了，我不信任他對心虹的感情，不信任他所有的一切！於是，我也開始堅決的阻撓這段愛情，我必須把我的女兒從這個陷阱裏救出來！

『那是一段相當痛苦的歲月，心虹逃避我，父女常常整個禮拜不說話，她不斷的在農莊中或者是山谷裏和雲飛相會，因爲我不允許雲飛再走進霜園的大門。同時，我停止了雲飛在公司裏的工作，我告訴他，如果他眞愛心虹，去獨自奮鬥出一番前途來獻給心虹，不要在我的公司裏混！這一着使雲飛更暴露了他的弱點，他竟對我惡言相向，說出許多粗話，決不像個有敎養的孩子。他拂袖而去，臨走的時候，他竟對我說，他將帶走心虹！

『於是，我監禁了心虹，那是一年多以前的事了，心虹已經從大學裏畢了業，剛找到一個中學敎員的工作。爲了救她，我不許她出門，我們日日夜夜守着她，但是，她終於在一天夜裏逃走了。

『她不知去向，我去找雲飛，雲飛家裏也沒有雲飛的影子，雲揚和他母親同樣在找尋他，我僱用了人到處找尋，却始終找不着他們。就在我已經快絕望的時候，心虹却意外的回來了，離她的出走，不過只有十天。她顯得蒼白而憔悴，似乎是心力交疲，走進家門後，她只對我說了一句：

「爸爸，我回來了！你還要我嗎？」

『我激動的擁住她，說：

「我永遠要妳，孩子。」

『她哭着奔進她的房間，把自己關在房內，誰也不肯見，我們至今不知道那十天裏到底發生過些什麼事。不過，看她那樣萎縮，那樣面臨着一份幻滅和絕望，我們誰都不忍再去追問她一切，只希望隨時間過去，她會慢慢平復下來。

『她把自己足足關了三天，這三天中，只有高媽和心霞能接近她，高媽是她從小的女傭，她對高媽有時比對吟芳還親近。心霞和她的感情一向深摯。我們也深喜她不像剛回家時那樣不見人了。但是，就在那第三天的晚上，事情就驚人的發生了！』

梁逸舟住了口，注視着煙蒂上的火光，那支煙已經快燒到他的手指，片刻之後，他熄滅了煙蒂，抬起頭來，注視着狄君璞。後者正深靠在沙發裏，帶着一股動容的神色，靜靜的傾聽着。

『那第三天深夜裏，我正坐在這書房中看着書，心霞和高媽忽然氣急敗壞的衝了進來，心霞一疊連聲的叫着：

「爸爸，我們必須去找心虹！她已經走了四小時了！」

『我驚跳起來，心霞和高媽才斷斷續續的告訴我，說心虹在四小時前就出去了，她曾告訴她們，她是到農莊去再會一面雲飛，兩小時之內一定回來。我立刻猜測出可能是高媽或心霞給雲飛傳了信，薄弱的心虹又去赴約了。當時，我已有不祥的預感，但仍然決料不到竟是我後來發現的局面。

『我沒有躭擱一分鐘，叫來老高，穿上了雨衣——那時天正下着毛毛雨。我們馬上出發到農莊去找尋心虹。心霞和高媽也堅持跟我們一起去，當時，我們都認爲不會找到心虹了，她一定又跟着那流氓走了。

『到了農莊，我們屋裏屋外的呼喚着心虹的名字，沒有人答應，我們搜尋了所有的房間，沒有心虹的影子，我們開始在戶外搜尋。那時雨下大了，季節和現在差不多，天氣很冷，山野裏到處都是潮濕的。我們拿着手電筒到處探照，然後，我聽到心霞在楓林內一聲尖叫——就是農莊後面的那座楓林。我們衝進去，一眼看到心虹正倒臥在欄杆邊的泥濘裏，而那年久失修的欄杆，却折斷了好大一個缺口。

『我們跑過去，我立即把心虹抱起來，一時間，我竟以爲她是死了，她的樣子非常狼狽，衣服撕破了，手背上、臉頰上，都有擦傷的痕迹，渾身濕透而且冰冷，她不知在雨地裏已躺了多少時間。我用我的雨衣包住她，急於想送她回霜園去。可是，那欄杆的折斷使我心驚，我叫老高繞到懸崖的下面去看看，因爲我找不到雲飛。老高飛快的跑去了，我們把心虹抱進農莊，用盡方法搓揉她的手脚，想使她恢復暖氣，我們呼喚她，搖撼她，但她始終沒有甦醒過來。

『我所害怕的事情果然應驗了，老高喘着氣跑回來，在那懸崖下面，盧雲飛的屍體躺在一堆亂草和岩石之中，早已斷了氣！』

他再度停住了。狄君璞緊緊的注視着他。他的嘴唇微顫着，面容籠罩在一片愁雲慘霧裏。

『這就是心虹的故事，也就是那農莊所發生過的慘劇。那晚，我們把心虹抱回家後，她就足足昏迷了三個月之久，什麼問題都不能回答。我們把她送進醫院，她高燒不退，有一度，我們都以爲她會死去，但是，她畢竟活過來了，又能說話認人了。可是，當我們婉轉的想向她探索那晚的眞相時，我們才吃驚的發現，她對那晚的事一點記憶都沒有，非但不記得那晚的事，她連盧雲飛是何許人都不知道！她把整個這一段戀愛，從她的生命史中一筆勾銷了。最初，我們還認爲她可能是矯情，接着就發現她的精神恍惚，神志迷惘，容易受驚又怕見生人。我們請了精神醫生，治療了將近半年的時間，才出院回家。醫生說她這是受了重大刺激後的變態，她確實不再記得盧雲飛和有關盧雲飛的一切人和物，因爲在她的潛意識中，她不願意記憶這段事。但是，醫生也表示，這種失去記憶的情況只是暫時的，總有一天她會恢復過來，現在，還是聽其自然，不要刺激她比較好些。』

狄君璞移動了一下身子，噴出一口煙。

『不過，』狄君璞說：『她記得小時候的事，記得農莊的花呀草呀，還記得她看過的書……』

『是的，除了有關盧雲飛的事、物，與人以外，她什麼都記得，這是一種部份性的失憶症。她確實不再認得盧雲揚和他的母親，却認得其他的每一個人，那怕是鄉間種田的農婦，她都記得，事實上……』梁逸舟蹙緊眉頭，深深嘆息。『她這種情況是令人心痛的，也是可憐的。因此，我們也毀掉了許多有關雲飛的資料，包括雲飛寫給她的情書，送給她的照片等。我們也很矛盾，我們希望她恢復記憶，變得正常起來。也怕她恢復記憶，因爲那記憶必然是痛苦的。』

『她自己知道她失去了部份的記憶嗎？』

『我想，她有些知道，她自己也常在努力探索，但是，每當她接觸到那個回憶的環節時，她就會昏倒。這種昏倒也是精神性的，你知道。表示她的潛意識在抗拒那個記憶。』

『那麼，你們至今不知道那晚在楓林內到底是怎麼一回事嗎？』狄君璞深思的問。

『不知道。除非心虹恢復記憶，我們誰也無法知道那夜的悲劇是怎樣發生的。警察來調查了許多次，勘察過幾十次現場，那欄杆原來是木頭柱子，這麼多年風吹雨打，早就腐朽了，所以，後來警方斷爲意外死亡，這件案子就結了。但是……』他搖搖頭，啜了一口茶，又深深的嘆息了。『在官方，這件案子是結了。私下裏呢，所有人都知道我阻撓過心虹和雲飛的戀愛，都知道我把他從公司裏開除，也都知道心虹和他私奔過。這件命案一發生，大家的傳言就非常難聽了。有人認爲是我殺了雲飛，也有人認爲是心虹殺了他，還有說法是我們全家聯合起來，在農莊裏殺掉了雲飛，再把他推落懸崖，造成意外死亡的局面。這一年來，我們在鎭上幾乎被完全孤立了。再加上雲飛的母親，那個可憐的，守了十幾年寡的老太太，禁不起這個刺激，在聽到雲飛死亡的消息後，她就瘋了。我出錢把她送到醫院，她在醫院裏住了差不多一年，上個月才回家。她並不是都像你今晚看到的那麼可怕，她的病是間歇性的，不發作的時候也很好，很安靜。一發作起來，她就說心虹是兇手，就要殺心虹了。不管我對雲飛怎樣不滿意，對這個老太太，却不能不感到歉意和同情，不止這老太太，雲揚也是個正直而有骨氣的孩子，慘劇發生後，我曾先後送過好幾次錢到他家裏去，他都拒絕了，只接受了醫治他母親的那筆醫藥費。他對這事幾乎沒說什麼，我不知他心中是怎樣想的，我只知道他和他哥哥的個性完全不同。我也想把他安排到我的公司裏去做事，他却對我說：

「如果我將來會有一番事業，這事業必然是我用自己的雙手去創下來的。我不需要你的幫助，哥哥已經是我很好的教訓！」

『我不知道他這些話的眞正用意，但是，我想，他是很恨我們的。現在，他在一家建築公司裏做繪圖員，他是學建築的，據說工作情形十分努力。』

『你在暗中幫助他，我想。』狄君璞說。

『不，我沒有。』梁逸舟坦白的望着狄君璞。『我尊重他的意志。在他的仇視中，我如果暗中幫助他，反而是對他的侮辱，你懂嗎？』

狄君璞點點頭。

『就這樣，你現在知道了整個的故事！』梁逸舟深吸了口氣。『一個男人的死亡，兩個女人的失常，這就是這山谷中藏着的悲劇。至今，那墜崖的原因仍然是謎。你是個小說家，你能找出這謎底來嗎？』

『你希望找出謎底來嗎？』狄君璞反問。

梁逸舟苦惱的笑了笑。

『問着了我，』他說：『我要那謎底，也怕那謎底！心虹是個愛與恨都很强烈的女孩！』

『但是，她不會傷害任何人，我斷定，梁先生。』

『但願你對！那應該只是一個意外！』他站起身來，踱到窗前，望着窗外的樹影花影，風把花影都揉亂了。他重複的說了一句：『應該只是一個意外。』

『你不認爲，那盧老太太仍然該住醫院嗎？』狄君璞說：『任憑她在這山裏亂跑，你不怕她傷害心虹？』

『我怕。』他說：『可是，那老太太是不該囚禁在瘋人院中的，她大部份時間都很好，很講理，你沒看到她好的時候！』

『唉！』狄君璞默然了，嘆息一聲，他也走到落地長窗前面來，凝視着那月光下的花園。『多少人類的故事，多少人類的悲劇！』他喃喃的說，回想着那在山谷裏撲出來又吼又叫又撕又打的老婦，又回想到那滿面痛苦的青年，再回想到那柔弱嬌怯、驚惶失措的心虹……他寫過很多的小說，很多的故事，但是沒有這樣的。沉思着梁逸舟所告訴他的故事，他感到迷惘，感到凄涼，感到一份說不出來的難受和不舒服，甚至於，他竟有些泫然了。

『心虹曾是個溫柔嫻靜而雅致的女孩，』梁逸舟又低聲的說了，像是說給他自己聽。『在沒發生這些事之前，你不知道她有多可愛。』

『我可以想像。』狄君璞也低聲說，他另有一句話沒有說出口；即使是現在，心虹那份嬌柔，那份驚怯，又有那一點不可愛呢？她那種時時心智恍惚的迷惘，和那種容易受驚的特性，只是使她顯得更楚楚可憐呵！

『夜深了。』梁逸舟說。

是的，夜深了。山風低幽的穿梭着，在那夜霧迷茫的山谷中，有隻孤禽在悲涼的啼喚着，那是什麼鳥？牠來自何方？牠在訴說些什麼？會是什麼孤獨的幽魂所幻化的嗎？

9

心虹在一段長時間的睡眠之後醒了過來，昨夜曾用了雙倍的藥量，難得一夜沒有受夢魘的困擾。睜開眼睛來，窗帘還密密的拉著，室內依然昏暗，但那陽光已將深紅色的窗帘映紅了。她翻了一個身，擁著棉被，有一份無力的慵懶，深秋的早晨，天氣是寒意深深的。用手枕著頭，她還不想起床，她希望就這樣睡下去，沒有知覺，沒有意識，也沒有夢。虛瞇著眼睛，她從睫毛下望著那被陽光照亮了的窗帘，有許多樹影在窗帘上重疊交錯，綽約生姿，她看著，看著……猛的驚跳了起來。樹影、花影、月影、山影、人影……昨夜曾發生些什麼？

她的意識恢復了，她是真正的清醒了過來。坐起身子，她用雙手抱著膝，靜靜的思索，靜靜的回想。昨晚在山中發生的事記憶猶新，她打了個寒噤，不止記憶猶新，那餘悸也猶存呵！

皺著眉頭，她把面頰放在弓起的膝上。她眼前又浮起了那老婦的影像，那削瘦的面頰，那乾癟的嘴，那直勾勾瞪著的令人恐怖的眼睛。還有那眼神，那仇恨的、要吃人似的眼神！那不是個人，那簡直像個索命的陰魂呵！

她又打了個寒噤，不自覺的想起那老婦的話：

『妳是個魔鬼！妳是個妖怪！我要殺掉妳！……妳還我兒子來！還我兒子來！還我兒子來……』

爲什麼呢？爲什麼這瘋婦要單單找著她？她看來像個妖怪嗎？或是像個吸血鬼呢？掀開了棉被，她赤著脚走下床，站到梳妝台前面，不信任似的看著鏡中的自己。她只穿著件雪白的、輕紗的睡袍，頭髮凌亂的披垂在肩上，那張臉微顯蒼白，眼睛迷惘的大睜著……她瞪視著，站在那兒一動也不動。忽然間，她腦中閃過了一道雪白的亮光，像觸電般使她驚跳，她髣髴感到了什麼，似乎有個人在輕觸著她的頭髮，有股熱氣吹在她的面頰上，同時，有個聲音在她耳邊響著：

『跟我走！心虹。我要妳！心虹！』

不，不，不，不！她猛的閉緊眼睛，和那股要把她拉進某種幻境裏去的力量掙扎著。我不要！我不要！我不要！那些討厭的、像蛛網般糾纏不清的幻覺呵！

門上突然傳來兩聲輕叩，把她喚醒了，她愕然的看著房門，下意識的害怕着有什麼可怕的東西要闖進來。門開了，她陡的鬆了一口氣，那是她所熟悉的，滿面笑容，滿身溫暖的高媽。

高媽一看到她，那笑容立即收斂了，她直奔過來，用頗不贊成的聲調喊：

『好呵！小姐，妳又這樣凍在這兒！妳瞧，手已經凍得冰冰冷了！妳是怎麼了？安心想要生病是不是？哎，好小姐，妳不是三歲大的娃娃了呀！』

打開壁櫥，她開始給心虹挑選衣服，取出一件黑底白花的羊毛套裝，她說：

『這套衣服怎樣？』

『隨便吧！』

心虹無可無不可的說，開始脫下睡衣，機械化的穿著衣服。一面，她深思的問：

『高媽，三歲時候的我是什麼樣子？』

『一個最可愛的小娃娃，像個小天使。』高媽說著，同時在忙碌的整理著床鋪。『好安靜，好乖，比現在還聽話呢！』

『我現在很討厭嗎？高媽？』心虹扣著衣鈕，仍然直直的站在那兒，憂愁的問。

『哦！我的小姐！』高媽摔下了棉被，直衝過來，她一把握住了心虹的手臂，熱情而激動的喊：『妳明知道妳不是的！妳又美又可愛，誰都會喜歡妳的。』

『可是，昨晚那老太婆叫我妖怪呢！』

『她是瘋子！妳知道！』高媽急急的說：『別聽她的話，她自己都不知道她在說些什麼。』

心虹哀愁的凝視著高媽。

『高媽，』她幽幽的說：『我是妳抱大的，對嗎？』

『是的，妳兩歲的時候我就到妳家了，那時我還沒嫁給老高呢！他在你們家當園丁，我跟他結婚後，沒想到就這樣在你們家待了半輩子！』

『高媽，』心虹仍然凝視著她。『妳跟了我這麼許多年，妳喜不喜歡我？』

『當然喜歡啦，妳這個傻小姐！』

『那麼，』心虹急促的、熱烈的說：『妳告訴我吧，告訴我大家所隱瞞著我的事。』

『什麼事呀？』高媽有些不安了，逃避的把眼光轉到別處去。

『妳知道的。妳告訴我，一年前我害的是什麼病？』心虹迫切而祈求的看著她。

『醫生說是肺炎，』她在衣服裏搓著手。『那天妳在山裏淋了雨。』

『不是的，一定不是的。』她猛烈的搖頭。『我只是記不起來到底是怎麼回事？有時，我會看到一些模糊的影子，但是它們那樣一閃就不見了，我想我一定……』

『別胡思亂想吧，小姐，』高媽打斷了她，走開去繼續摺疊棉被。『妳一逕喜歡在山裏亂跑，淋了雨怎麼不生病，淘氣嘛！』她把床罩鋪上。『好了，小姐，還不趕快洗臉漱口去吃早飯去，妳猜幾點鐘了？樓下還有客人等著妳呢！』

『等我嗎？』她驚奇的。『是誰？』

『那位狄先生和他的女兒。他帶著女兒在山裏散步，就順便來問問妳好了沒有。妳昨晚被嚇得很厲害，以後晚上再也不要去山裏了。』

『現在幾點鐘了？』

『十點半。』

『啊！我怎麼睡的？』心虹驚呼了一聲，到盥洗室去洗臉了。

『早飯要吃什麼？我去給妳做！』高媽嚷著問。

『一杯牛奶就好了，反正快吃午飯了，我又不餓！』

『加個蛋好嗎？』

『我最不要吃蛋！』

『好吧！好吧！早晚又餓出病來！』高媽嘀咕著，無可奈何的搖搖頭，走了。

心虹梳洗過後，對鏡中的臉再看了一眼，還不壞，最起碼，眼睛底下還沒有黑圈。打開門，她走下了樓。狄君璞和小蕾正坐在客廳中。因爲梁逸舟到公司去了，心霞上學了。客廳裏，只有吟芳在陪著客人。她正和狄君璞談著一些心虹心霞小時候的事，這是中年婦女的悲哀，她們的談料似乎永遠離不開家庭和兒女。而小蕾呢？却在一邊津津有味的玩著一個裝香煙的音樂匣。

看到心虹，狄君璞不自禁的心裏一動，到這時，他才體會出自己的『順道問候』是帶著多麼『專程』的意味。他有些迷糊了，困惑了，他弄不清楚自己的情緒。事實上，昨夜一夜他都是迷糊和困惑的，幾乎整夜沒有成眠，腦子裏始終迴旋著梁逸舟告訴他的那個故事。如今，他只能把自己對她的關懷歸納於自己那『小說家的好奇』了。

『狄先生，』心虹輕輕的點了一下頭，微微一笑，那笑容是很難得的，因爲難得，而更顯得動人。『昨天晚上眞要謝謝你。』

『那裏話，希望妳沒有怎樣被嚇著。』

『已經沒事了，我昨晚吃了兩粒安眠藥，睡到剛剛才起來。』心虹說，一面直視着狄君璞。那清癯的臉龐，那深沉的眼睛，那若有所思的神情，這男人渾身都帶著一種成熟的、男性的穩重和沉著。在穩重與沉著以外，這人還有一份難解的、易感的臉，那深不見底的眼睛中似乎盛載了無窮的思想，使人無法看透他，也無法深入的走進他的思想領域。

高媽遞來了牛奶，心虹在沙發上坐下來。微蹙著眉頭，慢吞吞的啜著牛奶，彷彿那是什麼很難吃的東西。吟芳用一種苦惱的專注的神情看著她，對狄君璞勉强的笑笑。

『你看，她就不喜歡吃東西，從去年病後，體重一直沒增加上來。』

心虹有些煩惱，她不喜歡父母談論她像在談論一個三歲小孩似的。於是，她把小蕾拉到身邊來，細細的、溫柔的問她喜不喜歡這鄉間？被冷落了半天的孩子立即興奮了。用手攀住心虹的脖子，她興奮的告訴她那些關於蝴蝶、蜻蜓、狗尾草、蘆花、蒲公英……種種的發現，還有那些在黃昏時到處飛來撲去的螢火蟲，清晨在枝頭墜落的小露珠……心虹驚奇的抬起頭來，看着狄君璞。

『這孩子必定有你的遺傳，她述說起來像一首詩。』

『孩子的世界本來就是一首詩。』狄君璞說，深深的凝視著她，他那深沉的眸子好深好深，她覺得有點震動而且心亂了。他不是在『看』她，他簡直是在『透視』她呢！

『梁姐姐，』小蕾的興奮一旦被引發就無法遏止，她搖著心虹的胳膊，大聲的說：『我們去採草莓好嗎？婆婆說，如果我能採到一籃草莓，她要做草莓醬給我吃，我們去採好嗎？』

『這種野草莓很酸的呢！』心虹說。

『可是，我們去採好嗎？』孩子祈求的看著她。

心虹抬起眼睛來，看了看狄君璞，後者也正微笑而鼓勵的望著她。

『跟我們一起去山裏散散步也不錯，』他說：『外面天氣很好，而且我保證不會再有什麼瘋老太婆來驚嚇妳，怎樣？』

她不由自主的微笑了，站起身來。

『那麼，我們還等什麼？』她說，掉過頭去看吟芳：『媽，我走走就回來。』

『早些回來吃午飯，哦，狄先生和小蕾也來我們家吃飯吧！』吟芳說，看到心虹那麼難得的有份好興致，使她衷心愉快。真的，小蕾是個小可人兒，狄君璞穩重忠厚，或者，這父女二人會對心虹大有幫助。

『哦，我們不了，』狄君璞說：『姑媽在等我們呢，她今天給我們燉了一隻鷄，如果不回去吃飯，她要大大的失望了。』

吟芳笑笑，不再勉强了，她瞭解老姑媽那種心情。女人一上了年紀，對於小一輩的愛與關切也就更重了。往往並不是小一輩的需要她，而是她需要他們。

心虹牽著小蕾，跟狄君璞一起走出了霜園。秋日的陽光美好的照射著，暖洋洋的，薰人欲醉的。小徑上鋪滿了落葉，被太陽晒得又鬆又脆。那些高大的紅楓，在陽光下幾乎是半透明的嫣紅。無數的紫色小花，在秋風中輕輕搖曳。天藍得耀目，雲淡淡，風微微，鳥啼淸脆。遠處那農莊頂端，一縷炊煙細裊。

『這就是我的世界，』心虹說，深深的呼吸著那帶著泥土氣息的空氣。『山裏的景色變幻無窮，清晨，黃昏，月夜……昨晚，所有的氣氛都被那個老太婆破壞了。』

狄君璞沒有說話，他不知該說什麼好。

她在路邊摘了一朵黃色的小花，把花朵無意識的轉動著，用那花瓣輕觸著嘴唇。

『你吃過花瓣上的露水嗎？』她忽然問。

『不，我沒有。』

『我吃過。』她微笑起來，眼睛朦朧如夢。『在太陽還沒出來以前，一清早走入山裏，用一個小酒杯，去收集那些花瓣上的露珠，一粒一粒的，盛滿一酒杯，然後喝下去，那麼清醇，那麼芬芳，那是大自然所釀製的美酒，喝多了，你一樣會醉倒。醉倒在一個最甜最香的夢裏。』她沉思，似乎已經沉浸在那夢裏了，眼睛裏罩上了一層薄霧，那眼珠顯得更迷濛了。好半天，她忽然醒了過來，垂下頭去，她羞澀的低語：『我很傻，是不？』

『不，』他注視著她，為之動容。『很美。』

『什麼？』她不解的。

『很美，』他重複了一句。『妳的人，妳的聲音，妳的世界，和妳的夢。』

她很快的抬起眼睛來，掃了他一眼，臉頰上竟湧上了兩片紅潮。

『你在笑我了。』她低聲說。

『我會嗎？』他反問。

她再度抬起眼睛來，這次，她是大膽的在直視他了，眼光裏帶著研判的意味，那眼光那樣深沉，那樣專注，似乎想看穿他的內心。笑容從她的唇邊隱去，而面上的紅潮却更深了。

『他們……他們都說我傻。』她喃喃的說。

『他們是誰？』

『爸爸，媽媽，妹妹，還有……』她沉思，眉頭輕蹙，在努力的思索著什麼。『還有……他……』

『他是誰？』他追問，緊盯著她。

紅潮從她臉上退去，她的眉頭蹙得更緊了，那記憶的鐘在敲動。她的眼光迷惘，她的嘴唇顫動，她知道自己遺失了一段生命，她在追尋，她在努力的追尋。像掉在一個洄漩滾動着的深井裏，她被那轉動的水流越旋越深，越旋越深，越旋越深……那冰冷的水，清寒刺骨，冷得她發抖，而那水流也越轉越快了，越轉越快，越轉越快……她覺得天旋地轉，呼吸急促，她的面容發白了。

他及時扶住了她。

『心虹！』他用力的喊，這是他第一次叫她的名字。

她一震，驚醒了，從那深井裏又回到了地面。瞪大了眼睛，她茫然的看著面前那張臉，那張深刻的、擔憂的，而又帶著抹痛楚與憐惜的臉，一時間，她有些神思恍惚，這是誰？那樣熟悉又那樣陌生，那樣親近又那樣遙遠。她閉上眼睛，呻吟而且嘆息。

『心虹，』他扶住她的胳膊。『妳覺得怎樣？』

她再張開眼睛，眞的淸醒了。烏雲盡消，陽光下是他那張憂愁的臉和關懷的眼睛。

『哦！』她勉强的微笑。『又來了。別管我，沒有關係的。』

他深深的注視她。

『我告訴妳，』他誠摯的說。『當這種昏暈再來臨的時候，妳一定要克服它。不要讓它把妳打倒，妳應該有堅强的自信和意志。如果妳在害怕着什麼，妳唯一的辦法，就是面對它，妳懂嗎？心虹。』

他的眼睛深沉似海。她覺得被淹沒了，那浪潮，溫溫軟軟的浪潮，從頭到脚的對她披蓋過來，像一件溫軟的綢衣。

『你知道我在害怕，是嚒？』她低語。

『是的，我知道。』他也輕聲說，眼光仍然停駐在她的臉上，那件綢衣更溫軟了，更舒適了，鬆鬆的裹著她。

『你知道我在害怕什麼嗎？』

『不，我不知道。』

『那麼，幫我，好嗎？』她的眼裏漾起了淚光。『幫我找出來！那總是跟在我身邊的、無形的陰影是什麼？我害怕，眞的，我好害怕。』

『我會幫妳。』他說，把她的外套拉攏，代她扣上衣領的鈕釦。雖然有太陽，谷地裏的風依然寒冷。『我會盡我的力量來幫妳。』

他站在她面前，比她高那麼多，那寬大的胸懷必然是溫暖的，一時間，她竟有把頭靠近那胸懷的衝動。但是，小蕾奔過來了，她曾跑開去了一段好長的時間。她的面頰紅潤，眼睛發光，滿手都握著熟透的草莓。

『嗨，粱姐姐！我找到一大片草莓，好多好多！妳說好要幫我採草莓的，怎麼儘管站在這裏和爸爸說話？來呀！妳來呀！』

拉著心虹的手，她不由分說的把她向山野裏拖，心虹對狄君璞輕輕一笑，忽然振作了一下，高聲說：

『好，讓我們採草莓去！』

說完，她就跟著小蕾，奔進那雜草叢生的樹叢裏去了。她的長髮飄飛，和小蕾辮梢的大綢結相映。狄君璞不由自主的跟著她們走進草叢，繞過岩石，穿過一個楓林，果然，面前有一塊平坦的草原，荊棘叢中，一大片的野草莓正茂密的生長著，那些鮮紅欲滴的果實，映著陽光發亮，像一顆顆紅色透明的琥珀。

『哎呀，眞不少！』心虹驚呼著。『小蕾，妳簡直發現了一個大寶藏了呢！』

『我們來比賽，看誰採得多！』小蕾說，興高采烈，眉飛色舞。

『好！讓妳爸爸也參加！』心虹說。

『爸爸？』小蕾詢問的看著她父親。

『參加就參加！』狄君璞大聲說，感染了她們的興致。『我一個人可以採得比妳們兩個人加起來還多！信不信？』

『吹牛！』小蕾叫著。

『那麼，馬上開始！』

他們立即展開了一場『草莓採摘比賽』。心虹採摘得非常努力，難得她有如此高昂的情緒和興趣，她輕盈的穿梭在荊棘中，毫不費力的採摘下那一顆顆的果實。小蕾就更輕便了，她小小的身子如穿簾之燕，奔前奔後，用她的裙襬兜了一大兜的草莓，不時還發出歡呼和嘻笑，對她那身手笨拙的父親投來揶揄的一瞥。

狄君璞却弄得相當的狼狽了，他簡直沒料到這是如此艱鉅的工作，他不住被荊棘刺傷，又勾住了衣服，又弄破了手指，剛採到的草莓又在不注意中給弄掉了，半天也沒採到一握。最後，他竟尖聲叫起救命來了。

『怎麼了？怎麼了？』心虹和小蕾都跑了過來。

『不知是些什麼東西，把我滿身都刺得疼，哎呀，又疼又癢，不得了！』

心虹看過去，禁不住驚呼著大笑了起來，又笑又叫的說：

『你從那裏弄了這一身的樹衣呀？這麼多！天哪！這些刺人的小針就是摘上一小時也摘不乾淨了！』

那是一種植物的種子，像一根根小刺，一碰到它，它就會沾附在人身上。現在，狄君璞整個褲管都沾滿了這種東西。心虹一面笑，一面放下了自己的草莓，幫狄君璞去摘掉那些小刺，又摘又笑，因爲狄君璞像木偶般挺立在那兒，一動也不敢動，滿臉的可憐相。心虹看看他，忍不住又笑了。然後，她忽然站直了身子，楞住了。好半天，她才愕然的瞪視著狄君璞，喃喃的說：

『聽到嗎？我居然笑了！奇怪，我又會笑了。一年以來，我幾乎不知道怎樣笑。』

狄君璞靜靜的望著她，眼光那樣深沉，那樣眞摯。

『妳的笑容很美，』他幽幽的說：『妳不知道有多美。所以，千萬別丟掉它。』

她不語，呆呆的看著他，他們默然相視，陽光在兩個人的眼睛裏閃爍，時間不知過去了多久，小蕾已在一邊高聲的宣佈，她獲得比賽的第一名了。

10

一粒沙在海灘上碰到另外一粒沙。

『願我們能結爲一體。』第一粒沙說。

『哦，不行，沙子是無法彼此黏附的。』另一粒說。

『我將磨碎自己，磨成細粉，然後來包容你。』

於是，他在岩石上磨著，碾著，揉著，終於弄碎了他自己。但是，一陣海浪湧上來，把他們一起捲進了茫茫的大海，那磨碎了的沙被海浪沖散到四面八方，再也聚不攏來，更無法包容另一粒沙了。

心虹合上了書本，把它拋在桌上，這一段是全書的一個引子，她已經讀過幾千幾百次了，閉上眼睛，她可以把整段一字不錯的背出來。但是，每當她拿起這本書，她仍然忍不住要把它再讀一遍。就像這書裏面其他許多部份一樣，她總是要一讀再讀，而每次都會重複的引起她心中的愴惻之情。

一粒磨碎了的沙子，被海浪沖散到四面八方，還可能再聚攏嗎？可能嗎？即使聚攏了，另一粒沙也不知飄流到天涯何處？她嘆息了，懶洋洋的從床上站起來，走到窗子前面。窗外在下著細雨，迷迷濛濛的雨霧蒼茫的籠罩在花園裏，楓葉在寒風中輕顫著。

她沉思片刻，然後走到壁櫥前，取出一件大衣，拿了一條圍巾，她走出房門。嘴裏不自主的輕哼著一支歌，她輕快的走下了樓梯。在樓下，她一眼看到父母都在客廳中，母親在打毛衣，父親在拆閱著剛送到的郵件。聽到她的聲音，父母同時抬起頭來，對她注視著。

『嗬！眞冷，不是嗎？』她對父母微笑著。『我們的壁爐該生火了。』

『這麼冷，妳還要出去嗎？』吟芳懷疑的問，望著她手腕上的大衣。

『這樣的雨天，散散步才有味道呢！』心虹說著，穿上大衣，圍上了圍巾。『狄君璞說，雨是最富有詩意的東西，所以古人的詩詞中，寫雨的最多了。』

『妳要去農莊嗎？』吟芳再問。

『唔，小蕾這兩天有點感冒，我去看看她好些沒有，這孩子越來越喜歡我，我不去她會失望。』心虹不知為什麼，解釋了那樣一大堆，走到玄關的壁櫥前，她拿出一件白色的玻璃雨衣。

『回來吃晚飯？還是在農莊吃？』

『不一定，』心虹支吾著，扣好雨衣的釦子：『如果到時候沒回來，就不等我吃飯吧！』

『晚上要不要老高去接妳？』梁逸舟這時才問了一句，他的眼光始終研究的停在心虹的臉上。

『不用了，狄君璞會送我回來。』心虹打開房門，一陣寒風撲了進來，她縮著脖子打了個寒顫，回頭對父母揮了揮手。『再見！媽！再見！爸爸！』拉緊雨衣，她置身於冬天的雨霧裏了。

吟芳目送心虹的身影消失，房門才闔攏，她就立即掉轉頭來看著梁逸舟，說：

『你不覺得，這幾個月來，她到農莊去的次數是越來越勤了嗎？』

『但是，她好多了，不是嗎？』梁逸舟說。『那小女孩顯然對她大有幫助，她幾乎完全恢復正常了！』

『小女孩！』吟芳笑了一聲。『逸舟，別太天眞！那小女孩恐怕沒有這麼大的吸引力和功效吧！』

『妳在暗示什麼？』梁逸舟望著他的妻子。

『你知道的。狄君璞。』

梁逸舟不安的聳聳肩。

『我不認爲會有什麼問題，狄君璞比她大那麼多，而且，小蕾還喊心虹做姐姐呢！君璞是我的朋友，心虹該算他的小輩……』

『你這些理由都站不住的，兩情相悅，還管你什麼輩份年齡？一個是充滿夢幻的少女，一個是孤獨寂寞的作家。你是瞭解心虹那份不顧一切的個性的，假若再發生什麼……』她抽了口氣，緊盯著他。『這孩子生來就是悲劇性格，天知道又會發生什麼！不行，逸舟，我又有不祥的預感了！』

『不要緊張，妳也是太容易緊張。君璞不會的，他是過來人，在感情上早注射過防疫針了！』

『那麼，你就不怕心虹單方面愛上狄君璞嗎？』

梁逸舟爲之愕然。

『怎會呢？心虹總不能見一個男人就愛一個男人的！』

『你說這話太不公平，』吟芳有些動氣了：『男人！你們永遠是又粗心又愚笨的動物！』

『怎麼了？妳？』梁逸舟失笑的。『妳怎麼跟我發起脾氣來了？』

『你想，心虹在大學裏，那麼多男同學追求她，她都不中意，你怎能說她是見一個愛一個呢？至於盧雲飛，你不能否認他確實很吸引女孩子！而狄君璞呢，他有許多優點，還有對會說話的眼睛。記住，心虹已經完全忘記盧雲飛了，在她，還和一個從未戀愛過的女孩一樣單純。假若她愛上狄君璞，我是絲毫也不會覺得奇怪的！』

梁逸舟深思了片刻，燃起了一支煙。

『妳分析得也有道理。』他說，重重的吸了一口煙。

『我問你，逸舟，』吟芳又說：『如果心虹和狄君璞戀愛了，你贊成嗎？』

『當然不。』梁逸舟很快的回答。

『爲什麼？』

『各方面的不合適。狄君璞年齡太大，離過婚，又有孩子。而且，他那次婚變是鬧得人盡皆知的！他也是個怪人，追求他那個太太的時候，幾乎連命都拚掉！結婚不過幾年，就又讓她跟別的男人走了！他是個作家，這種人的感情結構是特別的。如果他們眞結婚，心虹一定會不幸，何況還要做一個六歲大孩子的繼母！這事是決不可能的，我當然不贊成！』

『那麼，未雨綢繆，』吟芳沉吟的說：『你還是早做防備吧！我看，你讓這個狄君璞搬進農莊，不見得是明智之舉呢！』

『我怎麼會料到還有這種問題！心虹這孩子，好像永遠是我們家的「問題製造中心」，從她的出世，就是我們的問題！』

『逸舟！』吟芳皺著眉喊：『你又不公平了！』

『好了，好了，算我說錯了。』梁逸舟慌忙說，走過去坐到妻子身邊，拉住了她的手，溫柔的凝視她。『不生氣，嗯？』

『你在敵視那孩子。』吟芳說，眼眶濕潤了。

『沒有，絕沒有！』梁逸舟急切的申辯。『不過，我覺得妳對那孩子有一種病態的抱歉心理，妳總覺得對不起她。』

『我們是對不起她，逸舟。』吟芳含淚說，瞅著梁逸舟。『你沒聽到她在夜裏做惡夢，不住口的叫媽，叫得我的心都碎了，好像我是兇手，殺了她的……』

『哦，別說了！』梁逸舟攬住了他的妻子，把她的頭緊壓在他的胸口：『別再說了，過去的事早過去了，一個孩子能記住多少？』

『但是，她記得，她完全記得。』

『別再說！吟芳，別再說！說下去妳又要傷心了！』

吟芳住了口，同時，一聲門鈴響，吟芳迅速把頭從梁逸舟的懷裏抬了起來，說：

『心霞回來了！』拭去了淚痕，她不願心霞看出她傷心過的痕迹。

果然，房門開了，心霞抱著書本衝了進來，帶進一股冷風。她的鼻尖凍紅了，臉色顯得有些蒼白，身子微微發抖，那件紅大衣上都綴著細粉似的小水珠，連那頭髮上也是，跺了跺脚，她似乎想跺掉身上的冷氣，眼光陰晴不定的在室內掃了一眼。

『妳瞧！去上學的時候又沒穿雨衣！淋了一身雨，又凍成這樣子！』吟芳叫了起來：『快去拿條大毛巾把頭髮擦擦乾！』

『我最不喜歡穿雨衣！』心霞說著，坐下來，脫掉雨鞋和手套。

『妳臉色不好，沒有不舒服吧？』梁逸舟問，奇怪她怎麼不是一進門就叫餓，或者用雙冷手往她母親脖子裏塞。她看來有點反常呢！

『沒有。』心霞說，臉上有股陰鬱的神氣。『我看到姐姐了。』

『在那兒？』

『山谷裏，她不是去農莊嗎？』

『妳去山谷幹嘛？』吟芳詫異的問。

『啊，我……』心霞似乎有點慌亂。『我……沒有什麼，我想去代一個園藝系的同學採一點植物標本。』

『但是，妳沒有帶回什麼標本哦？』梁逸舟說。

『唔，太冷了，你知道。谷裏的風像刀子一樣，我又分不清楚那些植物，就回來了。』心霞說著，抱起桌上的書本。『我要馬上去洗個熱水澡，我冷得發抖，今年冬天像是特別冷。』她像逃避什麼似的往樓上走去。

一件東西從她的書本中落了出來，她慌忙彎腰去撿起來，不安的看了父母一眼。吟芳已經看到是一封信，但她裝作並未注意，心霞匆匆的走上樓去了。

吟芳和梁逸舟面面相覷。

『妳不覺得她有些特別嗎？』梁逸舟問。

『我看，』吟芳憂鬱的皺皺眉。『一個的問題還沒有解決，另一個的問題又來了。你看吧，我們還有的是麻煩呢！』低下頭，她開始沉默的編織著毛衣。模糊的想著心霞的那封信，封面上沒有寫收信人，這封信是面交的，是她的同學寫給她的嗎？還是在這山谷中交件的呢？她下意識的再抬起眼睛對窗外望了一眼。窗外，雨霧揉合著暮色，是一片暗淡的迷濛與蒼茫。

這兒，心霞上樓之後，並沒有像她所說的，馬上去浴室。她逕直走入自己的房間，立即關好了房門，並上了鎖。把書本放在桌上，拿起那封信，她對那信封發了好一陣呆，似乎不敢抽出裏面的信箋。握著信，她在梳妝台前坐下來，望了望鏡中的自己，那平日活潑的眼神現在看來多麼迷惘，她搖了搖頭，煩惱的對自己說：

『梁心霞，梁心霞，妳做錯了！妳不該接受這封信！現在，妳最好的辦法就是下樓去，把一切都告訴爸爸和媽媽！』

但是……但是……她眼前又浮起了那對痛楚的、漂亮的，而又帶著股野性與惱怒的眼睛，那被雨淋濕了的頭髮和夾克，以及他站在霜園門前楓樹下的那股陰鬱的神氣。

『跟我來！』

他是那樣簡單的命令著，她却不由自主的跟隨著他走到谷地裏，在那四顧無人的寂靜中，在那茫茫的雨霧下，在那岩石的陰影裏，他用那種懾人的、火灼般的眸子瞪著她，眼神是發怒而痛楚的。然後，在她還沒弄清楚他的目的以前，他就忽然捉住了她，他的嘴唇迅速的對她蓋了下來，她吃驚的掙扎，但他的胳膊像鐵索般强而有力，他的嘴唇灼熱而焦渴。他渾身都帶著那樣男性的、粗獷的氣息，她簡直無法動彈，也不能思想。只是瞪大眼睛望著那張倔强而不馴的臉。然後，他放開了她，把那封信拋在她的書本上，他一句話也沒有說，就掉轉頭，大踏步的踩著雨霧，消失在山谷中的小徑上了。

現在，她握著信封，仍然覺得震懾，覺得渾身無力，覺得四肢如綿。用手指輕撫著嘴唇，那是怎樣的一吻呵！她在鏡中的眼睛更加迷惘了。

終於，她忽然下定決心的低下頭，抽出了信封裏的信箋，打開來，她讀了下去：

『心霞：

我給妳寫這封信，因爲我不相信我自己在見到妳之後，還能鎮靜的和妳說些什麼。假如妳不想再唸下去，我奉勸妳現在就把這封信撕了。

四年前，我第一次見到妳時，妳還只是個十五歲的小姑娘，我曾耐心的等著妳長大，天知道，妳長大之後，一切的局面竟變得如此惡劣！你們一家成了我的仇敵，尤其是妳！我說「尤其」，妳會奇怪嗎？我瞭解妳，我瞭解一切！我恨透了妳，心霞，妳這隻不安靜的小野貓！

或者我錯怪了妳，但願如此！我曾想殺掉妳，撕碎妳，只爲了我不能不想妳！相信嗎？我常徘徊在霜園的圍牆外，目送妳上學，呆呆的像個傻瓜。然後再和自己發上一大頓脾氣。噢！我眞恨妳，心霞！

不知是不是命中注定，我們兄弟應該都喪生在妳們姐妹手下？那麼，來吧！讓一切該來的都來吧！我在等著妳！魔鬼！

明晚八時起，我將在霧谷中等妳，在那塊「山」字形的岩石下面。不過，我警告妳，我可能會殺掉妳，所以，妳不要來吧！把這封信拿給妳父母看，讓他們來對付我吧！妳不要來，千萬不要來。我會一直等到天亮，但是，妳讓我去等吧！求妳不要來，因爲，如果妳眞來了，我們就都完了！我們將被打入萬劫不復的地獄裏，永遠陷入痛苦的深淵中！

好好的想一想，再作決定。山谷裡的夜會很冷，不過我可以數星星——如果有星星的話。

再提醒妳一次：最好不要來！

雲揚』

心霞看完了信，好一會兒，她就呆坐在那兒，對著那張信紙發楞。逐漸的，有陣霧氣昇入了她的眼睛中，她的視線模糊了。某種酸澀的、痛苦的情緒抓住了她。捧起了那張信箋，她顫抖的把嘴唇壓在那個簽名上，喃喃的說：

『你知道的，雲揚，你明知道我會去。所以，讓我們一起下地獄吧！』

11

一連下了好幾天雨。

山裏的雨季是煩人的，到處都是濕潞潞的一片，山是濕的，樹是濕的，草是濕的，岩石和青苔都是濕的。連帶使人覺得心裏都汪著水。狄君璞站在書房的窗前，看著那屋簷上滴下的雨珠，第一次覺得『久雨』並不詩意。何況，小蕾又臥病了好幾天，感冒引發了氣喘，冬天對這孩子永遠是難挨的時刻。

書房裏燃著一盆火，驅散了冬季的嚴寒，增加了不少的溫暖。握著一杯熱茶，狄君璞已在窗前站了很長的一段時間，下意識裏，他似乎在期盼著什麼。已有好幾小時，他無法安靜的寫作了。玻璃窗上，他嘴中呼出的熱氣凝聚了一大塊白霧，他用手拂開了那團白霧，窗外，灰暗的樹影中，有個紅色的人影一閃，他心臟不自禁的猛跳了一下，有客人來了。

眞的，是『客人來了』，農莊外面，有個清脆的聲音正在嚷著：

『喂喂，作家先生，你在嗎？客人來了！』

不，這不是心虹，這是心霞。狄君璞的興奮頓減，心情重新有些灰暗起來。但是，最起碼，這活潑的少女可以給屋裏帶來一點生氣。這長長的、暗淡的、倦怠的下午，是太安靜了。他走到客廳，心霞已衝了進來，不住口的喊著：

『啊啊，冷死我了！眞冷，這個鬼天氣！哦，我聞到炭味了，你生了火嗎？』

『在我書房裏，妳進來坐吧！』

『小蕾呢？』

『睡覺了，她不大舒服，姑媽在陪著她。』

『這天氣就容易生病，大家都在鬧病，我也鼻子不通了，都是那山谷……』她忽然噤住了，走到火爐邊去，取下手套來烤著火。『姐姐要我幫她向你借幾本小說，她說隨便什麼都好，要不太沉悶的。』

哦，她呢？爲什麼她自己不來？她已經三天沒來過了。他問不出口，只是走到書架邊去，找尋着書籍。心霞脫下了大衣，拉了一張椅子，在火爐邊坐了下來，自顧自的又說：

『你這屋裏眞溫暖，每回到這兒來，我都有一種回家似的感覺，這兒的環境事實上比霜園還美。我看到你在屋外的柵欄邊種了些爬藤的植物，都爬得滿高了。』

『那是紫藤，妳姐姐的意見，她說到明年夏天，這些柵欄都會變成一堵堵的花牆。』

『姐姐！』她輕笑了。『她就有這些花樣，她是很……很……』她尋找著詞彙。『很詩意的！她和我的個性完全不一樣！或者，她像她母親！』

『她母親？』狄君璞愕然的問，望著她。他剛抽出一本書來，拿著書本的手停在半空中。

『怎麼，你不知道嗎？』心霞也詫異的。『姐姐沒有告訴你？我以爲她什麼都跟你談的，她很崇拜你呢！』

『告訴我什麼？』

『她和我不是一個母親，我媽是她的繼母，她的生母在她很小時就死了，爸爸又娶了我媽，生了我，所以我和姐姐差了五歲。』

『噢，這對我還是新聞呢，』狄君璞說。『怪不得妳們並不很像。』

『姐姐像爸爸，我像我媽。』

『可是，妳母親倒看不出是個繼母，她好像很疼妳姐姐。』

『爸爸媽媽竭力想遮掩這個事實，他們希望姐姐認爲我媽是她的生母，而且以爲可以混過去。媽倒是眞心疼姐姐，大概她覺得她死去了親生母親，是怪可憐的。但是，這種事情想隱瞞總是不大容易，何況家裏又有兩個知情的老傭人，高媽到現在，侍候姐姐遠超過我。據說，姐姐的生母是個很柔弱的小美人，全家都寵她。她死於難產，那個孩子也死了。我常覺得，她對高媽的影響力，一直留到現在呢！』她頓了頓，又說：『你可不能告訴爸爸媽媽，我把這事告訴你了，他們會生大氣的。』

『當然我不會說。』狄君璞在書架上取了三本書，一本莫里哀短篇小說集，一本冰島漁夫，一本是契可夫短篇小說集。把書交給心霞，他也在火爐邊坐了下來。『妳先把這三本帶去給妳姐姐吧，不知她看過沒有，其實，』他輕描淡寫的說：『她還是自己選比較可靠。』

『她不能來，她生病了。』

『哦？』狄君璞專注的。『怎麼？』

『還不是感冒，她身體本來就不好，爸爸說她都是在山谷裏吹風吹的！』

狄君璞默然了。低著頭，他用火鉗撥弄著爐火，心裏也像那爐火一樣焚燒起來。一種抑鬱的、陰沉的、捉摸不定的火焰，像那閃動着的藍色火苗。心霞拿著書，隨便的翻弄著，她也有一大段時間的沉默，她並不告辭，那明亮的眼睛顯得有些深沉。許久，她忽然抬起頭來。

『知道姐姐的故事嗎？』她猝然的問：『她和那個墜崖的年輕人。』

『是的，』狄君璞有些意外。『妳父親告訴了我整個的故事。』

『他一定告訴你盧雲飛是個壞蛋，是嗎？』

『嗯。怎樣呢？』

『爸爸有他的主觀和成見，而且，他必須保護姐姐。你不要完全相信他，雲飛並不壞，他只是比較活潑、要強、任性。再加上他家庭環境的關係，他未免求名求利求表現的心都要急切一些，年輕人不懂世故人情，得罪的人就多，別看我父親的公司，還不是有許多人在裏面耍花樣，雲飛常揭人之私，結果大家都說他壞話。爸爸耳朵軟，又因爲自己太有錢，總是担心追求他女兒的人，都是爲了錢。這種種原因，使他認定了雲飛是壞蛋，這對雲飛，是不太公平的。』

狄君璞深深的注視著心霞，她這一篇分析，很合邏輯也很有道理，她並不像她外表那樣天眞和稚氣呵！對於心虹和盧雲飛，她又知道多少呢？姐妹之間的感情，有時是比父母子女間更知己的，何況吟芳又不是心虹的生母！心霞是不是會知道一些梁逸舟夫婦都不知道的秘密？

『妳認爲那晚的悲劇是意外嗎？』他不自禁的問。

『當然。』她很快的回答，眉目間却很明顯的有一絲不安之色。『一定是意外！那欄杆早就朽了，因爲農莊根本沒人住，就沒想到去修理它，誰知道他們會跑到那楓林裏去呢！』

狄君璞凝視著心霞，她那眉目間的不安是爲了什麼？她眞認爲那是個意外？還是寧願相信那是個意外？她一定知道一些東西，一些她不願說出來的事情。

『那晚是妳代盧雲飛傳信給妳姐姐的嗎？』

『怎麼？當然不是！我想是高媽，她一直是姐姐的心腹……但是，怎麼？那已經是過去的事了，不談也罷。我們眞想弄淸楚眞相，除非是姐姐恢復記憶！不過……』她停住了，若有所思的望著爐火，臉上的不安之色更深了。

『不過什麼？』他追問。

她搖搖頭。

『算了，不說了！』她振作了一下，抬起眼睛來，很快的看了狄君璞一眼，睫毛就又迅速的垂了下來，繼續望著爐火。她說：『我今天來，是有點事想和你談。關於我自己的事。我不能和爸爸媽媽說，也不能和姐姐說。你是個作家，你對感情有深入的瞭解，或者，你能給我一些意見，一些幫助。』

『哦，是什麼？』他望著她，那張年輕的、姣好的面龐上有著苦惱，而那對黑亮的眸子卻帶著股任性與率直。『我想，是戀愛問題吧？』

『也可以這樣說。』她的目光凝注著爐火。『告訴我，如果你愛上一個你不該愛的人，怎麼辦？』

『唔，』他楞了楞。『這是若干年來，被作家們選為小說材料的問題。妳自己也知道，這是根本無法答覆的。而且，也要看「不應該」的原因何在？』

『那是盧雲揚。』

『盧雲揚？』他一驚。

『是的，雲飛的弟弟！你該可以想像橫亙在我們面前的困難，和我們本身的苦惱。』

『這事有多久了？』

『什麼時候愛上他的？我不知道。我認識他已有四年多了，但是，感情急轉直下的發展卻是最近的事。一星期以前，他在霜園門口等我，然後……然後……你可以想像的，是嗎？』

狄君璞注視着心霞，他心中有些混亂，在混亂以外，還有種驚悸的感覺。他記得那個男孩子。那對仇恨、憤怒，而痛苦的眼睛，還有那張年輕漂亮，而帶着倔強與驕傲的臉。這是一段眞誠的感情嗎？還是一個陷阱？一個報復？如果是後者，這樣發展下去未免太可怕了。如果是前者呢？他們將經過多少的痛苦與煎熬，這又未免太可悲了！

『你怎麼不說話?』心霞望著他。『你在想什麼?』

『我有一句不該問的話,』狄君璞慢吞吞的說。『妳信任他的感情嗎?』

心霞震動了一下。

『你在暗示我什麼?』她受驚的。

『我沒有暗示,我只是問妳,妳信不信任他?』

她思索片刻,咬了咬牙。

『我想,我是信任的!』

只是『我想』而已,那麼,她並沒有百分之百的把握啊。狄君璞燃著了一支煙,深吸了一口,那種不安而混亂的情緒在他心中更加重了。他站起身來,在室內兜了一個圈子,忽然站定說:

『必須把那個謎底找出來!』

『什麼謎底?』

『盧雲飛,他怎會摔下那個懸崖的?』

心霞打了個寒噤,狄君璞立即銳利的盯著她。

『妳冷嗎?』

『不。我不知道那謎底對我有什麼幫助。而且,那案子已經結了,我寧願不再去探索謎底。』

『妳怕那謎底,對不對?妳並不完全相信那是件意外,對不對?』他緊盯著她。

她驚跳起來,有些惱怒了,她的大而野性的眼睛狠狠的瞪着他,大聲的說:

『我後悔對你說了這些話，你當作我根本沒說過好了！我要回家去了，謝謝你的書！』

他攔住了她。

『妳可知道，只要把妳姐姐的嫌疑完完全全洗清楚，妳和雲揚就沒有問題了？人總不能對「意外」記仇的！我奇怪你們誰都不去追求眞相，寧願讓妳姐姐一直喪失記憶，寧願讓流言繼續在到處飛揚！這是不對的，你們該設法喚醒心虹的記憶呵！』

『謝謝你！但願你別這樣熱心！你要扮演什麼角色呢？福爾摩斯嗎？』她抓起了桌上的大衣，穿上了。『記住了！眞相不一定對心虹有利！如果你眞關心我們，躲在你的書房裏，寫你自己的小說吧！』

抱著書本，她衝到房門口，狄君璞沉默的望著她，不再攔阻。她推開了門，遲疑了一下，然後，她忽然又掉過頭來，她的眼光變柔和了，而且，幾乎是沮喪的。

『對不起，狄先生，』她很快的說：『我並不是眞的要跟你發脾氣，我最近的情緒很壞，你知道。本來，姐姐的事件在我心中已逐漸淡漠了，可是，它現在又壓住了我，壓得我簡直透不過氣來。』

他點了點頭，眼光溫柔。

『我瞭解。』他輕聲的說。

『你——你不會把我和雲揚的事告訴媽媽爸爸吧？』

『妳放心。』

她點點頭，想說什麼，又忍住了。看了看手裏的書本，她改變了想說的話：

『有時間，到霜園來坐坐，我們全家都喜歡你。』

『我會去的。』

她再看他一眼。

『你沒生我的氣吧？』

『我怎會？』

她嫣然的笑了。

『有一天，我會告訴你一些事，等我有……』她的聲音壓低了，低得幾乎只有她自己才聽得到。『有勇氣說的時候。』打開門，她翻起了衣領，衝進門外那茫茫的雨霧裏去了。

狄君璞沒有立即關門，他倚在那寒風撲面的門邊，對那雨霧所籠罩的山谷凝視了好長的一段時間。他的眉頭微鎖，心情是迷惘而沉重的。

12

夜裏，雨變大了。

早上吃過早餐後，姑媽告訴狄君璞說，她一夜都聽到雨滴滴在閣樓上的聲音，她相信屋頂在漏雨了。

『如果你再不到閣樓上去看看，我怕雨水會漏到我們房間裏來了，而且，閣樓裏梁家那些東西都泡了水，準會發霉了，你必須上去檢查一下。』

狄君璞上了閣樓。

這閣樓的面積十分寬大，橫跨了下面好幾間房間，裏面橫七豎八的堆著些用不著的舊家具。雖然屋頂上有一扇玻璃窗，閣樓上的光線仍嫌幽暗，狄君璞開了電燈，那燈裝在屋頂上，只是一個六十燭的燈泡，光線也是昏黃的。但是，閣樓上的一切東西都可看清了。

他立刻找到了漏雨的地方，使他驚奇的，是那漏雨處早已放好了一只鋁桶，現在，桶裏正積了淺淺的一層雨水，怪不得沒有水漏到樓下去。那麼，早就有人知道這兒漏水而且防備了。他相信這不是梁逸舟為他們佈置的，如果他知道屋頂漏水，他一定會在他們遷入之前就預先修好屋頂。那麼，這兒在以前，在這農莊空著的時候，必定有人常來了，甚至於經常待在這閣樓裏。他想起心虹告訴過他的話：

『小時候，我總喜歡爬到閣樓上，一個人躲在那兒，常躲上好幾小時。』

那麼，這會是心虹嗎？

在一連幾個『那麼』之後，他拋開了這個漏水的問題，開始認眞的打量這間閣樓。那兒有一張搖椅，他走過去，在搖椅中坐下來，椅子搖得很好，十分安適，只是他弄了一身的灰塵了。梁逸舟租房子給他時，曾表示閣樓裏的家具，如果有能用的，儘管可以利用。他決定將這搖椅搬下去放在書房裏，看書時可以用。搖椅邊有一張書桌，書桌後面還有張安樂椅。他再坐到書桌後的安樂椅上去，同樣的，安樂椅完好舒適，這些家具都還沒有破損，想必，梁逸舟只是因為搬了新房子，不願再用舊家具，而把這些東西堆進閣樓的。

書桌上有一層灰塵，旁邊的地下却丟著一把鷄毛撣，他下意識的拿起那鷄毛撣，在桌子上拂過去，所有的灰塵都飛揚了起來，嗆得他直咳嗽，鷄毛撣，最不科學的清潔器！他拋下鷄毛撣，却一眼看到那被拂過的書桌桌面上，有一塊地方，被小刀細細的挖掉了一塊，露出裏面白色的木材，那挖掉的，剛好是一個心形，在那顆『心』中，有紅色的原子筆，寫著的兩行字，他看過去，是：

『困倚危樓，

過盡飛鴻字字愁。』

他心裏怦然一動，立即湧上一股難言的情緒。想當時，必定有人在這兒期待著誰。他幾乎可以看到那在等待中的少女，百無聊賴的雕刻著這顆心。他坐在椅子裏，禁不住對這顆心愀然而視，半晌都沒有動彈。

然後，他試著去拉開那書桌的抽屜，幾乎每個抽屜中都有些字紙，揉縐了的，團成一團的。他開始一張張的檢視起來，絕大部份都是一些詩詞的片斷。有張紙上塗滿了名字，胡亂的寫著『心虹』『心霞』『盧雲飛』『盧雲揚』，還有他所不知道的，什麼『蕭雅棠』『江梨』『何子方』等等。再有一張紙上，畫著兩顆相並的心，被愛神的箭穿過，一顆心中寫著『盧雲飛』，另一顆心中寫著『梁心虹』。但在這兩顆心的四周，却畫了無數顆小的心形，每顆心中都有一個名字，像『心霞』『蕭雅棠』『江梨』『魏如珍』……許多名字都重複用了好幾次，這是什麼意思呢？拋開這些字紙，再拉開一個抽屜，裏面有幾本小說，他翻了翻，是『戰地鐘聲』，『巴黎的聖母院』，『七重天』和一部『嘉麗妹妹』。書都保存得很好，沒有任何塗抹。再拉開一個抽屜，有本封面上印著玫瑰花的記事册，打開第一頁，上面很漂亮的簽著名：

『梁心虹』

他的心臟又猛跳了一下，這裏面會找到一些東西嗎？翻過這一頁，他唸到下面的句子：

『我的心像一個大的熔爐，裡面熱烘烘的翻滾著熔液，像火山中心的熔漿。我整個人都在燃燒著，隨時，我都擔心著會被燒成灰燼。這是愛情嚒？何以愛情使我如此炙痛？如果這不是愛情，這又是什麼？

近來我不相信我自己，許多事情，我覺得是我感覺的錯誤。我一直過份的敏感。多愁善感是「病態」，我必須擺脫掉某種困擾著我的思想！但是呵！我爲什麼擺脫不掉？

父親說我再不停止這種「幼稚的胡鬧」，他將要對我採取最强硬的手段，他指責我「無知」，「荒謬」和「莫名其妙」！這就是成人們對愛情的看法嗎？但是，他難道沒有戀愛過嗎？他當初的狂熱又是怎樣的呢？如果他必須要扼殺我的戀愛，不如扼殺我的生命！他們不是曾經扼殺我母親的生命嗎？噢，我那可憐的、可憐的母親呵！

連日來，雲飛脾氣惡劣，我想，父親一定給了他氣受，他抑鬱而易怒，使我也覺得戰戰兢兢的。我留心不要去引發他的火氣，但他仍然對我發了火，他說我如果再不跟著他逃跑，他將棄我而去。我哭了，他又跪下來抱住我，流著淚向我懺悔。啊！我心已碎，我將何去何從？

我曾整日在閣樓裡等候雲飛，他沒有來，月亮已上昇了，我知道他不會來了，他在生我的氣。我整日沒有吃東西，又餓又渴又累。回家後，父親一定還要責備我。天哪，我已心力交疲！

和父親爆發了一場激烈的爭吵，父親說將把雲飛從公司裡開除，毀掉他的前程！心霞挺身而出，代雲飛辯護，她是伶牙俐齒的呢！我那親親愛愛的小妹妹，但是，她眞是我親親愛愛的小妹妹嗎？

在雲飛家裡又碰見了蕭雅棠，雲飛不在。雲揚說雲飛可能去公司了，但願！他如果再不好好上班，爸爸一定會開除他！他會說他盜用公款什麼的。可憐的雲飛，可憐的我，蕭雅棠很漂亮，雲揚和她是很好的一對，他們不會像我們這樣多災多難！我祝福他們！祝福天下的有情人！

雲飛不住的哀求我，不住的對我說：

「跟我走！心虹，跟我走！」

我爲什麼不跟他走呢？有什麼東西阻止了我？道德的約束？親情的負擔？未來的憂慮？還是……那陰影又移近了我，我怕！

雲飛說他不信任我的感情了，他對我大發脾氣，從來沒有看到他如此兇暴過！我哭著把他拉到楓林外的懸崖邊，指著那懸崖對他發誓：

「將來我們之中，若有任何一人負心，必墜崖而死！」

他顫慄了，抱著我，他吻我。自責他是個傻瓜，說他永遠信任我，我們都哭了。

……………………………………』

看到這裏，狄君璞不禁猛的合上了那本子，心中有份說不出來的、驚懼的感覺。這册子中還記載了些什麼？梁逸舟曾毀掉他們間的信件，但他再也沒想到，這無人的閣樓裏，竟藏了如此重要的一本東西！想必當初這『閣樓之會』只是死者與心虹二人間的祕密，再也沒有第三人知道，所以雲飛死後，竟從沒有人想到來搜尋一下閣樓！他握著册子，在那種驚懼和慌亂的感覺中出神了。然後，他聽到姑媽在樓下直著脖子喊：

『君璞！你上去好半天了，到底怎樣了？漏得很嚴重嗎？君璞！你在上面幹嘛呀？』

狄君璞回過神來，關好了那些抽屜，他把那本小册子放在口袋中，一面匆匆的拾級而下，一面說：

『沒有什麼，一點都不嚴重，已經用鉛桶接住漏的地方了，等天晴再到屋頂上去看看吧！』

『啊呀，看你弄得這一身灰！』姑媽又大驚小怪的叫起來：『君璞呀，這麼大年紀還和小孩子一樣！還不趕快換下來交給阿蓮去洗！』

狄君璞急於要去讀那本册子，知道最好不要和姑媽辯，否則姑媽就說得沒完了。順從的換了衣服，他拿著那小册子走進了書房，才坐下來，姑媽在客廳裏又大聲嚷：

『君璞呀！梁先生來了！』

梁先生？那個梁先生？他慌忙把那本小册子塞進了書桌抽屜裏，迎到客廳中來，梁逸舟正站在客廳中，他帶來的雨傘在牆角裏滴著水。他含笑而立，樣子頗爲悠閒。

『聽說小蕾病了，是嗎？』他問。

『哦，氣喘，老毛病，已經好了，我讓她躺著，不許她起床，再休息兩天就沒事了。梁先生，到書房裏來坐，怎樣？書房中有火。』

『好極了。外面眞冷，又冷又濕。我就不明白這樣冷的天氣，我那兩個女兒爲什麼還喜歡往山裏跑。』

『年輕人不怕冷。』狄君璞笑笑說，說完才覺得自己的語氣，似乎已不把自己歸納於『年輕人』

之內了。把椅子拉到火爐邊來，他又輕描淡寫的問：『是不是心虹也感冒了？』

『可不是，心霞昨天晚上也發燒了，我這兩個女兒都嬌弱得很。』

在爐邊坐了下來，阿蓮送上了茶。梁逸舟燃起一支煙，眼光在書桌上的稿紙上飄了一眼，有些不安的說：

『是不是打擾你寫作了？』

『哦，不不。寫作就是這點好，不一定要有固定的工作時間。梁先生今天沒去公司嗎？』

『天太冷，在家偷一天懶。』他笑笑說。

天太冷，却冒著風雨到農莊來嗎？他的目的何在呢？他一定有什麼事，特地來拜訪的。狄君璞深思的看了他一眼，沒說什麼，也燃上一支煙，他靜靜的等著對方開口。果然，在一段沉默之後，梁逸舟終於坦率的說了：

『君璞，我不想多躭誤你時間，有點事我想和你談一談。』

『唔？』他詢問的望著他。

『是這樣，』梁逸舟有些礙口似的說：『我告訴過你關於心虹的故事，對吧？』

『是的。』

『所以，我必須提醒你，心虹不是一個很正常的女孩子，她是在一種病態的情況中，再加上她又愛幻想，所以……所以……我……』他結舌而不安。『……我非常擔心她。』

『哦？』狄君璞遏止不住自己的關懷，怎樣了？是心虹發生了什麼事嗎？他狐疑的望著梁逸舟，爲什麼他這樣吞吞吐吐呢？他焦灼了，而且立即感染了他的不安。『怎麼了？她病得很厲害嗎？』

『不，不是的。』梁逸舟急急的說。

『那麼，有需要我効勞的地方嗎？』他迫切的。

『是的，希望你幫忙。』他銳利的望著他。

『是什麼呢？』

梁逸舟深吸了一口煙，他的眼光仍然緊盯著他，那眼光裏有著深深的研判的意味，他的語氣顯得有些僵硬：

『希望你對她疏遠一點。』

狄君璞一震，一大截煙灰掉落到火盆裏去了。他迅速的抬起眼睛來，緊緊的注視著梁逸舟。血往他的腦子裏冲進去，他的臉漲紅了。

『哦，梁先生？』他說：『你能解釋一下嗎？』

『你別誤會，君璞，』梁逸舟心平氣和的說：『我並不是認爲你會怎樣，我只是不放心我的女兒，那樣一個生活在幻夢裏的孩子，她是不務實際的，她常會衝動的走入感情的歧途。她根本不會想到你比她大那麼多，又是她的長輩，又有孩子，又有過妻子……她什麼都不會想的。或者我是過慮，但是，萬一她的感情又陷深了，怎麼辦呢？以前已有過一次悲劇，心虹是不能再受任何刺激了！』

狄君璞看著梁逸舟，這是第一次，他在這和藹而儒雅的臉龐上看到了其他的一些東西，嚴厲的，冷靜的，甚至於是殘酷的！多麼厲害的一篇話，表面上字字句句是說女兒的不是，事實上，却完全在點醒他；癩蛤蟆休想吃天鵝肉！狄君璞，你必須要有自知之明！別去惹她，別去碰她，因爲你不配！他狠狠的噴出一口濃濃的煙霧，心中對梁逸舟已有另一番估價。當初的盧雲飛，曾忍受過些什麼？面前這人，是多麼的精明幹練啊！他竟能體會出他心中那一點點，那一絲絲尚未成形的微妙之情！及時的給予他當頭棒喝！那麼，那數日未見的心虹，是眞的病了？還是被他們軟禁了？他摔了摔頭。罷了！躲避到這山中來隱居，原是要擺脫那些人世的煩惱和感情的糾葛，難道他自身的痛楚還不夠，還要到這山中來，再牽惹上一段新的煩惱嗎？罷了！從今天起，摔開梁家所有的事吧！不聞，不問，也不要再管！

『你放心，梁先生，』他很快的說了。『我瞭解你的意思，我會注意這問題，不給你們增加任何麻煩。』

『你這樣說我就放心了。』梁逸舟又微笑了，那笑容幾乎是和煦的。『我信任你，君璞。希望你能諒解我，將來你的女兒也會長大，那時你就能體會一個做父親的心了！』他再笑笑，帶著點哀愁，默然的瞅著狄君璞，他完全知道，自己已傷了這個作家的自尊了。『我很抱歉，君璞，這是不得已……』

『不用解釋，梁先生，』狄君璞說，語氣不由自主的變得冷淡而疏遠了，這兩個男人之間，原有的那份知遇之感和友誼，已隨著爐火，焚燒成了灰燼。『我完全瞭解你的苦衷。』他用一句話，堵住了梁逸舟的口。熄滅了煙，他抬起頭來，用一種已結束談話的姿態看著對方。梁逸舟知道，他有送客的意思了。他不能不隨著他的注視，勉強的站起身來，有些不安的說：

『那麼，我不打擾你了，再見，君璞。』

狄君璞沒有挽留，也沒有客套，只是默默的送到大門口來。梁逸舟站在門口，撐開了傘，再看了狄君璞一眼，後者臉上有一份蕭索和倦怠，這使梁逸舟心頭湧上一股近乎激動的歉意，他想說什麼，但是，他畢竟沒有說，轉過頭，他走了。

狄君璞關好房門，退回到書房裏，立即砰然一聲把書房門闔上。沉坐在爐邊的椅子中，他望著爐火發楞。然後，他又匆匆的站起身來，走到書桌邊，拉開抽屜，取出那本小册子。回到爐火邊，他對自己說：

『從今後，各人自掃門前雪，休管他人瓦上霜！讓梁家的一切像鬼影般泯滅吧！』

一鬆手，他把那小册子擲進了燃燒著的爐火裏，自己站在爐邊瞪視著它。火並不很旺，小册子的封面很厚，一時間沒有能很快的燃燒起來。他呆呆的看著，那封面變焦了，黃了，一個角被探著頭的火苗搜尋到了，立即蜷縮著吐出了火焰，狄君璞迅速的伸出手去，又把它從火中搶出來，丟在地下，他用腳踩滅了火。拾起來，幸好內容都沒有燒到，但他的手指，卻被火灼傷了。

『你從那裏來，還回到那裏去吧！我無權毀掉你！』他對那小册子說。

爬上閣樓，他把那册子放回到抽屜裏。

13

天晴了。

久雨之後的陽光，比什麼都可愛，天藍得發亮，雲白得耀眼，那楓葉上的雨珠在陽光下閃爍。整個暗沉沉的大地，像是在一剎那間恢復了生氣，連鳥啼聲都特別的嘹亮，門前一株含苞的茶花，在一夜間盛開了。

小蕾小病初愈，看到陽光就手舞足蹈了。從早上起，她就鬧著要上街，說她好幾個月都沒有上過街了。姑媽也說需要添購冬裝。於是，午飯之後，狄君璞自願留守，姑媽帶著阿蓮和小蕾，一起去台北了。

偌大一棟農莊，只剩下狄君璞一個人，聽不到小蕾的笑語喧嘩，聽不到老姑媽的嘮嘮叨叨，也聽不到廚房裏阿蓮的鍋鏟叮噹……四周就有種奇異的靜，靜得讓人心慌。坐在書房裏，狄君璞怎樣也定不下心來寫作，他無法讓自己的思想，不在窗外的陽光下飛旋。於是，他走出了農莊，站在那廣場上。

陽光下，空氣仍然寒冷。他四面眺望著，山谷裏，那些楓樹似乎更紅了，柵欄邊，紫藤的葉子綠得像滴得出水來，那些木槿花，並沒有被風雨摧殘，一朵朵紫色、黃色、白色的花朵，倔强的盛開在寒風裏。

他在空地上隨意的踱著步子，一層孤寂之感靜悄悄的掩上了他的心頭，他繞到農莊後面，走進了楓林。不由自主的，他一直走到懸崖邊。倚欄而立，他看著懸崖下的巨石嵯峨和雜草叢生，如果有人摔下去，是絕無生還的可能的。再看著那一片葱蘢的霧谷，和那幾棵挺立在綠色植物中的紅楓，他靜靜的出著神。

有好長的一段時間，他根本沒有固定的思想，他只是呆呆的站著，一任陽光恣意的曝曬。他的情緒沉陷在一份暗淡的蕭索裏。然後，他忽然震動了一下，依稀彷彿，他看到霧中有個人影一閃，是誰？又是那瘋狂的老婦嗎？他極目望去，似乎看到草叢的蠕動和偃倒，有人在那裏面穿梭而行嗎？接著，那谷中的小徑上清晰的出現了一個小小的人影，太遠了，看不出是男是女，那人影在奔跑著，只一忽兒，就消失在樹叢中了。

他依然憑欄而立，這人影並沒有引起他太大的注意。那蕭索感在逐漸加重，他又想起了美茹，無助的、無奈的、絕望的想著美茹，心中在隱隱作痛。他不知道這樣站了多久，然後，他聽到有人狂奔著跑到農莊來，他驚愕的側耳傾聽，那奔跑的聲音已直撲楓林而來，有個人竄進了楓林，喘息著，興奮著，一下子停在欄杆前面。長髮飄拂，烏黑的眼珠好深好大，熱氣從她嘴中呼了出來，她已跑得上氣不接下氣。狄君璞詫異的喊：

『心虹！妳幹嘛？』

『怎麼——怎麼——』她喘著，一臉的困惑和茫然。『怎麼——是你？』

『當然是我，』狄君璞不明所以的說：『還可能是誰嗎？』

他顯然問了一個很笨拙的問題，心虹的眼睛裏，困惑更深了，她慌亂的後退兩步，用手扶著欄杆，不知所措的、迷茫的、吶吶的說：

『我在霧谷裏，看到——看到這兒有人，我——一直——一直跑來，我以爲——以爲——』

『妳以爲是什麼？是誰？』他追問著，他又看到那記憶之匙在她面前轉動。

『我……我不知道，』她更加慌亂和不知所措，眼光迷亂的在附近搜索著。『我不知道，有個人……有個人……他在等我。』

『誰？是誰？』

她用手扶住額，努力思索，她本來因奔跑而發紅的臉現在蒼白了，而且越來越蒼白，那顫動的嘴唇也逐漸的失去了顏色，她看來憔悴而消瘦，搖搖晃晃的站在那兒，如弱柳臨風。她那迷茫的眼珠大大的瞪著，眼神深邃，越過楓林，越過農莊，那目光不知停留在一個怎樣的世界裏。

他扶住了她，用力的握住她的胳膊，他在她耳邊，低沉而有力的說：

『不許昏倒！記住，不許昏倒！』

『我冷……』她顫抖著，可憐兮兮的，目光仍瞪在那遙遠的地方。『我好冷。』

『但是，妳已經記起了什麼。不是嗎？那是什麼？告訴我！』

『一個——一個人，一個男人，』她像被催眠般的說，聲音低低的，呻吟的，如同耳語。『一個男人！他在等我，他要我跟他……跟他走！他一直要我跟他走！』

『他是誰？』

『他是……』她閉上眼睛，身子搖搖欲墜。『他是……他是……』

『是誰？』他毫不放鬆的，扶住她的手更用力了。

『是……是……是一個男人，年輕的，漂亮的，他……他要我跟他走！』

『他叫什麼名字？』他逼問著。

『他叫……他叫……』她的臉色蒼白如蠟，身子虛弱的搖擺，她的眼睛又張開了，那深邃的眼珠幾乎是恐怖的瞪視著。那記憶之匙在生銹的鎖孔中困難的轉動。『他的名字是……是……』她的嘴唇囁起，却發不出那名字的聲音，她掙扎著，痛苦的重複著：『他的名字是……是……』

『是什麼？想！好好的想一想！是什麼？』

『是……是……啊！』她崩潰了，大顆的淚珠奪眶而出，她啜泣着大喊：『我不知道！我不知道！我什麼都不知道！』那記憶之匙斷了。她抱住了頭。『我什麼都不知道！都不知道！不要問我！不要問我！不要問我……』

她的雙腿發軟，身子向地下溜去。他一把把她抱了起來，大踏步的走進農莊，一直走進書房，他把她放在火爐邊的躺椅上。她仍然用手抱住頭，把自己的身子縮成一團，她下意識的在逃避著什麼，她的手是冰冷的。他泡了一杯熱茶，扶起她的頭，他強迫她喝，她喝了幾口，引起了一大串的嗆咳。他放棄了茶，倒了一小杯酒，送到她的唇邊，她猛烈的搖頭。

『喝下去！』他的喉嚨暗啞。看她那種無助的模樣是堪憐的。『喝下去！妳會舒服一點。』

她喝了，仍然把身子縮成了一團。他取來一條大毛毯，包住了她。把火燒旺了。

『怎樣？』他看著她，焦灼的。『好些嗎？』

她的四肢逐漸放鬆了，臉色仍然蒼白如死。擁著毛毯，她可憐兮兮的蜷縮在那兒，眼珠浸在濛濛的水霧裏，顯得更黑，更深，更晶瑩，像兩泓不見底的深潭。她看著他，默默的看著他，眼光中充滿了祈求的、哀懇的神色。他也默默的蹲在她身邊，憂愁的審視著她。然後，她忽然輕喊了一聲，撲過來，把她的頭緊倚在他胸前，用胳膊環抱住了他的腰。一連串的說：

『不要放棄我！求你，不要放棄我！不要放棄我！』

他不知道她這『放棄』兩個字的意思，但是，她這一舉使他頗為感動，不由自主的，他用手撫摸著那黑髮的頭，竟很想把自己的唇印在那蒼白的額上。可是，梁逸舟的提示在他心中一閃而過，他的背立即下意識的挺直了。她離開了他，躺回到椅子裏，有些兒羞澀，有些兒難堪。那蒼白的面頰反而因這羞澀而微紅了。

『對不起。』她吶吶的說。

他使她難堪了！她沒有忽略他那挺背的動作。小小的、敏感的人呵！他立即捉住了她的手，用自己那大而溫暖的雙手握住了她。

『妳的手熱了。』他說：『好些了，是不？』

她點點頭，瞅著他。

『很抱歉，』他由衷的說：『不該那樣逼妳的。』

『不，』她說了，幽幽的。『我要謝謝你，你在幫助我，不是嗎？別放棄我，請你！我已經知道了，我害的是失憶症，但是，似乎沒有人願意幫助我恢復記憶。』

『妳怎麼知道妳害的是失憶症？』

『我總是覺得有個陰影在我的面前，有個聲音在我的耳畔。前天，我逼問高媽，她吐露了一點，就逃跑了，她說我喪失了一部份的記憶。我知道，我那段記憶一定有個男人，只是，我不知道他是誰，他現在在那裏？或者，』她哀愁而自嘲的微笑。『我曾有個薄倖的男友，因爲，跟著那記憶而來的，是那樣大的痛苦和悲愁呵！』

他緊握了一下她的手，那小小的、溫軟的手！這隻纖細的、柔若無骨的小手上會染著血腥嚒？不！那蒼白的、楚楚動人的面龐上會寫著罪惡嚒？不！他拍了拍她的手背，安慰的說：

『我會幫助妳，心虹。但是，現在別再去想這個問題了，今天已經夠了。』

『你知道多少關於我的事？』她忽然問。

『一點點。』他迴避的說。

『告訴我！把你知道的部份告訴我！』她熱烈的，激動的，抓住了他的手臂。

『只有一點點，』他深思的說：『妳生了一場病，使妳失去了一部份的記憶，如此而已。』他站起身來，走到桌邊，拿起了茶杯，送到心虹的手上。『喝點茶，別再想它了，妳很蒼白。而且，妳瘦了。』

『我病了好些天。』她說。

那麼，她是眞的病了？他心中掠過一抹怛惻的溫柔。

『現在都好了嗎？』他問。

『你沒想過我，』她很快的說：『我打賭你把我忘了，你一次都沒到霜園裏來。』

他的心不自禁的一跳，這幾句輕輕的責備裏帶著太多其他的意義，這可能嗎？他有些神思恍惚了。站在那兒，他兩手插在口袋裏，眼睛注視著爐火，唇邊浮起了一個飄忽而勉强的微笑。

『我這幾天很忙。』他低低的說。

『哦，當然哪！』她說，語氣有點兒酸澀。『你一定寫了很多，一定的！』

『唔。』他哼了一聲，事實上糟透了，這些日子來，他的小說幾乎毫無進展。『雜誌社向我拚命催稿，弄得我毫無辦法。』

她瞅著他，然後她垂下頭來，輕輕嘆息。這聲嘆息勾動了他心中最纖細的一縷神經，使他的心臟又猛的一跳。不由自主的，他望著她，這可能嚒？這可能嚒？那如死灰般的感情能再燃燒起來嚒？這細緻嬌柔的少女，會對他有一絲絲感情嚒？是眞？是幻？是他神經過敏？他在感情上，早就是驚弓之鳥，早就心灰意冷。但是，現在，他爲什麼會有這種反常的心跳？爲什麼在他那意識的深處，會激盪著某種等待與期盼？爲什麼那樣熱切的希望幫助她？那樣渴望她留在他的眼前？爲什麼？爲什麼？

『我想，我打擾了你吧！』她說，忽然推開毛毯，想站起來。

『哦，不，不！』他急促的說，拉了一張椅子，坐在她對面，用手按住了她。『別走！我喜歡妳留在這兒！我正……無聊得很。』

『眞的，姑媽和小蕾呢？』

『她們全去台北了。』

『哦。』她沉默了。坐正身子，她看著他，半晌，她說：『你剛剛還沒告訴我，你對於我知道多少？』

『我已經告訴妳了。』

『不止這樣多，不止。』她搖搖頭。忽然傾向他，用一對熱切的眸子盯著他。『你答應幫助我的，是嚒？』

『是的。』

『那麼，告訴我，是不是眞有那樣一個男孩子？在我的生命中，是不是眞有？還是我的幻覺？』

他凝視她。

『是的，』他慢慢的說：『眞有。』

她顫抖了一下，眼睛特別的燃著光采。

『怎樣的？怎樣的？』她急促的問：『他到那裏去了？告訴我！』

他心中有陣微微的痙攣和酸澀。她那熱切而燃燒着的眸子使他生出一種微妙而難解的醋意。天哪！她是多麼美麗呵！他咬了咬牙，含糊的說：

『走了。我想。』

『走了？走了？』她嚷著：『爲什麼？走到那兒去了？怎麼！告訴我！把一切都告訴我！快！請你！是他不愛我了嗎？是嗎？所以我生病了，是嗎？所以我失去了記憶，是嗎？哦，你告訴我吧！』

『我不能。』他憂愁的說。『因爲我也不知道。我等著妳來告訴我。』

『哦，是嗎？』她頹然的垂下了頭。好沮喪，好迷茫。有好一會兒她沉默著，然後，她嘆息著說：『這些日子來，我時時刻刻在思索，在尋覓，但是我總是像在濃霧中奔跑，什麼方向都辨不清楚。我的腦子裏有個黑房間，許多東西在這黑房間裏活動，而我不知道那是什麼。我一直希望給那黑房間開一個窗子，或點一盞燈，讓我看清那裏面的東西。但我沒有這能力！沒有！每當那黑房間裏有一線亮光的時候，我就覺得整個頭都像要炸裂般的痛楚起來，然後，我就昏倒了。』她重新抬起眼睛來，盯著他，祈求的，懇切的說。『幫助我吧！讓我把這個黑房間交給你，你給我點上一盞燈吧！好嗎？不知道爲什麼，我不能去求我的父母，我不相信霜園裏的每一個人！甚至高媽。我都不相信！』

他注視著面前那張臉，那張迫切的、渴望的，而痛苦著的臉，和那對哀哀欲訴的眸子。他被折倒了，他心中湧上了一股熱流，一股洶湧著、澎湃著的熱流。握住了她的手，一些話不受控制的衝出了他的嘴：

『妳放心，心虹，我將幫助妳，盡我一切的力量來幫助妳。讓我們合力來打開那個黑房間吧！我相信這並不是十分困難的事。但是，我需要妳的合作。』

『我會的！』

『或者，那黑房間裏有些可怕的東西，妳有勇氣嗎？妳能接受嗎？』

『我會的！眞相總比黑暗好！』

『那麼，妳有一個助手了！讓我們一起去揭開那個謎吧！第一步，我要找回那本小册子。』

『小册子？什麼小册子？』

『慢慢來，別急。明天下午，妳願意來我這兒嗎？』他問，完全忘記了梁逸舟的囑咐。

『我一定來！』

『好，會有些有趣的東西等著妳，我想。』

她側著頭看著他，那驚奇的眸子裏洋溢著一片信任的、崇拜的、期待的，與興奮的光采。

14

於是，這天晚上，狄君璞重新爬上了閣樓，取出了那本小册子。

夜裏，躺在床上，狄君璞翻到上次中斷的部份，接着看了下去。床頭邊，一燈熒熒，窗外，月光又遍山野的洒着，在窗上投入了無數的樹影。那小册子散放着一縷似有若無的紙張的香味，他專心的翻閱着，再一次走入了心虹所遺忘的世界裏。

『强烈的思念我那已去世的生母，纏着高媽，問我母親的一切，高媽說她是天下最可愛的美人兒，說我是她的心肝寶貝。啊！如果我的生母在世，她一定會瞭解我！不會讓我受這樣多的痛苦！呵，母親！母親！妳在那兒？

父親告訴我，雲飛在公司中紕漏百出，我早知道他有這一手！我憤怒極了，和他大吵，我罵他說謊，罵他陷害！我警告他，如果他做了任何不利於雲飛的事，我將離家出走！父親氣得發抖，說我喪失了理性，說雲飛根本不愛我，完全是爲了他的錢，我嗤之以鼻，鬧得不可開交，媽也跟在裏面派我的不是，說我對父親太沒禮貌，我哭着對她叫：

「請不要管我！妳又不是我的母親！」

她大驚失色，用手蒙住臉哭了。我才知道我做了什麼，她待我畢竟不壞呀！我衝過去抱住她，也哭了。她攬住我，只是不住口的喊着：

「妳是我的女兒！妳是的！妳是的！」

天哪，人類的關係和感情多麼複雜呀！

雲飛再一次求我跟他走，他說父親給他的壓力太大，把許多無須有的罪名加在他身上，使他在公司裏無法做人。他說如果不是爲了我，他早就拂袖而去，現在，他已經不知該怎麼辦。他說，假如父親把他開除，那麼，他在別的公司都無法做下去。啊，我所深愛的，深愛的雲飛！

痛苦，痛苦，無邊的痛苦。黑暗，黑暗，無邊的黑暗！我像是陷在霧谷中的濃霧裏，茫茫然不辨途徑，我奔跑又奔跑，却總是撞在冰冷堅硬的岩石上。我累了！我眞是又乏又累！

我告訴父親，我已到法定年齡，可以有婚姻自主權，不必受他的控制，他說：

「我不要控制妳，心虹，妳早就可以不受我控制了。我管妳，不是要控制妳，而是要保護妳。妳拒絕我吧，咒罵我吧，我的悲哀是做了父親，無法不愛妳，無法不關懷妳。」

我愕然，注視着他，我忽然間知道了；這也就是爲什麼我總是鼓不起勇氣和雲飛出走的原因。我與父親間，原有血與血聯繫着的感情呵！

莎翁說：

「做與不做，那是個難題。」

「猶豫，是我最大的敵人！」

雲飛來，和父親又爆發了激烈的爭執。雲飛在盛怒中，說了許多極不好聽的話，父親大叫着說：

「我警告你，遠離我的女兒，否則我會殺掉你！我說得出做得到，我會殺掉你！」

我突然周身寒顫，我覺得父親眞會那樣做。

雲飛又和我發脾氣，他說如果我再拿不出決心，他不要再見我。他眞的就不見我了！我會死去，幾百次，我想從那懸崖上跳下去。我去找雲飛，他的母親和蕭雅棠在那兒，雲飛和雲揚都不在。蕭雅棠對我說：

「妳何必找他？盧家的男孩子都是自己的主人，他找妳時，妳是他的，他不找妳時，妳也找不到他！」

怎麼了？她為什麼那樣陰陽怪氣？難道她和雲揚也吵架了？愛情，這是一杯苦汁嚒？

好幾日沒有看到雲飛了，我度日如年。何苦呢？雲飛？你為什麼也要這樣折磨我？為什麼？難道我受的罪還不夠多？如果連你都不能諒解我，我是眞的死無葬身之地了！

我又覺得那陰影在向我游來。

天哪！我看到了什麼？在那霧谷中的岩石後面？天哪！那是眞的嗎？天哪！我為什麼活着？為什麼還不死？為什麼還不死？這世界還有道義和眞情嗎？這不是太可怕了！太可怕了！天哪！讓我死去吧！讓我死去吧！這世界只是一團灰暗的混沌！我再也不相信人類有眞實的感情了！我恨他！我恨他！我要殺了他！還有她，我那親親愛愛的小妹妹！我的第六感畢竟沒有欺騙我！噢，心霞心霞，世界上的男人那麼多，妳一定要選擇妳姐姐的愛人麼？

讓我死去吧！讓我死去吧！我的心已經死了，碎了，化成粉，化成灰了！我寧願死！

我想殺了他！不是「想」，我「要」!!!噢，天哪，指引我一條路！指引我！噢，母親，妳在那兒？助我！助我！助我！

像紅樓夢裏的句子：

「無我原非你，從他不解伊，肆行無礙憑來去，茫茫着甚悲愁喜，紛紛說甚親疏密，從前碌碌却因何，到如今回頭試想眞無趣！」

他在閣樓裏找到了我，蒼白，憔悴，他看來不成人形，茫茫然如一隻喪家之犬！抓着我，他焦灼的、痛楚的、壞脾氣的嚷着：

「妳要我怎樣？妳爲什麼不聽我解釋！愛妳是一件多麼痛苦的事，妳懂嗎？我受夠了！我受夠了！是的，我吻了她。因爲她身上有妳的影子，妳懂嗎？隨妳怎麼評價我，如果我一定得不到妳，我會選擇她，我打賭她不會像妳那樣擺架子，她會跟我走！妳信嗎？」他忽然哭了，跪下來，他抱住我的腿，啞着喉嚨喊：「原諒我！原諒我！我不知道自己做了些什麼！妳跟我走吧！心虹！求求妳！不然，我會死掉！」

我撫着他的頭，他那濃濃的頭髮，我哭了。呵，我原諒了他！從心底原諒了他！天哪，可憐可憐我們吧，幫助幫助我們吧！

我終於決定了。我將跟他走！浪迹天涯，飄零人海，我將跟他走！

父親終於把他從公司裏開除了，他咆哮着說將帶我走！傻呵，雲飛，我會被幽禁了，我知道！他問我：

「跟我去討飯，怎樣？」

我說：

「是的！我跟定了你！」

我將走了！跟着他走了！別了！父母！別了！妹妹！（我不再恨妳了。）別了！小閣樓和農莊！別了！霧谷！別了！我所熟知的世界！

我將跟他走，浪迹天涯，飄零人海，我將跟他走！』

小册子裏的記載，到此爲止，下面都是空白的紙張了。想必這以後，心虹就被幽禁了起來，接着，她逃走了，跟着雲飛逃走了，再也沒有時間到閣樓裏來收拾這些東西。然後，就是那次莫名其妙的悲劇，雲飛死了，她呢？她的記憶也『跟着他走』了。

合上小册子，狄君璞燃起了一支煙，躺在床上，他了無睡意，腦子裏，有幾百種意念在分馳着。從他所躺的床上，可以清晰的看到窗外的天空，這又是個繁星滿天的夜！那些星星，璀璨着，閃爍着，組成了一條發亮的光帶。那條星河！那條無法飛渡的星河！那條遼闊無邊的星河！而今，雲飛與心虹間的這條星河，是再也不能飛渡了！『遲遲鐘鼓初長夜，耿耿星河欲曙天，鴛鴦瓦冷霜華重，翡翠衾寒誰與共？』呵，心虹！他更瞭解她了，那個有顆最熱烈的心，最倔强的感情，最細緻的溫柔的女孩！雲飛，你何其幸運！這樣的少女，是值得人爲她粉身碎骨呵！何況，她雖然喪失了記憶，狄君璞仍然深信，盧雲飛必定依然活在她的潛意識裏。

一支煙吸完，狄君璞才能把自己的思想，從那本小册子中那種炙熱的感情裏超拔出來。他覺得有份微妙的悵惘和心痛，對那個逝去的盧雲飛，竟有些薄薄的醋意。他奇怪，雲飛爲什麼不像梁逸舟所說，去創一番天下來見心虹呢？他何以必須帶着她逃走呢？

他開始歸納這本小册子裏的要點和疑問，開始仔細的分析着一些事實，最後，他得到了幾點結論。

一、心虹不是吟芳的親生女兒，對父母在潛意識中，有份又愛又恨又懷疑的情緒。她認爲自己生母的死，與梁逸舟和吟芳有關。

二、梁逸舟痛恨雲飛，曾威脅過要殺死他。

三、心虹說過，她和雲飛若有一方負心，必墜崖而死，接着，她發現雲飛和心霞有一段情，她也發誓說要殺死雲飛。

四、雲飛的弟弟雲揚曾有個女友名叫蕭雅棠，而現在，他又追求了心霞，這裏面似乎大有文章。

五、心霞的個性模稜，她彷彿很天眞，却背着心虹和雲飛來往，現在又和雲揚戀愛，這是一筆怎樣的亂帳呢？

六、雲飛到底是個怎樣的青年？是好？是壞？是功利主義者？是癡情？是無情？是多情？梁逸舟對他的指責，是眞實的？還是偏見？還是故意的寃屈他？

隨着這些歸納，狄君璞覺得頭越來越昏了，他發現自己的『結論』根本不能算『結論』，因爲全是一些疑問，一些找不出答案來的疑問。唯一可信任的事實，是心霞在這幕戲中必然扮演了一個角色。這就是爲什麼，心霞上次吞吞吐吐的原因，也就是她不願他繼續追究的原因，她急於要掩飾一件事情，她和雲飛的那段事！那麼，心霞可能相信是心虹殺了雲飛，爲了雲飛背叛心虹！所以，她對他說過：『記住了！眞相不一定對心虹有利！』

是嗎？這之中的複雜，眞遠超過狄君璞的意料。按這些線索追查下來，倒是眞的，『眞相不一定對心虹有利』！他有些猶豫了。如果那記憶之匙，是一把啓開痛苦之門的鑰匙，那麼，他也要幫她把這鑰匙找出來嗎？

他輾轉反側，不能成眠，腦子裏一直盤旋着心虹、心霞、盧雲飛、盧雲揚、梁逸舟……的名字，這些名字在他腦中跳舞，跳得他頭腦昏沉。而他却無法阻止自己去想，去思索，去探求！而在這所有的名字和人物之中，心虹那張祈求的、哀愁的、孤獨而無助的面孔始終飄浮在最上層，那對哀哀欲訴的眸子，也始終楚楚可憐的望着他，還有她的聲音，她那懇切的、無力的、祈求的聲音：

『幫助我吧！讓我把這個黑房間交給你，你給我點上一盞燈吧！』

他能置她於不顧嗎？他能不點那盞燈嗎？他不能！呵，他不能！

窗外漸白，星河暗淡，黎明快來了。『遲遲鐘鼓初長夜，耿耿星河欲曙天』！他心中掠過了一抹愴惻的情緒，他也同樣有『鴛鴦瓦冷霜華重，翡翠衾寒誰與共？』的慨嘆呵！

15

早上，他起得特別早，匆匆的吃過了早餐，他就一個人走出了農莊。太陽還沒有昇高，樹葉上宿露未收，彩霞把天空染成了淡淡的紫色。他沿着大路，走下了山，一直走到鎮上。天氣依然寒冷，曉風料峭，他豎起了大衣的領子，拉起衣襟，埋着頭向前走去。

他很容易就找着了盧家的農舍，那棟簡單的磚造房子孤立在鎮外的一片稻田中，附近種滿了竹子，門前有小小的晒穀場，屋後堆着些潮濕的稻草堆。

盧雲揚正站在晒穀場上，推動着一輛摩托車，大概正準備上班去。看到狄君璞，他站住了，用一對閃亮的、桀驁不馴的眸子，不太友善的盯着他。

『我認識你，』盧雲揚說：『你就是那個作家，你有什麼事？』

『能不能和你談談？』狄君璞問。

『談吧！』他簡短的說，並沒有請狄君璞進屋裏去坐的意思，從摩托車的工具袋裏抽出一條毛巾，他開始擦起車子來，看都不看狄君璞一眼。

『你母親——好些了嗎？』他不知該如何開始。

『謝謝你，她本來就沒有什麼。』他繼續在擦車。

『我來，想和你談談你哥哥。』

『他死了！』他簡短的說。

『當然，我知道。』狄君璞燃起了一支煙，有些礙口的說：『我只想問問你，你認爲——你認爲你哥哥是怎樣死的？』

『從懸崖上掉下去摔死的！』

狄君璞有點不知所措了。

『我的意思是——』他只得說：『你認爲那是意外嗎？』

這次，他迅速的抬起頭來了，他的眼睛直瞪着他，那對漂亮的黑眼珠！現在，這對眼睛裏面冒着火，他的濃眉是緊鎖着的。帶着滿臉的不耐煩，他有些惱怒的說：

『你到底想要知道些什麼？你是誰？你有什麼權利來問我這些？我又爲什麼要告訴你？』

『你不必一定要告訴我，』狄君璞說了，出奇的誠懇和冷靜，許多的話，竟從他的肺腑中，不期而然的冒了出來。『我來這兒，只因爲在霜園裏，有兩個女孩都爲你哥哥的死亡而深深痛苦着。一個是根本遺失了一段生命，另一個却在那死亡的陰影下被壓迫得要窒息。我是個旁觀者，我很可以不聞不問，這事與我一點關係也沒有。但是，或者我們能救她們呢？我說我們，是指你和我。你願意幫忙嗎?』他一面說着，一面深深的看着盧雲揚，他想在盧雲揚的臉上讀出一些東西，他對心霞的感情，是眞的?抑或是假的?

盧雲揚怔了怔，或者是狄君璞的話打動了他，他的臉色變了，一抹痛楚之色逐漸的進入了他的眼中，他的臉蒼白了起來，嘴唇緊閉着，好半天，他才喑啞的說：

『你指什麼?心霞對你說過些什麼嗎?她很不快樂，是嗎?』

『她應該快樂嗎?』他把握了機會，緊盯着他。『前兩天，她曾經來看過我，』他慢吞吞的說：『她說她近來痛苦極了。』

盧雲揚震動了一下，他咬了咬牙，濃眉緊蹙，那黑眼珠顯得又深邃又迷濛。狄君璞立即在這青年的臉上看到了一個清清楚楚，毫無疑問的事實，而且，這事實使他深深的感動了。盧雲揚，他是眞眞正正在愛着心霞的!一份狂熱而炙烈的愛，一份燒灼着他，痛苦着他的愛!狄君璞那樣感動，對於自己竟懷疑過他的感情而覺得抱歉與內疚了。

『心霞不快樂，』終於，盧雲揚一個字一個字的說了，眼睛直直的望着遠方的雲和天。『因爲她和我一樣清楚那件事。』

『什麼事?』狄君璞追問着。

『心虹確實殺了雲飛!』

『什麼?』狄君璞吃驚了。『你怎能確定?』

『那不是意外，是心虹把他推下去的，他們常在那懸崖邊談天，她很容易把他推下去!』

『可是，你怎能證實？動機呢？』

『動機？』他冷冷的、苦惱的哼了一聲。『可能就是爲了心霞，也可能是別的，你不知道梁心虹，她愛起來狂熱，恨起來也深刻！』

『爲了心霞！』狄君璞喃喃的說：『那麼你也知道心霞和雲飛的事了！』

『當然知道！』盧雲揚有些激動。『我知道心霞所有的事，所有的一舉一動！從她十五歲我第一次看到她起，我就再也沒有看過別的女人！我怎可能不知道她的事呢？但是這不能怪她，沒有女人能抗拒雲飛，從沒有！何況她那時只是個十七歲的小姑娘！你以爲我不知道，我怎會不知道，我耐心的等着她長大，等着她的眼光能掠過我哥哥的頭頂來發現我！我等待了那樣久！』

『但是，等待的同時，你還有個蕭雅棠呵！』狄君璞完全沒有經過思想，就衝口而出的冒出了這句話來。

盧雲揚一驚，頓時住了口，狠狠的盯着狄君璞，他的眼光變得憤怒而陰暗了，好一會兒，他沒有說話。然後，他把那塊毛巾摔在摩托車上，掉轉身子來，正面對着狄君璞，憋着氣，他點了點頭說：

『你知道得還眞不少！是嗎？』

狄君璞沉默着，沒有說話。

『好吧，既然你這樣迫切的要知道所有的事，』盧雲揚擺出一股一不做二不休的神氣來，很快的說：『去鎮上吧，成功街十一巷八號，你可以找到你所說的那個蕭雅棠，去吧！去吧！讓她把一切都告訴你！去吧！』

『成功街十一巷八號？』

『是的，離這兒只有十分鐘路，去吧！看你發現的事情能不能幫助你瞭解！』

狄君璞拋掉了手裏的煙蒂。

『那麼，謝謝你，再見，盧先生。』他轉身欲去。可是，一個蒼老的、溫柔的、女性的聲音喚住了他。

『雲揚，這是誰呵？』

狄君璞回過頭來，使他驚奇的，這是那天夜裏的瘋老太婆！她正站在門口，含笑而溫和的望着他們。現在，她和那晚已判若兩人。整齊，清爽，頭髮挽在腦後。依然瘦削，但那面龐上却堆滿了慈祥而溫和的微笑，那眼睛清亮而有神，帶着柔和的光采，和那已昇高了的太陽光同樣和煦。這就是那晚要殺人的瘋人嗎？狄君璞簡直無法相信，至今，他手背上的齒痕猶存呢！他站在那兒，注視着這老太太，完全呆住了！

盧雲揚一看到他母親的出現，臉上那僵直的肌肉就馬上放柔和了，他很快的給了狄君璞一個緊張而迫切的眼光，似乎是警告他不要再說什麼。一面，他的臉上迅速的堆滿了笑，振作了一下，對母親說：

『哦，媽，這位是狄君璞，是我們的朋友！他是個作家呢！』

『哦，狄先生，』老太太含笑對他點頭，顯然她對那晚咬他的事已毫無記憶了。『你怎麼不進來坐，雲揚，你瞧你！這麼冷天，怎麼站在院子裏聊天呢！快請狄先生進來喝杯熱茶！』

『噢，伯母，別客氣！』狄君璞慌忙說：『我還有事呢，馬上要走！』

『不在乎這一會兒的！』老太太笑着挽留，又看着雲揚說：『雲揚，你哥哥呢？你別想幫着哥哥瞞我，他昨晚一夜沒回來，他棉被還疊得好好的呢！』

『媽！』雲揚笑應着，又緊急的對狄君璞使了一個眼色，再對他母親說：『我又沒說哥哥在家，我根本沒開口呀！』他顯然在迴避這個痛苦的問題。

『沒開口！』老太太笑着埋怨，一種慈祥的埋怨。『你還不是總幫哥哥瞞着，就怕我不高興。看！現在就整夜整夜的不回家了，將來怎麼辦呢？你哥哥呀，這樣下去會墮落了！我告訴你。』她的笑容收住了，換上了一個慈母的，憂愁的臉。看着狄君璞說：『狄先生，你也認識雲飛嗎？』

『呵，呵，是的，是的。』狄君璞倉卒的回答。

『你瞧，兄弟兩個完全不一樣，是吧？』老太太熱烈的說：『我也是一樣的管，兩個人就不一樣發展，雲揚雖然脾氣壞一點兒，倒是處處走正路！雲飛呢，他總跟我說：「媽，在這世界上，做好人是沒用的，你要活着，就要耍手段，什麼都不可靠，可靠的只有金錢和勢力！」你瞧，這算什麼話呀？哎！眞讓我擔心，我怕這孩子總有一天會墮落，你看會嗎？』

狄君璞勉强的笑了笑，簡直不知怎樣回答好。但是，老太太並不要他答覆，她又想到了別的事情了，望着雲揚，她說：

『怎麼好多天都沒有看到梁家的女孩子了，雲揚？你哥哥沒欺侮人家吧？』

『她會來的，媽。』雲揚儘量掩飾着他的苦惱。

『雅棠在那兒？』

『回家了。』

『哎，這孩子也是……』老太太噎住了，又大發現似的，熱心的嚷着：『幹嘛大家都在風裏站着？進來喝杯茶呀！』她對屋裏大聲叫：『阿英，開水燒好了嗎？』

『眞的不行，我必須走了。』狄君璞急忙說：『改天我再來看您，伯母。』

『媽，我也得趕去上班了。讓阿英準備一點好菜等我晚上回來吃。』雲揚也急忙說。『我送狄先生一段。再見，媽！』

拉着狄君璞，他慌忙的、低低地在狄君璞的耳邊說：『我用摩托車送你到鎮上，走吧，否則她不會放你走了，她是很寂寞的。』

於是，狄君璞上了雲揚的摩托車，一面再對那倚門而立的老太太揮手說了聲再見，老太太笑倚在門上，仍然在不住口的叮嚀着叫狄君璞下次再來，又叫雲揚早些回來，並一再喊要雲揚下班後去找哥哥。

車子發動了，狄君璞和雲揚很快地離開了那幢小屋，雲揚一直沉默着。狄君璞却覺得心裏充滿了一股難言的酸澀。和這老太太的幾句談話，使他瞭解了很多很多的東西。瞭解了雲揚，也瞭解了一些雲飛。雲揚那樣沉默，簡直像一塊石頭，一直駛到鎮裏，他都沒有開過口，到了鎮上，他停下車來，才簡短地說了一句：

『你很容易就可以找到蕭雅棠的家，我不再送了。』

狄君璞下了車，『我想，我……』囁嚅的開口說，却又停住了。他有很多的話想對盧雲揚說，可是却不知從何說起，望着雲揚，他怔怔的發着呆。雲揚也看着他，逐漸的，那漂亮的黑眼睛裏濛上了一層溫柔的光采，於是，忽然間，他覺得什麼都不必說了，他在雲揚的眼睛裏看出了瞭解與友誼。他們間那種敵對的情形已經不知不覺的消失了。現在，他們是朋友，並肩作戰的朋友，攜手合作的朋友！他笑了。

『再見！雲揚！』這是他第一次直呼他的名字。目送雲揚的摩托車駛遠，消失在市鎮的盡頭。他才轉過身來，開始找尋蕭雅棠的家。

16

很容易的，狄君璞就找到了蕭雅棠的家，那是一棟簡陋的、兩層樓的木造房屋，樓下，開着一個小小的洋裁店，一個蓬鬆着頭髮的中年女人，正在縫衣機前工作着，縫衣機旁邊，是個鐵製的模特兒，上面橫七豎八的披掛着一些衣料。他跨了進去，那女人立即抬起頭來，狐疑的望着他，問：

『你找誰？』

『一位蕭小姐，蕭雅棠小姐！』

『二樓！』那女人說，不耐的指了指旁邊一個狹隘的樓梯，就又埋頭在縫衣機上了，那軋軋的機聲，充塞在整個房間裏。

既然她並無意於通報，他只得自己拾級而上，到了上面，他發現是一間長長的屋子，被三夾板隔成了三間，最前面的一間就算是客廳，裏面放着幾張簡單的籐椅，還有一個嬰兒用的搖籃。

現在，正有一個少女在那客廳中逗弄着一個半歲左右的孩子。聽到他的聲音，那少女回過頭來，吃驚的問：

『是誰？』

『我姓狄，我找一位蕭雅棠小姐。』狄君璞說。

『我就是蕭雅棠。』那少女說，慌忙站起身來，把孩子放進搖籃中。『請進來，你有什麼事嗎？』

狄君璞走了進去，他驚奇的看着這個蕭雅棠，一時間，竟眩惑得幾乎說不出話來。自從他搬到農莊來以後，見到了梁氏姐妹，他總覺得這姐妹二人必定是這小鎮市中數一數二的美人。可是，現在他看到了蕭雅棠，這推翻了他的觀念。他再怎麼也不會想到，在這簡陋的小房子裏，竟藏着這樣炫目的一顆珍珠！

她穿着一件黃毛衣，一條咖啡色的裙子，臉上沒有任何脂粉。雙眉入鬢，明眸似水，那挺秀的鼻梁，那小小的、厚嘟嘟的、性感的嘴唇。以及那美好的身材，細小的腰肢，渾身都帶着那種自然的，毫不造作的，懾人的美。狄君璞站在那兒，好一會兒才回過神來。

『我叫狄君璞，幾個月以前，我才搬到梁家的農莊裏來住，』他解釋着。『我聽說了那個墜崖的悲劇，剛剛我去看盧雲揚，他要我來看妳。』他毫無系統的說，自己也覺得措辭得十分笨拙。

她的反應却是激烈的，瞬息間，她的臉色已經死一樣的慘白了，她那又大又黑的眼珠直直的望着他，嘴唇微微的顫抖着，她看起來像個被迫害的幽魂。

『我不想談這些事，』她很快的說：『你也沒有權利要我說什麼。』

『當然，』狄君璞不安的說。『妳可以拒絕我，蕭小姐。或者妳也無法告訴我什麼，我抱歉來打擾妳。』他望着搖籃裏的嬰兒，那是個十分美麗的小東西，現在正大睜著一對烏黑的眼珠，津津有味的啃著自己的小拳頭。『好漂亮的孩子！』他由衷的稱讚著：『是妳的小妹妹嗎？』

『是個小弟弟。』她嘰咕著，低聲的。

『哦，對不起，』他轉過身子。『我還是不打擾妳好，如果妳有時間，來農莊裏玩，好嗎？』

『我永不會走到那個地方去！』她發狠的說。

他抬抬眉毛，不知該說什麼好。他開始往樓梯的方向走，這是一次完全不得要領的拜訪，他有些懊惱。可是，他才走到樓梯口，那少女却忽然叫了一聲：

『等一下，狄先生！』

他站住了，回過頭來。蕭雅棠正望著他，那眼睛是研究性的，然後，寒霜解凍了，她臉上浮起了一絲溫柔的悲涼。

『是雲揚要你來的嗎？』她問。

『是的。』

『那麼，你想知道些什麼呢？』

『哦，』他有份意外的驚喜，走回到客廳裏來，他說：『我想，妳或者知道，那次悲劇是怎麼一回事。妳知道嗎？』

她呆了呆。出乎他意料之外的，她說：

『是的。』

『是怎麼回事呢？』他迫切而驚奇的問。

她看著他。

『你是警方的人嗎？』她問。

『當然不是，妳可以放心，我只是以梁家朋友的立場，想知道事實的眞相。』

『你要知道眞正的情形嗎？』她强調了『眞正』兩個字。

『是的。』

『那麼，』她輕聲的，却肯定的說：『她殺了他！』

『妳怎麼知道？』他驚愕的問，望著面前那張嚴肅的、美麗的，而又奇異的充滿了悲涼的臉。

她盯著他，沉默了好一會兒，那眼中放射著異采，神情是奇怪的。

『我知道，』她說，喃喃的。『她一定會殺他，她把他從懸崖上推下去，這是最簡單而生效的辦法！』

『但是，爲什麼，她愛他，不是嗎？』

『她也恨他！』

『妳怎麼知道？』他再一次問。

『因爲盧雲飛不是人，他是個魔鬼！』她咬了咬牙，眼神更加悲涼，還有層難以掩飾的憤怒。

『梁心虹是個有骨氣的女人，我佩服她，她做了一件她應該做的事！如果她不殺掉他，我也會殺掉他的！』

『怎麼！』他更愕然了。『妳與他有什麼關係，妳不是雲揚的女朋友嗎？』

『雲揚！』她冷笑了一聲。『雲揚從頭到尾，心裏就只有一個梁心霞！我告訴你！』

他搖搖頭。

『我糊塗了！』他說。

『雲飛告訴她，我是雲揚的女朋友，多荒謬的謊言！而她也會相信！但是，我們誰不相信他呢？雲飛，』她虛眯起眼睛，長睫毛靜靜的掩著一對烏黑的大眼珠，沉重的呼吸使她的胸膛起伏不已，她的聲音驟然暗啞了，一種空虛的、蒼涼的、夢似的聲音，彷彿從什麼遙遠的深谷裏回響而來。『我們誰能不信任雲飛呢？他可以制控我們的思想、意識，和一切！他要我們活，我們就活，他要我們死，我們就死！有時，我們明知他說的是謊話，却甯願欺騙自己去信任他！哦，雲飛！』她嘆息，忽然用手蒙住了臉，無聲的，壓抑的啜泣起來。然後，她放下了手，面頰上一片淚光，她的眼睛水盈盈的望著狄君璞。『你滿足了嗎？狄先生？』她幽幽的問：『你看到了我，一個被雲飛玩弄過又拋棄過的女人，一個永遠生活在驚恐和患得患失中的女人！雲飛曾是我的世界，但是……』她的眼光調向了窗外，好迷茫，好哀怨，好空洞的眼光。『現在，他去了！沒有人再來搶他了！』

狄君璞吃驚的看著蕭雅棠，吃驚得說不出話來。後者已沉入了一份虛無縹緲的、幻夢似的境界裏，她固執的望著窗外，不語也不動。好半天，她就這樣像木偶一般站著，眼裏一片淒涼的幽光。然後，搖籃裏的孩子突然響亮的哭泣了起來，這驚動了她。她迅速的轉過頭，從搖籃裏抱起了那嬰兒，緊緊的攬在懷中，她搖撼他，拍撫他，呢呢喃喃的哄著他。她重新看到了狄君璞，一層紅潮漾上了她的面頰，她的眼光變得非常溫柔了。

『對不起，狄先生，』她倉卒的說。『我想我有點失態，請原諒我，並不是常有人來和我談雲飛，你知道。』

『是的。』他點點頭，凝視著她。『我想我瞭解。』

孩子不哭了，她仍然繼續拍著他。

『是雲揚要你來的嗎？』她再一次問這問題。

『是的。』

她凝視他，這是他進來後的第一次，她在深深的、研究的，打量著他。

『那麼，你決不是警方的人員吧？那案子早已經結了，欄杆朽成那樣子，誰都靠不住會失足的！』她忽然又重複的問，而且前後矛盾的掩護起心虹來。

『我不是警方的人！』他再一次說，迎視著她。這是個有思想、有教養、有風度的女人呵！

『我寫小說，筆名叫喬風。我住到農莊來，是想有個安靜的、寫作的環境！』

『喬風？』她驚動了。『你就是喬風嗎？我知道你！兩粒細沙的作者，是嗎？』

又是兩粒細沙！他頭一次知道這本書有這麼多讀者。沒有等他答覆，蕭雅棠又接了下去：

『你寫了兩粒細沙，事實上，這世界上豈止兩粒細沙呢？有無數無數的細沙呵！』她嘆口氣，又說：『那麼，你追查這件事，是在收集小說資料嗎？』

『不盡然是。』他望著她，對她有了更高的估價。『主要是想挽救……』

『梁心虹？』她問。

『是的，我在嘗試恢復她的記憶。』

『何苦呢？』她說：『如果我能患失憶症，我會跪下來禱謝上蒼。並不是每個人都有失去記憶的幸運，她何必還要恢復？狄先生，你如果眞想幫助她，就幫助她忘記這一切吧，否則，恢復記憶的第一件事，就是無邊無盡的痛苦！何苦呢？』

『但是，生活在黑暗裏，也不是快樂的事。假若這是一個膿瘡，我們應該給她拔膿開刀，剜去毒瘡，讓它再長出新肉，雖然痛苦，却是根治的辦法。而不應該用一塊紗布，遮住毒瘡，就當作它根本不存在。要知道這樣拖延，毒瘡會越長越大，蔓延到更多的地方。將來對她的傷害反而更大。』

她遲疑片刻。

『或者，你也有道理。』她說，在籐椅上坐了下來，示意讓他也坐，狄君璞這時才坐下了。她把孩子抱在懷中，孩子已睡著了。她低頭望著那嬰兒白白嫩嫩的臉龐，低低的說：『旣然這樣，我可以把我所知道的事告訴你。而且，旣是雲揚讓你來，我也應該告訴你，這世界上，如果我還有一個尊敬而信任的人，那就是雲揚了。』她抬起眼睛來，看著狄君璞。『雲揚和他哥哥完全不同，他是熱情而耿直的，願上天保佑他！』

狄君璞望著她，頗有一些感動的情緒。她又低下頭去，整理著孩子的衣襟，不再抬起眼睛來，她很快的說：

『我認識盧家兄弟已經有五六年了。我的家在台中，我的父親是個木匠，我上面有兩個哥哥，我是家中唯一的女孩子。父親很窮，却知道讀書的重要性，他讓我們兄妹全讀了書，六年前，大哥到台北來讀大學，把我也帶了來讀高中，因爲台北的學校好，將來考大學容易，那時我只有十六歲。來台北才兩個月，就認識了雲飛，他是大哥的同學。』她頓了頓，再看了他一眼。『這就是我噩運的開始，這個盧雲飛，他征服了我，走入了我的生命，再也和我分不開來。大哥責我爲蕩婦，要把我送回家去，我逃走了，住到這個鎭上來，爲了靠近雲飛，可是，雲飛却認識了梁心虹。』她注視他。『你知道他的野心和哲學嗎？他一逕要征服這個世界，却不想循正當的途徑。他告訴我：

『「雅棠，我要打入上流社會，我要那個食品公司，我做給妳看！」

『於是，他在受完軍訓後，就順利的打入了梁家，得到了食品公司的工作，同時，他也開始對梁心虹全力進攻了。我成了什麼呢？幕後的情人，黑市的情人！但他常擁著我，要我稍安毋躁，說他眞眞正正是愛著我的，梁心虹只是他進身之階而已。他向我指天誓日，說一旦得到了金錢和權勢，必定娶我爲妻，他常說得聲淚俱下。哦，我相信他，我百分之百的相信他，相信他是爲了我要闖一個天下，爲了要給我一個安定舒適的生活，和美麗高貴的家！但我求他不要玩火，不要欺騙那個女孩子，我說我甘願跟他吃苦，甘願陪他討飯，但他捉住我說：

『「別傻！雅棠，妳這樣一個美人，是該穿綾羅錦緞，吃美果茶漿的！我愛妳，雅棠，我不忍讓妳跟著我受苦！求妳允許我爲妳努力吧！我要妳生活得像個皇后，妳必須給我機會！因爲我那麼那麼愛妳！至於妳責備我用欺騙的手段，妳錯了，雅棠，這世界就是一個大的騙局，誰不在欺騙呢？」

『好吧！我屈服了。擔憂的，痛苦的，驚懼的等待著他。每天我等在他家裏，撿拾一些他和心虹親熱之後的餘暇。你能瞭解那份痛苦嗎？有時心虹來找他，我還必須躲在一邊，扮演成雲揚的愛人，這樣的日子，我一直過了兩三年之久。這之中，眞正同情我的，只有雲揚，他也曾和雲飛起過許多次的衝突，責備雲飛所有的行爲！但是，雲飛是我行我素的，沒有人管得了他，也沒有人駕馭得了他！

『接著，就發生了一年多以前的那個悲劇。』

她停住了，眼中又隱約的浮起了一片淚光，她望著孩子，臉上充滿了悲壯之色。狄君璞燃上了一支煙，他靜靜的抽著，不想去打擾她，一任她陷在那痛苦的回憶裏。

『一年多以前，雲飛的情況不再良好了，顯然梁逸舟已看穿了雲飛的眞面目，他在公司中待不下去了。那幾個月，他的脾氣暴躁而易怒，我一再一再的懇求他，放棄吧，放棄這一切吧，我願跟他吃苦，我願跟他流淚，我願做他的使婢，我願爲他討飯！但他不放手，怎麼也不放手。然後，我常常找不到他，我不知道他在忙些什麼。接著，那使我震驚得要昏倒的消息就傳來了，他帶著她跑了，你可知我那時的心情嗎？』

她望著他，他默默的點了點頭。

『他帶著她跑了，跑得不知去向，我到處找尋他，卻一點兒影子也找不出來，可是，十天後，他回來了。他對我說，他將娶心虹做妻子，因爲只有造成既成事實，他才能謀得梁家的財產，我求他，我跪在地下求他，我哭得淚竭聲嘶，但他推開我說：

「這樣不是也很好嗎？等到我謀得梁家的財產之後，我可以再和她離婚呀！而且，我跟她結婚之後，妳依舊可以做我的情婦，一切和現在不會有什麼不同的！我會好好安排妳，妳又何必在乎妻子這個名義呢！」

『我到這時才發現，我的一切都落空了，我爲他已經犧牲了學業，背叛了家庭，我的父母和哥哥們都不要我了，而最後，雲飛也將遺棄我！我什麼都沒有了！於是，我打聽出來那晚他們要見面，那最後的一晚！雲飛計畫那晚將帶走心虹，和她正式結婚。我決心要阻撓這件事，所以，那天我整天整晚都躲在霜園的門外，到晚上，心虹果然出來了，我把她拉到山谷裏，和盤托出了我和雲飛的整個故事，我求她不要跟他走，不要再步我的後塵。當時，心虹的樣子十分可怕，她對我咬牙切齒的說，那個人是個魔鬼，她說她恨不得殺了他，爲人羣除害！她謝謝我告訴她這些事，然後，她走了，走向農莊。我也回到家裏，清晨，他們就告訴我，雲飛墜崖而死了。』

她停止了敍述，含淚的眸子靜靜的望著狄君璞。敍述到這一段，她反而顯得平靜了。雖然依舊淚光瑩然，她脣邊卻浮起了一個淒涼的微笑。

『這就是我的戀愛，和我所知道的一切。剛得到雲飛死亡的消息，我痛不欲生，幾次都想結束自己的生命，但是，接著，我想明白了，即使雲飛活著，他也不會屬於我，而且，說不定有一天，我會殺了他呢！他去了倒好，我可以永遠死了這條心了。我沒有自殺，我挺過去了，因為，我還有個必須活著的原因……』她低頭看著懷裏的孩子：『這個小東西！他出世在雲飛死後的六個月。這就是雲飛給我留下的最後的紀念品！』她站起身來，把孩子抱到狄君璞的面前來，遞進狄君璞的手中。『看看他！狄先生，他不是很漂亮的孩子嗎？他長得很像他爸爸。但是，我希望他有一顆善良而正直的心！有個高貴而美麗的靈魂！』

狄君璞抱著那孩子，不由自主的望著那張熟睡的臉孔，那樣安詳，那樣美麗，那樣天眞無邪！他再抬頭望著蕭雅棠，後者臉上的痛苦、悲切、憤怒、仇恨……到這時都消失了，整個臉龐上，現在只剩下了一片慈和的、驕傲的、母性的光輝！狄君璞把孩子還給她，注視著她輕輕的把孩子放進搖籃，再輕輕的給他蓋上棉被，他覺得自己的眼眶竟微微的潮濕了。

蕭雅棠站直了身子，溫柔的望著狄君璞。

『你是不是得到了你想知道的東西？狄先生？』

狄君璞熄滅了煙。

『還有一個問題，』他思索的說：『心虹出走十天之後，為什麼又回來了，既然回來，為什麼又和他約會。』

『這個——我就也不淸楚了。我想，是梁心虹看淸了他的一些眞面目，她逃了回來，但是雲飛很鎮定，他一向有自信如何去挽回女孩子的心，他必定又借高媽或老高之手，傳信給心虹，約她再見一面。他自信可以在這次見面裏扭轉劣局，把心虹再帶走。可是，他沒有料到我先和心虹有了一篇談話，更沒想到心虹會那樣狠，這次約會竟成了一次死亡的約會了。』

她的分析並非沒有道理，相反的，却非常有條理。這年輕女人是聰明而有思想的。狄君璞站起身來，他已經知道了許多出人意料的事情，他可以告辭了。

『再有一句話，』他又說：『妳似乎很有把握，是心虹把他推下去的，而不是一個意外。』

『眞正是意外的可能性畢竟太少，妳知道。』她說：『那欄杆朽了，那懸崖危險，是所有的人都知道的，何況他們經常去那兒，怎會這樣不小心？不過，我們不能怪心虹，如果我處在她的地位，甚至是我自己的地位，我也會這樣做，你不知道一個在感情上受傷的、暴怒的、絕望的女人會做些什麼！梁心虹，這是個奇異的女人，我恨過她，我怨過她，我也佩服她！我想，雲揚對她也有同樣的看法，他知道是她殺了他，但他一句話也不透露，對警方，他也說他相信是個意外。他瞭解他哥哥，人已經死了，死者又不能復生，他也不願深究下去。何況，梁家在事後，表現得非常好，他們治療盧老太太，又厚葬了雲飛，還送了許多錢給雲揚，但雲揚把那些錢都退回去了，他對我說，他哥哥是前車之鑑，不管多苦，他願意自食其力！至於他哥哥的死於非命，也有一半是咎由自取。但他雖然說是這樣說，可是，在他心中，他也很痛苦，手足之間，畢竟是骨肉之親呵！唉！』她搖搖頭，嘆了口氣。『可憐的雲揚！他也有多少矛盾的苦惱呵，那份愛，和那份恨！他在忍受着怎樣的煎熬！』

狄君璞注視着她，驚奇於她臉上那份眞誠的同情與關懷，她似乎已忘懷了自己的苦惱，却一心一意的代別人難過。怎樣一個感情豐富而又善良的女性！那個盧雲飛，先有了蕭雅棠，後有了梁心虹，他幾乎佔有了天下之精英，而都不知珍惜！那是怎樣一個男人呵！

他走向了樓梯。

『那麼，我不打擾妳了，謝謝妳告訴我這些事。除了我以外，妳還曾把這些事告訴別人嗎？例如梁逸舟或梁心霞？』

『不，從來沒有。只有雲揚知道。我並不希望這些事有別人知道啊！』

『我瞭解。』他點點頭，再看了她一眼，那張清新、美麗、年輕，而溫柔的臉龐！帶着一個私生的、無父的孩子，這小小的肩上背負着怎樣的重担呵！他站住了，幾句肺腑之言竟衝口而出。『多多保重妳自己，蕭小姐，還有那孩子。別難過，總有一天，妳會碰到新的人，再開始一段眞正的人生。相信我，以往會隨着時間俱逝，不要埋葬掉妳的歡樂。我希望，妳很快能找到眞正屬於妳的幸福。』

一片紅潮染上了那蒼白的面頰，她淒然微笑，眼睛裏湧上了一層淚影。

『謝謝你，』她低聲的說，帶着點兒哽咽。『你會再來看我嗎？』

『一定會！』他看看那簡陋的屋子：『這房子是租的嗎？誰在維持你們母子的生活？』

『是雲揚！他的薪水不高，他已經盡了他的全力了，我有時幫樓下房東太太做衣服，也可以賺一點錢。』

他點點頭，走下了樓梯，她送到樓梯口來，站在那兒對他低低的說了聲再見。他對她揮手道別，到了樓下，他再回頭看看她，她站在樓梯口的陰影裏，好孤獨，好落寞，又好勇敢，好堅強。他的眼眶再一次的潮濕了。翻起了衣領，他很快的穿過那裁縫店，走到屋外那明亮的陽光裏。

17

午後，狄君璞坐在書房中，望著窗外那耀眼的陽光，和枝頭那蒼翠的綠，心中充塞著幾千萬種難言的情緒。心虹馬上要來了，他不知道自己將對她說些什麼，經過一上午的奔波，滙合了各種的資料，所有的線索，都指出了一條明確的路線；雲飛是個壞蛋，而心虹在盛怒之下，將他推落了懸崖！事後，却在這一刺激下生病，喪失了記憶！這是綜合了事實，再加上理智的分析後，所得到的答案。但是，以情感和直覺來論，狄君璞却不願承認這事實，他實在無法相信，以心虹的柔弱和善良，即使是在暴怒的狀況之下，她似乎也無法做出這種事情來。而且，這種『洩憤』的行爲未免太可怕了，這關係了一條活生生的生命呵！不管雲飛怎樣罪該萬死，心虹却不能假天行道！

他深思著，不能遏止自己痛苦、懊惱，而若有所失的情緒。自從他第一眼看到心虹，他就覺得她驚怯純潔雅致得像個小白兔，至今，他對她的印象未變，這小白兔竟殺過一個人，這可能嚒？不，他對自己猛烈的搖頭。不，那只是一個意外！一個絕對的意外！他深信這個，比所有的人都深信，因為別人或者不像他這樣瞭解心虹！那個充滿了詩情畫意的小女孩！那個經常要把自己藏在閣樓裏的小女孩！那個對著星河做夢的小女孩！不不，她做不出這件事情來！他重重的摔了一下頭，對這件事作了最後的一個結論：這是一個意外！

這結論作過之後，他卻忽然間輕鬆了下來，好像什麼無形的重擔已經交卸了。同時，他也聽到小蕾在廣場上踢毽子的聲音，一面踢著，她在一面計數似的唱著歌：

『一二三，三二一，
一二三四五六七，
三個娃娃踢毽子，
三個毽子與天齊。
踢呀踢呀不住踢，
三個毽子不見了！
兩個飛到房頂上，
一個進了泥潭裏！』

他不由自主的微笑起來，怎樣的兒歌，不知是誰教她的，想必是心霞順口胡謅的玩意兒。他站起身來，走到廣場上，小蕾正踢得有勁，老姑媽搬了一張椅子，坐在陽光下，笑吟吟的看著，手裏仍然在編織著她那些永遠織不完的毛衣。

山坡上出現了一個小小的人影，他定睛看著，白毛衣，白長褲，披著那件她常披的黑絲絨披風，長髮在腦後飄拂。修長，飄逸，雅致，純潔，在陽光下，她像顆閃亮的星星，一顆從星河裏墜落到凡塵裏來的星星。她走近了，小蕾歡呼著：

『梁姐姐，我會背妳教我的兒歌了！』

是她教的？他竟不知她何時教的？

她站定了，氣色很好，面頰被陽光染紅了，額上有著細小的汗珠。這天氣，經過一連兩天的陽光普照，氣溫就驟然上昇了，尤其在午後，那溫熱的陽光像一盆大大的爐火，把一切都烤得暖洋洋的。心虹對老姑媽和狄君璞分別點點頭，就攬著小蕾，蹲下來，仔細而關懷的審視她，一面說：

『讓我看看，小蕾，這幾天生病有沒有病瘦了。』站起身來，她微笑的拂了拂小蕾的頭髮。『總算還好，看不出瘦來，就是眼睛更大了。』望著狄君璞，她又說：『我知道一個偏方可以治氣喘，用剛開的曇花燉冰糖。然後喝那個湯，清清甜甜的，也不難喝。』

『是嗎？』狄君璞問。『可是，那兒去找剛開的曇花呢？』

『霜園種了很多曇花，你們準備一點冰糖，等花一開我就摘下來給你們送來，馬上燉了喝下去。不過，今年花不會開了，總要等到明年。』

『曇花是很美的東西，可惜只能一現。』狄君璞頗有所感的說。

『所有美麗的東西，都只能一現。』心虹說。

狄君璞不自禁的看了她一眼。還沒說什麼，小蕾已繞在心虹膝下，要心虹教她再唱一支兒歌，心虹捉住了她的小手，把她帶到一塊石頭上坐下來，眞的挽著她唱起歌來。她的歌喉細膩溫柔，唱得圓潤動聽，卻不是什麼童謠，而是那支有名的世界名曲：

『井旁邊大門前面，
有一棵菩提樹，
我曾在樹蔭底下，
做過甜夢無數……』

狄君璞倚在門框上，望著她們，心虹的頭倚著小蕾那小小的，黑髮的頭，她的手握著小蕾的手，她的歌聲伴著小蕾的歌聲，她的白衣服映著小蕾的紅衣服。金色的陽光包裹著她們，在她們的頭髮上和眼睛裏閃亮。她們背後，是一棵大大的楓樹，楓葉如火般燦爛的燃燒著。這是一幅畫，一幅太美的畫。但是，不知爲什麼，這畫面卻使狄君璞心頭湧上一股酸澀而凄楚的感覺——這該是個家庭圖呵！如果那不是心虹，而是美茹，他心中像插進了一把刀，驟然的一痛。他看不下去了，掉轉身子，他急急的走進了書房裏。

在椅子中坐下來，他喝了一口茶，沉進一份茫然的冥想中。窗外的歌聲仍然清晰傳來，帶著那股說不出的蒼涼韻味。他有好長的一刻，腦子裏是一片空漠，沒有任何思想，只依稀覺得，『人』是一個奇怪而複雜的動物，只有『人』，才能製造奇怪而複雜的故事。

他不知坐了多久，窗外的歌聲停了。半晌，房門一響，心虹推開門走了進來。

『怎麼？你為什麼躲在這兒？』她問，闔上門走了過來。

他落寞的笑笑。

『小蕾呢？』他問。

『姑媽帶她去鎮上買繡花線。』

狄君璞沒有再說話，心虹却一直走到書桌前來，立即，她把一張發著光的臉龐湊近了他，一對閃亮的、充滿希冀的眸子直射著他，她迫切的說：

『快！告訴我吧！你找到了我那個遺失的世界了嗎？快！告訴我！』

狄君璞的心臟緊縮了一下，面對著這張興奮的、煥發的、急切的臉龐，他怎樣說呢？那遺失的世界裏沒有璀璨的寶石，沒有艷麗的花朵，所有的只是驚濤駭浪，和鬼影幢幢！他如何將這樣一個世界，捧到這張年輕的、渴望的面孔之前來呵？

他的沉默使她驚悸了，笑容立即從她唇邊隱去，她臉上的紅霞褪色了，她的眼睛睜得很大，光采消失，取而代之的，是驚惶、恐懼、畏縮，和懷疑。

『怎樣？怎樣？』她焦灼的說：『你找到了一些什麼？告訴我！請你告訴我，不管是好的或是壞的！』

他推了一張椅子到她面前。

『坐下來！』他幾乎是命令的說。沉吟的，深思的看著她，多麼單純而信任的一張臉！她到底能承受多少？

她坐了下來，更加急切和不安了。

『到底是怎樣的？你都知道了，是嗎？』

『不，』他深沉的說：『我只知道一部份。』

『那麼，把這一部份告訴我吧！請你告訴我！不要再猶豫了！不要再折磨我！』

她的話深深的打動了他。

『心虹，妳眞的想知道嗎？』他蹙著眉問。

『你明知道的！你明知道的！』她嚷著。『你答應了幫助我的！你不能後悔！你一定要告訴我，求你！』

『那並不是美麗的，心虹。』

她的臉色慘白了。嘴唇微顫著。

『不管是多麼醜惡，我一定要知道！』她堅決的說。

他再沉吟了幾秒鐘，然後，他下定了決心，心虹那種迫切哀懇和固執折服了他。他從椅子裏站了起來，大聲的說：

『好吧！那麼，妳跟我來！』

她驚愕的看著他，不明所以的跟在他身後，走出了書房。狄君璞開始向閣樓上爬去，他仍然抱著一種希望，就是心虹會自己回憶起一切，而不用他來告訴她。那麼，這閣樓是個最好的、喚起記憶的所在。他沒有變動閣樓上任何的東西，只是曾經把裏面清掃過一次，拭淨了那一年多來厚積著的灰塵。

到了閣樓上面，他把心虹拉了上來，心虹驚愕而不解的站在那兒，並不打量四周，只是呆呆的看著狄君璞，困惑的說：

『為什麼你要在閣樓裏告訴我？書房不是很好嗎？』

『四面看看，心虹，妳對這閣樓還有印象嗎？』

心虹向四面張望著，狄君璞仔細的注視著她，研究著她面部的變化。心虹的目光立即被那張書桌和搖椅所吸引了。她發出一聲興奮的輕喊，就對那張搖椅直衝了過去，坐在椅子中，她搖動了起來，高興的說：

『這是我的搖椅，我的寶座。』抬起頭來，她注視著屋頂上那透明的天窗。狄君璞這時才發現，這搖椅的位置是正對這天窗的，現在，陽光正從那天窗裏斜射進來，成為一條閃亮的光，心虹就沐浴在這條陽光裏。她的眼睛被陽光照射得睜不開來，虛瞇著眼睛，她像沉浸在一個夢裏一般，說：『晚上，坐在這搖椅裏，正可以從天窗看到外面天空中的滿天星斗，那些星閃亮著，一顆顆亮晶晶的，像是什麼小天使的眼睛，悄悄的注視著我。星星多的時候，就會有那條星河，我總是幻想著，我會搖一條小船，在那星河中盪漾，河水是由無數的星星組成的，每顆星星中有一個夢，我一面搖船，一面撈著那些星星，撈了一船的星星，堆在那兒，對著我閃爍。』

她述說得好美好美，她臉上的表情溫柔如夢，狄君璞幾乎爲之神往。她低下頭來，看著狄君璞，眼睛裏有著夢似的光輝。

『我很傻，是不？』

『不。』狄君璞說：『但是，這是什麼時候的事？』

『什麼時候？』她有些困惑。『小時候吧！不不，小時候這搖椅在爸的書房裏，我們搬家以後才搬上來的。那麼，是前幾年吧，我喜歡到這空的農莊裏來。』

『晚上嗎？一個人在這空的農莊閣樓上看星星？妳不怕嗎？』

『啊，我……我不知道，我……我想……』她囁嚅著，輕蹙著眉梢，她在費力的思索。『我想，或者，或者是心霞陪我來，我不記得了。啊，這書桌……』她跳起來，走到書桌背後，坐進那椅子中，她立刻看到了桌上那顆雕刻著的心形。她仆過去，用手摩挲著那顆心，審視著那心中寫的字跡，她的嘴唇發白了。抬起眼睛來，她看著狄君璞，惶恐的說：『這是我的字，但是，我不記得，爲什麼……爲什麼我要寫這些？這是誰刻的，我嗎？』

他緊緊的望著她。

『應該由妳來告訴我，』他說：『是妳嗎？』

她重新瞪視著那顆心，一種驚恐的、惶惑的表情浮上了她的臉，她的眼睛直瞪瞪的。她的意識正沉浸在一個記憶的深井中，在那黑暗的井水中探索，探索，再探索！然後，她猛的一驚，迅速的拉開了那書桌的抽屜，她發現了那些紙團，那些揉縐的、撕裂的紙張。她開始一張一張的打開來看，一張一張的研究著，她找著了那張寫滿名字的紙，她喃喃的唸著：

『盧雲飛、盧雲揚、江梨、魏如珍、蕭雅棠……天哪，我只知道一個江梨，她是心霞的同學，在霜園住過，後來去美國了。但是，其他的是些什麼人呢？盧雲飛，盧雲飛，盧雲飛……』她費力的、掙扎的思想著，她的嘴唇更白了，臉上毫無血色。她開始顫抖，眼睛恐怖的瞪著那張紙，她的意識在那深邃的井中迴盪，旋轉。逐漸的，逐漸的，逐漸的……有什麼東西在她的腦中復活。慢慢的，慢慢的，慢慢的蠢動著復活……她驚悸著跳起來，喘息的，受驚的瞪視著狄君璞。

『不許昏倒！』狄君璞命令的說，語氣是堅定的，有力的。『妳沒有任何昏倒的理由！妳身體上沒有病！現在，告訴我，妳想起了什麼。』

她的眼睛張得好大好大，裏面盛載著一個令人驚懼的、遺忘的世界。她囁嚅的、結舌的呢喃著：

『那是……是叫盧雲飛嗎？』她可憐兮兮的，沒有把握的問。『那……那男人！是……是有一個男人，是嗎？他……他叫盧雲飛，是……是嗎？』

『看下面一個抽屜！』他命令著。

她驚懼的拉開了，那裏面是一疊小說；巴黎聖母院，七重天，戰地鐘聲，嘉麗妹妹……她的眼光射向旁邊的搖椅。

『是了！』她驟然說：『我總是拿一本小說，坐在那搖椅上看，一面等著他！等著他！等著他！常常一等好幾小時！有時等得天都黑了，我就……就……』她抬頭看那天窗：『是了，我就看著那條星河做夢！』

『他是誰？』他用力的問。

『雲飛！』這次，答覆是迅速而乾脆的。

『說下去！』他再命令。

她驚惶了。因爲吐出那個名字而驚惶了。她的眼睛瞪得更大，臉色更白。她面上的表情幾乎是恐怖的，望著他，她的身子不由自主的往椅子的深處退縮，好像他就是使她恐懼的原因。她的頭震顫的、急促的搖動著。

『不不不，』她一疊連聲的說：『不不不！我不知道了！我什麼都想不起來！我不知道！我怕，我怕……』

『怕什麼？』他追問。

『我……我不知道！我眞的不知道！』

『想！用妳的思想去想！』他低沉的、有力的說：『妳如果眞要知道謎底，不要退縮，不要怕！想！努力的想！妳想起什麼了嗎？是的，那人名叫雲飛，怎樣？還有些什麼，妳告訴我！』

『不，』她逃避的把頭轉開，眼底的恐懼在加深：『不！我想不出來！想不出來！』她猛烈的搖頭。

『那麼，這個能幫助妳記憶嗎？』他從口袋裏掏出了那本小册子，放到她面前的桌子上。

她瞪視著那本册子，畏怯的看著那封面上的玫瑰花，驚惶的低語：

『這是我的。你……你在那兒拿到的？』

『就在這書桌的抽屜裏。現在，打開來，看下去！』

她怯怯的伸出手來，好像這是什麼會爆炸的機關，一翻開就會把整個閣樓都炸成粉碎似的。遲遲疑疑的，她終於翻開了那小册子。一行一行，一段一段，一頁一頁，她開始看了下去，而且，即刻就看得出神了。隨著那一頁頁的字跡，她的面色也越來越白，眼神越來越悽惶，那記憶之匙在轉動，又轉動，再轉動……那笨重的、生銹的鐵門在沉重的打開，一毫，一厘，一分，一寸……她終於看完了那本小册子，她的眼睛慢慢的抬了起來，望著那站在對面的狄君璞。她的大眼睛是濛濛然的，一層淚浪逐漸的漫延開來，迅速的淹沒了那眼珠，像雨夜芭蕉樹葉上的雨滴，一滴滴的沿著面頰滾落，紛紛亂亂的跌碎在那書桌上的小册子上面。她微張著嘴，低低的在說著什麼，他幾乎辨不清楚她的語音，好一會兒，他才聽出來她是在背誦著什麼東西：

『……於是，他在岩石上磨著、碾著、揉著，終於弄碎了他自己。但是，一陣海浪湧上來，把他們一起捲進了茫茫的大海，那磨碎了的沙被海浪沖散到四面八方，再也聚不攏來……』

原來她背誦的竟是兩粒細沙裏的句子！背到這裏，她已泣不成聲，她彎下了腰，仆伏在桌上，把面頰埋在臂彎中，哭泣得抬不起頭來。她還想說什麼，但是沒有一個句子能夠成聲，只是在喉嚨中乾噎。狄君璞撲了過去，捉住了她的手臂，讓她面對自己，他搖撼著她，焦灼的喊著：

『心虹！心虹！抬起頭來，看著我！心虹！』

她泣不可仰，頭仍然垂著，淚珠迸流。她哭得那樣厲害，以至於渾身痙攣了起來，她把自己縮成了一團，和那痙攣徒勞的掙扎著。狄君璞大驚失色，又急又痛，他迅速的把她擁進了懷中，用自己的胳膊緊抱著她，想遏止她的哭泣和痙攣。他把她的頭埋在自己的懷裏，拍撫著她抽動著的背脊，用各種聲音呼喚她的名字，一面痛切的自責著：

『心虹！心虹！都是我不好，我不該讓妳看這本小册子，我不該逼妳回憶！哦，心虹！心虹！妳不要哭吧！求妳不要哭，請妳不要哭吧！哦，心虹！心虹！我怎麼這樣傻，這樣笨，這樣愚蠢！我幹嘛要讓妳再被磨碎一次？呵，心虹！請不要哭吧！請妳！』

他把她的頭扳起來，使她的臉正對著他。她閉著眼睛，濕潤的睫毛抖動着，面頰上淚痕狼藉，新的淚珠仍然不斷的從眼角湧出，迅速的奔流到耳邊去。她的嘴微張著，吐出無數的抽噎，無數的嗚咽，她的痙攣和哭泣都無法停止。他掏出手帕，徒勞的想拭乾她的淚痕，他擁抱她，徒勞的想弄溫暖那冰冷的身子。他繼續懇求着：

『別哭吧！心虹，那些事都早已過去了，它再也傷害不到妳了，別哭吧！別哭吧！求妳，別哭吧！』

她仍然在哭，不停不休的哭，他望着她，眼看着那張蒼白的臉被淚痕浸透，眼看着那痛苦在撕裂她，碾碎她，而自己卻無能爲力。眼看那瘦弱的身子抖動得像寒風中枝上的嫩葉……他焦灼痛楚得無以自處。然後，忽然的，他自己也不知道在做什麼，他竟俯下頭來，一下子吻住了那抖動顫慄着的嘴唇，遏止了那啜泣抽動的聲音。

時間不知道過去了多久，他慢慢的移開了自己的唇，抬起頭來，注視着她。她的睫毛揚起了，一對浸在水霧裏的眸子，好驚愕，好詫異，又好清亮，好晶瑩的望着他。那顫抖、痙攣，和哭泣都像奇蹟般的消失了。她只是那樣看着他，那樣不信任的，恍惚如夢的看着他。天窗外，已近黃昏的光線柔和的射了進來，把她的臉籠罩在一片溫柔的落日餘暉之中。

『嗨，心虹。』他試着說話，喉嚨是緊逼而痛楚的，他幾乎控制不住自己的聲音。這一個意外的舉動，使他自己都受驚不小。『妳好些了嗎？』他柔聲的問，想對她微笑，卻笑不出來。

她仍然驚愕而不信任的看着他，一瞬也不瞬。半晌，她抬起手來，用那纖長的手指，輕輕的、輕輕的碰觸他的嘴唇，低聲的說：

『你吻了我。』

『是的。』他輕聲說。

她的身子軟軟的倚在他的懷中，她的眼光也軟軟的望着他，然後，她低低嘆息，慢慢的闔上了眼睛。

『我好累，好疲倦，』她嘆息着說：『我現在想睡了。想好好的睡一下。』

『妳可以好好的睡一下。』他說，抱起她來，把她抱下了樓梯，抱進了書房裏，他把她放在躺椅上，拿了自己的棉被，輕輕的蓋住了她。

她闔上眼睛，眞的睡了。

18

兩小時後，心虹從一段甜甜的沉睡中醒來，朦朦朧朧的睜開眼睛，她首先看到的，就是書桌上那盞亮著的檯燈，和窗外那迷濛的夜色。然後，她看到了狄君璞，他正坐在距離她不遠的地方，手裏握著一本書，眼睛卻靜靜的望著她。兩人的目光一接觸，他立刻站起來，走到她面前，對她溫存的一笑。

『妳睡得很好，』他低低的說。『現在，舒服了一點嗎？』

她有些神思恍惚，一時間，她似乎弄不清楚自己爲什麼睡在這書房裏。但是，立即，整個下午的事都在她腦中飛快的重演了一遍。對過去的探索、閣樓、搖椅、寫著名字的紙張、小說，和那本小記事册！然後，然後是什麼？她的眼光再度和狄君璞的相遇，她的心臟不禁猛的一跳，一股熱烘烘的暖流從胸口向四肢迅速的擴散。呵！他吻了她！這是眞的嗎？他竟吻了她！她下意識的伸手撫摸自己的嘴唇，似乎那一吻的餘溫仍在。她的臉紅了，像個初戀的、羞赧的小婦人，她的頭悄悄的垂了下去。

『餓了嗎?』他俯視她，聲音那樣溫柔，那樣細膩，那樣充滿了一種深深切切的關懷之情，『我讓阿蓮給妳下碗麵，我們都吃過晚飯了。』他站直了，想走到門口去。

她一把拉住了他，她的眼光楚楚動人的望著他。

『不要。』她輕聲說。『不要離開我!請你!』

『我馬上就來，嗯?』

『等一下，我現在還不想吃。』

『那麼，好吧。』他拉了一張椅子過來，坐在她面前，用手按著她說。『妳再躺一會兒，好嗎?看樣子，妳還有點懶懶的呢!』

她依言躺著，用一隻手枕著頭，另一隻手在被面上無意識的摩挲著，她的思緒在游移不定的飄浮，半晌，她不安的說：

『我來了這麼久，家裏沒有找我嗎?』

『高媽在飯前來過了，小蕾告訴她，說妳陪她玩累了，所以睡著了。我已經跟高媽說過，要妳父母放心，我晚上負責送妳回去。所以，妳不必擔心，好好的躺著吧!』

她點點頭。呵!小蕾!那個善於撒謊的小東西呵!她的思想又在飄浮了，飄出了書房，飄上了閣樓，飄到了那本小册子裏，她的眉頭猛然皺緊，下意識的把頭往枕頭裏埋去，似乎這樣子就可以躲掉什麼可怕的東西。狄君璞用手撫摸她的頭髮，把她的臉扳了過來，使她面對著自己。他的眼睛炯炯有神的望著她，臉上帶著股堅毅和果斷，他用低沉有力的聲音，清晰的說：

『聽著，心虹。我知道妳現在已經記起了過去的事，妳一定感到又痛苦又傷心！但是，那些事都早已過去了，妳要勇敢些，要面對它們，不要讓它們再來傷害妳，聽到了嗎？知道了嗎？想想看，心虹，有什麼可悲的呢？不是另有一段新的人生在等著妳嗎？』

她瞅著他，眼神是困惑而迷惘的。

『但……但是，』她怯怯的說：『「過去」到底是怎樣的呢？』

他一驚，緊盯著她

『怎麼！』他愕然的說：『妳不是已經記起來了嗎？關於妳和盧雲飛的一切！』

『盧雲飛？是了！』她像驟然又醒悟了過來，不自禁的閉了閉眼睛。『雲飛，對了，他的名字叫雲飛。我常在閣樓裏等他，我們相偕去霧谷，我們有時整日奔馳在山裏，有時又整日坐在閣樓中靜靜相對。他是爸爸公司裏的職員，他有個弟弟叫雲揚，他們住在鎮外的一個農舍中，生活很清苦。』

『妳瞧！妳不是都記起來了嗎？』狄君璞興奮的說。『但是，今天已經夠妳受了，我不要妳今天講給我聽。等過幾天，妳完全平靜以後，妳再慢慢的告訴我！』

『不！』她說，陷進了記憶的底層，努力的在思索著。她作了個阻止的手勢，說：『別打擾我，讓我想！是的，父親不贊成我和雲飛戀愛，說他太油，太滑，太不走正路。我們的戀愛很痛苦，同時，我發現雲飛對我並不忠實，他也追求心霞，又和江梨調情，還有別的女人，很多很多。他要我跟他走，我始終沒有勇氣，因爲我在潛意識中，並不信任他。可是，另一方面，我又愛他愛得如瘋如狂！沒有他我就活不下去。然後，爸爸把他從公司裏開除了，他們在霜園大吵，雲飛又說要帶我走。爸爸把我關了起來，然後，然後，然後……』她盡力思索，眉心緊緊的蹙在一起。『爸爸把我鎖在屋裏，我想逃出去。我哀求高媽幫助我，看在我已死的母親面上幫助我。然後……然後……然後……』她睁大眼睛，驚慌的看著他。『然後怎樣了？我怎麼又一點兒也想不起來！然後我就生病了嗎？就失去記憶了嗎？』

狄君璞凝視著她。一開始，那記憶的繩索已經理清楚了，可是到了這重要的關ㄇ，就又打了結。在心理學上要分析起來，從她出走到雲飛的死，一定是她最不願回憶的一段，一定也是對她最痛苦的一段。他沉吟了一下，提示的說：

『記得蕭雅棠嗎？』

『蕭雅棠……她不是雲揚的女朋友嗎？長得很美的一個女孩子。』

『她是雲揚的女朋友嗎？』他追問。

『怎麼……她……啊，是的，她和雲飛也有一手，這就是雲飛，他還說他在這世界上只愛我一個！他欺騙我，他玩弄我，我爲他可以死，而他……而他……』她喘息，又不能自已的憤怒了起來。『而他這樣欺侮我呵！』

『妳怎麼知道他和蕭雅棠也有一手呢？』他再問。

『我知道了！我就是知道了！』她暴怒的說，眼睛冒著火。『我不知道怎樣知道的，但是我知道了！他欺侮我，他騙我！他是魔鬼，他不是人！而我那樣愛他，那樣愛！我可以匐伏在他腳下，做他的女奴！他卻欺侮我，那樣欺侮我呵！』

他坐到她的身邊，擁住了她，捧著她的臉，撫摸她的頭髮，溫溫柔柔的望著她。

『別生氣，心虹，別再想這些事了，都已經過去了，不是嗎？來，擦乾眼淚，擤擤鼻涕吧！』

她在他的大手帕裏擤了擤鼻子，擦淨了臉。坐起身來，她望著他。她的長髮蓬鬆著，雙眸如水，那神態，那模樣，是楚楚堪憐的。

『怪不得，』她幽幽的說：『我總是覺得有人叫我跟他一起走！怪不得我總是覺得憂鬱，怪不得我總依稀恍惚的覺得我生命裏有個男人，原來……原來是這樣的！』

『拋開這件事，不許再想了，心虹！』狄君璞站起身來。正好有人敲門，他走過去打開房門，是笑容滿面的老姑媽，手裏正捧著一碗熱騰騰的肉絲麵，笑吟吟的說：

『我聽到你們在屋裏講話，知道梁小姐一定睡醒了，快趁熱把麵吃了吧！』她走進來，笑著對心虹說：『梁小姐，妳多吃一點，包管就會胖起來，身體也會好了！』

心虹有些侷促，慌忙推開棉被，坐正身子，羞澀的喃喃著：

『這怎麼好意思，姑媽！』

『別客氣，這是我自己下廚做的呢，就不知道梁小姐是不是吃得來！』老姑媽笑著說。

狄君璞已經端了一張小茶几，放在心虹面前，姑媽把麵放在小几上，一疊連聲的說：

『快吃吧，趁熱！來，別客氣了。』

心虹只得拿起筷子，老姑媽看著她吃了幾口，殷勤的問著鹹淡如何，心虹表示好極了。老姑媽有些得意，更加笑逐顏開了。看了看心虹，再看了看狄君璞，她心中忽然有了意外之想，眞的，爲了美茹，狄君璞已經消沉了這麼久。眼前這個女孩，又有哪一點趕不上美茹呢？難得她和小蕾又投緣。雖然對狄君璞而言，心虹是顯得太年輕了一點，但是，男的比女的大上十幾歲，也不算怎麼不妥當。假如……假如……假如能成功，老姑媽越想越樂，忍不住嘻嘻一笑，那才眞好呢！她可別在這兒夾蘿蔔乾礙事了！她慌忙向門口走，一面對狄君璞說：

『君璞，你陪梁小姐多談談哦，碗吃好了就放著，明天早上阿蓮會來收去洗。我照顧小蕾睡覺去，你就別操心了，只管陪梁小姐多聊聊。嘻嘻！』她又嘻嘻一笑，急急忙忙的走了，還細心的關上了房門。

她這一連兩個嘻嘻，使心虹莫名其妙的漲紅了臉。狄君璞也不自禁的暗暗搖了搖頭，他知道老姑媽在想些什麼，自從美茹離去以後，她是每見一個女孩子都要爲他撮合一番的。

心虹吃完了麵，她是眞的餓了，一碗麵吃得乾乾淨淨。她的好胃口使狄君璞高興，望著她，他問：

『再來一碗？』

『不了，已經夠了，眞的。我平常很少吃這麼多。』用狄君璞的手帕擦了擦嘴，她站起身來，想收拾碗筷，狄君璞說：

『讓它去吧！』

他們把茶几搬回原位，心虹把躺椅上的棉被摺疊好了，把碗筷放到一邊去，又去盥洗室洗了洗手臉，折回到書房裏來，她坐在書桌後面的椅子上，翻了翻狄君璞桌上的手稿，她沒有說話，沉默忽然間降臨在她和狄君璞之間了。

在這一刻，他們誰都沒有再想到雲飛，和那個遺忘的世界。他們想著的是那一吻，是未定的前途，是以後的故事，和他們彼此。室內很靜，窗外的穹蒼裏，又有月光，又有星河。室內，檯燈的光芒並不很亮，綠色的燈罩下，放射著一屋子靜靜的幽光。她坐在燈下，長髮梳理過了，整齊的披在背上。那沉靜的、夢似的臉龐，籠罩在檯燈的一片幽光之下。那眼神那樣朦朧，那樣模糊，那樣帶著淡淡的羞澀，和薄薄的醉意。溫柔如夢，而光明如星！他看著她，不轉睛的看著她，心裏隱約的想著梁逸舟對他說過的那些警告的話，但那些話輕飄飄的，像煙，像雲，像霧，那樣飄過去，在他心中竟留不下一點重量和痕跡。他眼前只有她，他心裏，也只有她！

那沉默是使人窒息的，使比言語更讓人心跳，更讓人呼吸急促，更讓人頭腦昏沉的。他慢慢的移近了她，站在她對面，隔著一個書桌，對她凝視。她迎視著他，他可以在她的瞳仁中看到自己。她的手指，無意識的捲弄著一張空白的稿紙，把它捲起來，又把它放開，放開了，又捲起來，是一隻神經質的，忙碌的小手！終於，他的手蓋了下來，壓在那隻忙碌的小手上。而她呢？發出了那樣一聲熱烈的、驚喜的、壓抑的輕喊，就迅速的低下頭來，把自己的面頰緊貼在他的手背上，再轉過頭去，把自己的唇壓在那手背上。

他的心猛跳著，跳得狂烈，跳得兇野。這可能嚒？那磨碎的細沙又聚攏了，重新有一個完整的生命和一份完整的感情，這可能嚒？他望著那黑髮的頭顱，這不是也是一顆磨碎了的細沙嚒？兩粒磨碎了的細沙如果相遇，豈不是可以重新組合，彼此包容，結爲一體？不是嚒？不是嚒？不是嚒？他的呼吸急促了，他興奮著，也驚喜著。翻轉了自己的手，他托住了她的下巴，把她的臉托起來。天哪！她有怎樣一對熱烈而閃爍的眼睛呀！他覺得自己被融解了，被吞噬了。他喘息的低喚：

『心虹！』

她一瞬也不瞬的望著他。

『嗯。』她輕哼著。

『這是眞的嗎？』他問。

『我不知道，』她說，眼光如夢。『請你告訴我。』

『這是眞的！』他說，突然振奮了。『我見妳第一眼的時候就該知道了。』他喉嚨瘖啞。『過來！』他說，幾乎是命令的。

她站起身來，繞過桌子，一直走到他身邊。仰著頭，垂手而立。她臉上煥發著光采，眼睛清亮如曙色未臨前的晨星。面如霞，眉如畫。那小小的嘴唇嫣紅而濕潤，輕囁著一個少女的夢和火似的熱情。他的心臟在胸腔中擂鼓似的猛擊著，他的頭昏昏然，目涔涔然，眼前只看到那煥發的，燃著光采的臉。他無法控制自己，啞著聲音，他還想抗拒自己的意識：

『妳可想離開這兒？』

『不，我不想。』她說。

他嘆息，攬住她，他的唇壓了下來，壓在她那溫軟的、如花瓣似的唇上。她緊偎著他，她的手環抱著他的腰，她熱烈的響應著他。她所獻上的，不止是她的唇，還有她那顆受過創的、炙熱的、破碎過而又聚攏來的那顆心。他的唇如火，他的心如火，他的頭腦裏也像在燒著火。意識、思想，都遠離了他，他只一心一意的吻著，輾轉的、激烈的吻著。

這就是人類最美麗的一刻，不是佔有，不是需索，而是彼此的奉獻。在這一吻中，宇宙已不再是洪荒，世界也不再是荒漠。整個地球、宇宙，和天地，都從亙古的洪荒中進入了有生命的世紀。花會開，鳥會鳴，月會亮，星星會閃爍，草木向榮，大地回春，人——會呼吸，會說話，會哭，會笑，會——愛。

狄君璞抬起頭來，用手捧著她的臉，他望著她。她星眸半掩，睫毛半垂。醉意盎然的臉龐上半含微笑半含愁。這牽動他的神經，攪動他的五臟。他拉著她在躺椅上坐下來，把她的手闔在他的雙手中。他輕喚：

『心虹。』

『嗯？』她揚起睫毛，眼珠像是兩粒浸在葡萄酒中的黑葡萄，帶著那樣多的酒意望著他。

『妳知道這意識著什麼？』

『不需要知道。』她搖搖頭，眼珠卻忽然潮濕了。『你爲什麼不在四年前出現呢？』她哀愁的問。『那麼，我可以少受多少苦呵！而且，我獻給你的，將是一個多麼乾淨而純潔的靈魂！』

四年前？四年前美茹還沒有離開他，即使相遇，又當如何？人生，有的是奇妙的遇合與安排。他深吸了口氣，凝視著她，懇切的說：

『妳的靈魂永遠乾淨而純潔，心虹。在人生的路上，在感情上，我們都經過顛躓和打擊，我們都曾摔過跤，都曾碰得頭破血流。但是，現在我們相遇，讓我們彼此慰藉，讓我們重新開始。再去找尋那個我和妳都深信的、存在著的那個美麗的世界。好嗎？心虹？』

心虹的眼裏仍然漾着淚光，仍然那樣癡癡的看着他。

『你會不會認為我不夠完美？』她說『我總覺得遺憾，你應該是我的第一個愛人！』

『妳也不是我的第一個愛人，』他說：『妳在乎嗎？』

她搖搖頭。

『只願是最後一個！』她說。

『而且，是唯一的一個！』他接口，把她攬在胸前，讓她那黑色的頭緊倚在他寬闊的胸膛上。

她閉上眼睛。

『天哪！』她嘆息的低語。『我現在才知道，這一年多以來，我是多麼的疲倦。像在濃霧裏茫無目的的追尋！我奔跑！我尋覓！我經常落入那黑暗的深井裏，又冷、又潮濕、又孤獨、又無助。我掙扎又掙扎，奔跑又奔跑！這是多麼漫長的一段旅程！現在，我終於找到了港口。呵，你可讓我這條疲倦的船駛入港口嗎？』

『是的，心虹。妳休息吧！讓我來幫妳遮着風雨，擋着波濤。妳沒有什麼需要害怕的事了，因爲……』他吻吻她的頭髮，他的嘴凑在她的耳邊。『有我在這兒。』

『我們的前面沒有風浪嗎？』她低問。

他震動了一下。

『即使有，讓我去克服。我不要妳擔任何的心。』

她沉思片刻。

『我可以問你一個問題嗎？』

『是的。』

『如果你有了我，你能把你以前的太太完全忘懷嗎？』

他沉默了一下。

『妳現在有了我，妳能忘懷雲飛嗎？』

『我已經不記得他了，事實上，我早就不記得他了。我患了失憶症，不是嗎？是你把他找回來的。』

『我是傻瓜！』他低語，詛咒的。『現在，妳能再患失憶症嗎？』

『如果你希望我患。』

『我希望。』

『已經患了！』她笑着說，抬起頭來，天眞而坦白的望着狄君璞：『現在，我的生命像一張白紙一樣的乾淨，這張白紙上，只寫着一個名字：狄君璞！啊，』她凝視他，猛的又撲進他的懷裏，抱住了他的頸項。『啊！救我，狄君璞，我早就知道你是我唯一的救星。救我！保護我，狄君璞，讓我不要再遭受任何的風雨摧折了！』

他攬住了她，緊緊的，他的眼裏有淚。是的，這是一場漫長的跋涉，不止她，還有他。在感情的途徑上，他們都曾遭受過怎樣致命的風暴！而現在，他們靜靜相依。在他們的前途上，還會有風暴和雷雨嗎？她，這個小小的、依附着他的人兒呵！他是不是有足夠的力量，來保護她，給她一段全新的、美好的未來？他的背脊挺直了，他的胳膊更加强而有力的攬緊了她。

窗外，那天上的星河裏，無數的星星在靜悄悄的閃爍着，像許多美麗的、天使們的、窺探着的眼睛。

19

一夜無眠，幸福來得那樣快，那樣突兀，狄君璞簡直不敢相信，這一切是不是眞的。當早晨的陽光，燦爛的射入了窗內，一直照到他的床上，他仍不想起床。整夜，他腦子裏都迴旋著她的影子，她的笑，她的淚，她的凝視，她的沉思。還有她那份炙烈而奔放的熱情。呵，這是上天的安排嚒？當他以爲自己早已心如死灰，早已不能愛也不能恨的時候，他却會搬到這農莊裏來，神奇的碰到了心虹！偏偏她也是愁腸萬斛，迷離失所。他還記得第一次聽到她在霧谷中婉轉低吟：

『河可挽，石可轉，那一個愁字，却難驅遣……』

現在，再也沒有愁字了！生命是嶄新的，感情是嶄新的，那份喜悅，也是嶄新的！『河可挽，石可轉，那一個愁字，也可驅遣。』哪！他翻身下床，披衣盥洗，眼前心底，都是一片燦爛的陽光。

昨晚，他並沒有送心虹回家。他們相對而坐，在那份迷迷糊糊，朦朦朧朧，恍恍惚惚的心情裏，根本不知道時間的飛逝，然後，老高來了，他銜主人之命，前來接取小姐，狄君璞只得讓心虹跟著老高離去，他站在門口，看著他們隱入那月光下的楓林小徑，看著她的長髮飄飛，衣袂翩然，再也沒有一個字可以形容他當時的心境，是驚？是喜？是溫柔？是迷糊？是充實？是空虛？是甜蜜？是惆悵？人類的一個『情』字，是幾千百種句子，也無法形容於萬一的。

她昨晚睡得好嚒？可曾也像他一樣失眠？她現在起床了嚒？她是不是在記掛著他呢？她現在在做什麼呢？唱歌？唸詩？在花園中散步？幾千幾萬個問題，幾千幾萬種關懷。最後，這些問題和關懷都滙合成了一個强而有力的渴望：他要馬上見她！

他想立即去霜園。也由於這一念頭，他才認眞的想起梁逸舟曾給過他的警告。他是不會喜歡這件事情的！當梁逸舟知道之後，會怎麼說呢？他會認爲他在勾引心虹？在欺騙一個少女的心？他會反對？會堅持？會認定心虹跟著他將會不幸？他想起梁逸舟對他說過的話：

『……那樣一個生活在夢幻裏的孩子，她是不務實際的，她常會衝動的走入感情的歧途。她根本不會想到你比她大那麼多，又是她的長輩，又有孩子，又有過妻子……』

『見鬼！』他不自禁的詛咒，誰規定過有孩子和『有過』妻子的男人就不能戀愛？爲什麼愛上他就是『走入感情的歧途』？梁逸舟！你未免太不公平！他憤怒的咬了咬嘴唇。不行！他非去看梁逸舟不可，他一定要剷除這條愛情之路上的荊棘！什麼荊棘？天知道！這很可能是一塊阻路的岩石呢！

他走到客廳，老姑媽用一種含笑的，而又神秘的眼光迎接著他。說：

『早餐想吃什麼？』

『不，我不吃了，我馬上要出去辦點事！』

『爸！』小蕾在一邊叫著：『我跟你一起去！』

『糊塗孩子！』老姑媽慌忙把小蕾拉進自己的懷中，笑吟吟的說：『妳爸爸要出去辦正經事，怎麼能帶妳去呢？妳還是在家裏陪著婆婆吧！』一面，她抬頭看著狄君璞：『去吧！辦事去！回不回來吃午飯？』

『大概回來吧！』狄君璞沒把握的說。

『一個人還是兩個人？』姑媽問。

『什麼？』狄君璞沒聽懂，詫異的望著姑媽。

『你不帶梁小姐回來吃午飯嗎？』姑媽對他笑瞇瞇的擠了擠眼睛。『我自己下廚房，給你們炒一個辣子鷄丁。』

狄君璞不禁失笑了，拍了拍老姑媽的肩膀，他笑著點了點頭說：

『不管怎樣，我想吃妳的辣子鷄丁。』

走出了農莊，他絲毫也沒有猶豫，就沿著那條小徑，往霜園的方向走去了。小徑兩邊的楓樹，這幾天落葉落得十分的快，在樹枝尖端，嫩綠中帶著微紅的新葉，正一片片的冒了出來。這提醒了狄君璞，嚴冬將逝，春意先來。他踏著那簌簌的落葉，心頭不知怎麼，竟有點兒暖烘烘的了。

『嗨！狄先生，我正要找你！』

一個清脆的聲音嚇了他一跳，抬起頭來，心霞正亭亭然的站在他面前，依然是一身火似的紅，一對銳利而有神的眸子正直視著他。

『哦，是妳，』他回過神來，如果是心虹多好！『妳怎麼沒去學校？今天沒課嗎？』

『你一定日子過糊塗了，快過陰曆年了，學校在放假，我們有兩星期寒假。』

『哦，怪不得姑媽和阿蓮整天忙著曬香腸！』狄君璞說。過年！隨著年齡的增長，他對過年的興趣一年比一年淡，到了現在，過年反而徒增惆悵了。『妳說妳在找我？』他問。

『是的。』

『一面走一面說好嗎？我正想去看妳父親。』

『爲什麼？爲了姐姐嗎？』心霞迅速的問。

狄君璞一驚，不自禁的看了心霞一眼，這個女孩子又知道些什麼呢？她決非『無所爲』而來呵！

『妳想說些什麼？』他問。

『我想勸你放手！』她大聲而有力的說。

『放手？妳是什麼意思？』

『雲揚告訴我，你去看過他了，你也去找過蕭雅棠，你到底想要知道些什麼？』她緊盯著他，眼光和語氣都是咄咄逼人的。

『我現在什麼都不想知道了。』他輕聲的說。

她站住了，深深的望著他。在一瞬之間，她眼底的那抹敵意就消失了。取而代之的，是一種懇摯的、祈求的、憂愁而深沉的眼光。

『狄先生，你聽我說。』她說了，語氣是平和而懇切的。『我希望你不要再深入的去打聽姐姐的故事，這對姐姐並沒有好處。你現在已經知道得不少，我想，我不如坦白告訴你，假若你聽了之後能夠放手的話。姐姐是個個性很強的人，她敢愛，她也敢恨，你不要看她外表文文弱弱，實在，她有一顆像火一般的心。我想，我對不起姐姐，雲飛……他……他曾追求我，我只是好玩，我太年輕，根本不懂事，所以，也……也沒有完全拒絕他，我好奇，我從沒跟男孩玩過。雲飛，他教我接吻，他勸我嫁給他，他說我比姐姐可愛……』她苦惱的搖搖頭。『我實在是幼稚！他滿足了我的虛榮感！結果，姐姐知道了一切的事……』

『妳不用告訴我，這一段我全知道了。』狄君璞打斷了她。

『是嗎？』她驚奇的，顫慄了一下。『那麼，你要把這件事告訴爸爸嗎？』

『原來妳爸爸竟不知道！』

『求你別告訴他！』她焦灼的說：『在爸爸心目中，我一直是個天眞的小孩子，你別告訴他好嗎？』

『妳放心，心霞，我要和妳爸爸談的事與這件事情一點關係也沒有。我不會吐露任何一個字。』

她鬆了一口氣。他們繼續往前走去。

『但是，我還是要告訴你。』她說：『我欺騙了姐姐，妳猜姐姐發現之後怎麼樣？她抱着我哭，沒有講一個字責備的話，我後悔得要死，她反而安慰我，她說，如果有人錯，不是她，不是我，應該是雲飛！你懂了嗎？所以，她後來在懸崖上殺了他！』

『哦，原來妳也給妳姐姐定了罪了。』狄君璞悶悶的、冷冷的說了一句。

『你還是沒有瞭解，』心霞有些煩躁不安，她焦灼而急切的說：『算了，我把一切都說出來吧。當我們在懸崖頂上的欄杆邊找到姐姐的時候，姐姐並非完全人事不知的，爸爸抱住她的時候，她還曾睜開眼睛來，對爸爸說了一句話，我那時正在旁邊，那句話我們兩個都聽得很清楚，她說：「爸，我終於殺了他了！」說完，她就昏倒了，以後就一直沒清醒過，等她眞的清醒時，她就患上失憶症了。我和爸爸，爲了保護姐姐，都決定不提這句話，但我們心中都知道是怎麼回事，反而慶幸姐姐是患了失憶症了。你懂了嗎？這就是爲什麼，我們都不願意你去追究眞相的原因，你現在明白了嗎？你不會說出去吧？』

他看着心霞，那張年輕的臉龐上一片坦白的眞摯，他知道她說的都是眞話。掉頭看着太陽，那明朗的天空，看不到任何的陰雲，但他的心情却沉重了起來。

『事實上，雲飛也不是很壞，他只是用情不專。』她又說了下去。『在這件事件裏，我也不能逃掉責任，有時，我覺得我才是兇手！姐姐是無辜的！我眞不知道，怎樣才能向姐姐贖罪。』

他深思了一會兒，覺得心中澎湃着一股難以遏止的激情，他忽然站定了，注視着心霞，他的呼吸急促，他的眼睛閃亮，他的面頰發紅。他很快的，一連串的說：

『聽着，心霞！讓我告訴妳我心裏所想的！不管有多少事實向我證明心虹推落了雲飛，甚至心虹親口承認過，但是，我決不相信這件事！心虹會暴怒如狂，會痛不欲生，但是她不會殺人！她連一條小蟲子都不會傷害！這件墜崖的事件必然是個意外！我堅信不疑！因爲我知道心虹，她在絕望之時只會自苦，不會殺人！我知道她知道得太清楚太清楚了！她的每根纖維，每個細胞，每絲細微的感情，我都知道！』

她驚愕的站在那兒，瞪大了眼睛望着他，那樣驚愕，她有好半天都說不出話來。然後，她深吸了口氣，喃喃的說：

『嗨，你愛上她了！』

『是的！』狄君璞毫不掩飾的承認，仍然在激動的狀況中。『我愛上她了，不止我愛上了她，她也愛上了我，妳知道這意味着什麼嗎？是一棵枯死了的樹又發出了新芽，有了新的生命和生機，妳懂嗎？心霞，妳一心想要幫助妳姐姐，那麼盡妳的力量吧，促成這件事！我現在要去見妳父親，他必然會反對，如果妳眞愛妳姐姐，想辦法幫幫她也幫幫我吧！』

她的眼睛裏閃耀着一片驚異的光芒，一瞬也不瞬的瞪視着他，是震驚的，也是興奮的。然後，忽然間，她揚了一下頭，把短髮摔向腦後，對狄君璞很快的伸出一隻手來，喜悅而激動的嚷：

『嗨，狄君璞！你有一個同志了！握手吧，讓我們聯盟促成這件事！你眞是個奇異的人，我不能不承認，你讓我感動呢！但願你也能同樣感動我父親！』

狄君璞握住了她的手，激動漸消之後，他驚奇於自己的表現竟像個初墜愛河的小伙子。但是，他在心霞的眼睛裏看到了眼淚，這個少女是眞的感動了。她的眉毛高揚，她的眼睛發亮，她的唇邊帶着那樣欣慰的、激賞的笑。在興奮與激動中，她竟說了句：

『好好保護她呵，姐夫。她在愛情上是受過傷的呢！』

『妳放心吧，心霞。』

他鬆開了握着她的手，他們又繼續往前走，穿過霧谷之後，霜園在望了。狄君璞忽然想起了什麼，轉過頭，他對心霞說：

『有幾句話我也想告訴妳。』

『是什麼？』她驚奇的。

『我昨天見到了雲揚，』他誠摯的說，深深的注視她：『如果妳錯過了這個男孩子，那麼妳就是天字第一號的大傻瓜！』

她的臉紅了，眼睛閃亮。

『你是說眞話嚒？』她問。

『當然！』

『那麼，說不定有一天，我們還需要你的幫助呢！』

他們相對而視，都不由自主的微笑了。一層瞭解的情緒貫通了他們，在這一瞬間，他們已成爲最堅固的同盟了。

心霞看了看手錶，叫了一聲：

『哎呀，你必須快一點，要不然爸爸會到公司去了。我到樓上去陪着姐姐，你和爸爸的談話，最好不要讓姐姐聽到，等會兒爸爸一反對起來，姐姐又會大受刺激。』

看不出來，她的顧慮倒很周全，他們快步向霜園走去，到了大門口，心霞又站住了，叮嚀的說：

『如果爸爸反對，或說些你們不該戀愛的大道理，那麼，你就問他，他年輕時是怎樣戀愛的？』

『什麼意思？』狄君璞不解的問。

『我告訴過你，我媽不是我爸的第一任太太，但是，在我另外那個母親未死以前，我爸就和我媽戀愛了。所以，很多人說心虹的母親是給我爸和媽氣死的。她死後才三個月，我爸就娶了我媽。所以，我爸應該可以瞭解愛情的那份强烈。』

狄君璞不禁想起心虹在那本小册子中寫的，關於她母親的事。他點點頭，說：

『謝謝妳給我的資料，但我希望我用不着這件武器才好。』

『那麼，你還沒有完全瞭解我的父親！』心霞說：『你只看到他溫和的一面，還沒看到他的壞脾氣，和固執起來的蠻不講理。總之，別讓他打敗你！』

『我不認爲自己會被打敗！』

他們又彼此交換了一瞥，才邁進霜園的大門。梁逸舟已走出客廳，正站在花園裏，等着老高開車子過來。心霞急急的迎上前去說：

『爸爸，狄先生來看你，他說有話要和你談。』

梁逸舟詫異的看了狄君璞一眼，後者臉上那份甯靜、沉着，和堅定的神情使他吃驚了。他想起昨日心虹曾整日待在他那裏，心裏已隱隱猜到狄君璞的來意。一種强烈、不安的情緒昇進他的心中，他對狄君璞點了點頭，就默默的走進客廳，領先向書房走去。

心霞對狄君璞做了個鼓勵的眼色，又比了個勝利的手勢，就三步併作兩步的，往樓上衝去了，在樓上，正傳來心虹低而柔的歌聲，在唱着『教我如何不想他』。

20

這是第二次，狄君璞在這間書房裏和梁逸舟談話，那一次是深夜，這一次是清晨，這兩次的談話，無論在氣氛上，內容上，都有多麼大的不同！梁逸舟在一開始，就有一種備戰的姿態，燃起一支煙，他沉坐在那張安樂椅中，除了深深的、不斷的噴吐着煙霧以外，他什麼話都不說，只是等着狄君璞開口。

這種氣氛是逼人的，但是狄君璞並沒有被梁逸舟嚇着，他也燃起一支煙，深吸了一口，平平靜靜的說：

『梁先生，我今天來，是希望你答應我一件事，把心虹嫁給我。』

梁逸舟瞪視着狄君璞，他雖然已揣測到了狄君璞此來必定與心虹有關，但是仍然沒有料到他一開口，就是這樣突兀的一句話。他的確吃驚不小，但，他並沒有把驚異的神色流露出來。噴出一口濃濃的煙霧，他透過那層煙霧，直視着狄君璞的臉，不慌不忙的說：

『君璞，你可能是工作過度了！』

換言之，這句話也就是說：『你昏了頭了！』狄君璞輕蹙了一下眉頭，迎視着梁逸舟的眼光，他的眼神是堅定而沉着的。

『梁先生，我沒有工作過度，我的理智和感情都非常清楚，我知道我在做什麼。我也知道你反對這件事，你上次對我說的話，言猶在耳，我並沒有忘懷。但是，我仍然請求你，把心虹嫁給我！』

『你認爲你配心虹是很合適的嗎？』梁逸舟問，對方那種冷靜，那種安詳，那種堅決和胸有成竹的態度使他激怒了。當初他把農莊租給他的時候，再也不會想到會發展成今天這個局面！他簡直有種『引狼入室』的感覺，他不止生狄君璞的氣，也在生自己的氣。那農莊，早就該放把火把它燒成平地，又不在乎幾個錢，幹嘛要把他租出去？出租也罷了，又偏偏租給什麼勞什子的作家！這種人天天編故事，編糊塗了，就要把自己編成故事的主角。所以很少的作家會有幸福安定的婚姻，就在於他們時時刻刻要當主角。不行！這件事是怎樣也談不通的，他必須斷絕他的念頭！

『我認爲我會給心虹幸福和快樂。』狄君璞答覆了他的問題。『我會盡我的全力來愛護她。』

『你的回答避重就輕了！君璞。』梁逸舟的眼光是銳利的。『你覺得你的「條件」能和心虹結婚嗎？』

『你在暗示我不合條件了。』狄君璞說。『我不相信你對愛情的看法是像一般世俗那樣的。你指的「條件」又是什麼呢？梁先生，坦白說，我並沒料到會愛上心虹，在你上次和我談過話後，我也抗拒過，迴避過，可是……』他嘆口氣，聲音壓低了。『或者人世的一切發展，都有命定的安排。誰知道呢？』

『命定？』梁逸舟抬了抬眉毛。『君璞，你用了兩個很滑稽的字，你們這段愛情是「命定」的嗎？別忘了，你比她大了十幾歲，一個作家，一個在社會上混了這麼多年的人，又是個在愛情上極有經驗的人！而心虹呢？她的社會和世界就是霜園、農莊，和山谷。何況她又有病。君璞，我認爲你這樣做有失君子風度。』

狄君璞領教了梁逸舟說話的厲害了，他開始瞭解心霞在霜園外警告他的話。一層薄薄的怒意掩上了他的心頭，可是，他壓制了自己，他決不能發怒，那是成事不足敗事有餘的。

『是的，我比心虹大了十幾歲，是的，我是個作家，也是的，我結過婚，有過愛情的經驗……』他說：『可是，這些並不足以阻止我愛心虹，也不足以阻止心虹愛我，愛情，往往沒有道理好講，當它發生的時候，一切其他的因素，都會變得太渺小了。』

『你不必給我開愛情課，君璞。』梁逸舟打斷了他。『那麼，你來這兒，是來徵求我的同意，問我願不願意把心虹嫁給你，對不對？』

『是的。』

『我可以簡單答覆你，也不必深談了。我不願意，君璞，你做我的女婿，未免太大了。』

狄君璞漲紅了臉，他的冷靜已經維持不住了。

『心虹已經二十四歲了，梁先生。』他冷冷的說：『她早就超過了法定年齡。』

『是的。』梁逸舟沉着的說。『但是，你忘了，她是個精神病患者，我有醫生的證明。她的心智並不健全，所以，她根本不能自作決定。』

狄君璞凝視着梁逸舟，這是怎樣一個冷心腸的男人！

『想當初，雲飛遭遇過和我同樣的困難吧！』他衝口而出的說。

他犯了一個大錯誤，梁逸舟暴怒的站起了身子，彎向他，指着他的鼻子，怒吼着說：

『你少提盧雲飛，那根本是一個流氓！你如果願意，將來把小蕾嫁給流氓吧，心虹是我的女兒，我有權關心她的幸福！』

『就是這句話，梁先生。』狄君璞很快的說：『你如果眞關心心虹的幸福，你如果眞愛她，就請不要干涉我和她的戀愛。你可知道她一直很憂鬱嗎？你可知道她經常生活在一個黑暗的深井裏？你可知道她徹夜失眠，常哭泣到天亮？你可知道她腦子裏有個黑房間，她常常害怕得要死？不！梁先生，你並不知道，你沒有眞正關心過她，你沒有眞正去研究過她，幫助過她。而現在，你盲目的反對我和她戀愛，你主觀的認爲這對她一定有害。但是，你錯了，梁先生，你竟不知道我使她復活了！我讓她從那個大打擊裏復甦過來，使她又能生活，又能笑，又能唱歌，又能愛了！而你這位父親，偉大的父親，你站起來指責我勾引你的女兒，你以一個保護者的姿態出現，好像我是個魔鬼或罪魁。事實上，你根本一絲一毫也不瞭解心虹。你可以破壞我們，你可以驅逐我，你可以不把她嫁給我，但是，誰給你權利，因爲你是一個父親，就可以置心虹於死地？』他一連串的說着，這些話像流水一般從他的嘴中衝出來，他簡直連思考的餘地都沒有。他喊得又急又響，在那種憤怒而激動的情況下，他根本無法控制自己的語言和思想。當這一連串的話說完，室內那份驟然降臨的寂靜，才使他驚愕的發現，自己竟說得那樣嚴厲。

梁逸舟有好幾分鐘都沒有說話，只是瞪大了眼睛，看着狄君璞，濃濃的煙霧不住的從他的鼻孔和口腔中冒出來。他的臉色有些蒼白，太陽穴在跳動，這一切都顯示出他在極度的惱怒中。但他也在思考，在壓制自己。好半天，他才冷冰冰的說了一句：

『什麼叫置心虹於死地？你倒說說明白！』

狄君璞深吸了一口煙，他拿着煙斗的手在顫抖，這使他十分氣惱，將近四十歲的人了，怎麼仍然如此的衝動和不平靜？這和他預先準備『冷靜談判』、『以情動之』的場面是多麼不同！看樣子，他把一切都弄糟了！

『梁先生，』他竭立使自己的聲調恢復平穩。『我只是想提醒你，心虹是個脆弱而多情的孩子，頭一次的戀愛幾乎要了她的命，這一次，你就放她一條生路吧！』

『你認為，她上一次的戀愛悲劇是我導演的嗎？』梁逸舟大聲的問。

『不，我不是這意思，』狄君璞急急的說：『我知道雲飛是個流氓，我知道他的劣跡恐怕比你知道的還多。那個悲劇或者是不可避免的，但是，即將來臨的悲劇却是可以避免的！』

『是的，是可以避免的！』梁逸舟憤憤的說：『假如當初我不那樣好心，把農莊讓給你住，那麼，一切都不會發生了！狄君璞，我以為你是個君子，却怎麼都沒料到你竟是條色狼！你認為你的桃色新聞鬧得還不夠多？躲到這深山裏來，仍然要扮演范倫鐵諾！』

狄君璞跳了起來，再一次控制不住自己。

『梁先生，你犯不着侮辱我的人格，只因爲我愛上你的女兒！假如你能夠冷靜一點，能夠仔細分析一下目前的局面，你會發現侮辱我並沒有用處，並不能解決問題！』

『我有解決問題的辦法，』梁逸舟堅定的說：『請你馬上搬出農莊，我要把那幢房子整個拆掉！請你遠離霜園，遠離我們的家庭！』

『梁先生，你考慮過這樣做的後果嗎？你知道你這樣會殺掉心虹嗎？』

『你不要動不動就拿心虹的生命來威脅我！』梁逸舟惱怒的大聲吼：『心虹是我的女兒！我知道怎樣做對她有利！她根本不能明辨是非，她根本還沒有成熟，第一次，她去愛一個小流氓，第二次，又去愛個老騙子……』

『梁先生，』狄君璞站起身來，打斷了對方的怒吼，奇怪，到這一刻，他反而平靜下來了。他的聲音是低沉而穩重的，穩重得讓他自己都覺得驚奇。可是，這低沉的語調却把梁逸舟的吼聲給遮蓋淹沒了。『我知道和你沒有什麼可談了。我常常覺得奇怪，許多人活到了五六十歲的年紀，經驗過了半個世紀的人生，却往往對於這世界和人類仍然一無所知。許多我們自己經驗過的痛苦和感情，如果若干年後，再來臨到我們的子女或朋友身上，我們反而會嗤笑他，彷彿自己一直是聖人似的！這豈不是可笑嗎？梁先生，我沒什麼話好說了，剛剛認識你的時候，你讓我折服，我認爲你是個懂得人生，懂得感情，有深度，有思想，有靈性的人。現在，我發現，你僅僅是個剛愎自用，目空一切的暴君！我不願再和你談下去，在短時間之內，我不準備離開農莊，你可以想盡辦法來拆散我和心虹，隨你的便吧，梁先生！但是，你會後悔！』他抓起椅子上自己的大衣，又說了一句：『你有一對好女兒，有個好妻子，可是，要失去她們，也是非常容易的事！』

他把大衣搭在手臂上，開始向門口去，但是，梁逸舟惱怒的喊了一聲：

『站住！狄君璞！』

狄君璞站住了，回過頭來。

『你不要對我逞口舌之利，狄君璞。』梁逸舟本來蒼白的臉色現在又漲紅了。『我不聽你那一篇篇似是而非的大道理！你明天就給我從那農莊裏搬出去！』

『你沒有權讓我搬出去，梁先生。』狄君璞靜靜的說：『我搬進來之前，曾和你訂過一張兩年爲期的租賃合約，現在只過了半年，我並沒有虧欠房租，所以，在期滿之前，你無權要我搬走！』

梁逸舟暴怒了。

『狄君璞，你是個混蛋！』他咒罵着。『你給我注意，從今以後，再也不許走進霜園的大門。』

狄君璞注視着梁逸舟，好一會兒，他說：

『我很想問你一句話，梁先生，你戀愛過嗎？』

梁逸舟一楞，憤憤的說：

『這個用不着你管！你別用「戀愛」兩個字，去掩飾你那種醜惡而不正當的追求！戀愛應該要衡量彼此的身分，發乎情，止乎禮，才是美麗的！像你！你有什麼資格談「戀愛」兩個字，你對你第一個妻子的感情呢？記得你那個婚姻也曾鬧得轟轟烈烈呵！不正當的戀愛算什麼戀愛呢？那只是罪惡罷了！』

狄君璞咬了咬牙。

『謝謝你給我的教訓，我承認不負責任的濫愛是罪惡，可是，眞摯的感情和心靈的需求也是罪惡嚒？梁先生，你這樣義正辭嚴，想必當初，你有個極正當的戀愛和婚姻吧！』

說完這幾句話，他不再看梁逸舟一眼，他心中充滿了一腔厭惡的、鬱悶的情緒，急於要離開這幢房子，到屋外的山野裏去呼吸幾口新鮮空氣。拉開了房門，他衝出去，却差點一頭撞在吟芳的身上。她正呆呆的站在那房門口，似乎已經站了很久很久。顯然的，她在傾聽着他們的談話。狄君璞把對梁逸舟的憤怒，本能的遷移了一部份到吟芳的身上，瞪視了她一眼，他一語不發的就掠過了她，大踏步的走向客廳，又衝出大門外了。吟芳看着他的背影，她不自禁的向他伸出了手，焦灼的低喚了一聲：

『君璞！』

可是，狄君璞並沒有聽到，他已經消失在大門外了。吟芳頹然的放下了手，嘆口氣，她走進書房。梁逸舟正漲紅了臉，瞪着一對怒目，在室內像個困獸般走來走去。看到了吟芳，他立即恨恨的叫着說：

『妳知道發生了什麼大新聞嗎？』

『是的，』吟芳點了點頭，輕輕的說：『我全知道，我一直站在書房外面，你們所有的談話，我都聽到了。』

『那麼，妳瞧！完全被妳說中了！這事到底發生了。心虹眞是個只會做夢的傻蛋！這個狄君璞，他簡直是個卑鄙無恥的僞君子！』

吟芳望着他，默然不語，眼神是憂鬱而若有所思的。半天之後，她走近他，用手握住了他的胳膊，她輕聲的、溫柔的說：

『坐下來，逸舟。』

梁逸舟憤憤的坐下了。掏出一支煙，取出打火機，他連按了三次，打火機都不燃起來，他開始咒罵。吟芳接過了打火機，打燃了火，遞到他的唇邊。他吸了一口煙，把打火機扔在桌上，說：

『瞧吧！我一定要給他點顏色看看！』

『因爲他揭了你的瘡疤嚒？』吟芳不慌不忙的問。

『妳是什麼意思？』梁逸舟瞪視着吟芳。

『逸舟。』吟芳站在梁逸舟的身後，用手攬住了他的頭，溫柔而小心的說：『事實上，狄君璞說的話，並不是完全沒有道理的。』

『什麼？』梁逸舟掉過頭來：『妳還認爲他有道理嗎？難道妳……』

『別急，逸舟。』吟芳把他的頭扳正，輕輕的摩挲着他。『你知道我並不贊成這段戀愛，當初還要你及早阻止。可是，許多時候，人算不如天算，這事還是發生了。以前，我們曾用全力阻撓過心虹的戀愛，結果竟發生那麼大的悲劇。事後，我常想，我們或者採取的手段過份激烈了一些，我們根本沒有給心虹緩衝的餘地，像拉得太緊的弦，一碰就斷了。但是，雲飛確實是個壞胚子，我們的反對，還可以無愧於心。而狄君璞……』

『怎麼？妳還認爲他是個正人君子不成？』梁逸舟暴躁的打斷了她。

『你不要煩躁，聽我講完好嗎？』吟芳按了按他的肩，把他那蠢動着的身子按回到椅子裏。『我知道他配心虹並不完全合適。可是，從另一個觀點看，他有學識，有深度，有儀表，還有很好的社會地位和名望。除了他年紀大了些和離過婚這兩個缺點以外，他並不算是最壞的人選。而且，我以一個母性的直覺，覺得他對心虹是一片眞心。』

『看樣子，妳是想當他的丈母娘了！』梁逸舟皺着眉說，把安樂椅轉過來，面對着吟芳。

『逸舟！』吟芳溫柔的喊，在梁逸舟面前的地毯上坐下來，把手臂伸在他的膝上。懇切的說：『別忽略了心虹！狄君璞說的確是實情，如果硬行拆散他們的話，心虹會活不下去！』

梁逸舟瞪視着吟芳。

『你不知道，』吟芳又說了下去：『今天整個早上，心虹一直在唱歌，這是一年多來從沒有的現象！而且，她在衣櫥前面換了一上午的衣服，你知道這是什麼意思嗎？士爲知己者死，女爲悅己者容！』

梁逸舟繼續看着吟芳，他的眉頭蹙得更緊了。

『還有，你沒有看到她，逸舟。她臉上煥發着那樣動人的光采，眼睛裏閃耀着那樣可愛的光芒！眞的，像狄君璞說的，她是整個復活了！』吟芳的語氣興奮了，她懇求似的望着梁逸舟，眼裏竟漾滿了淚。

梁逸舟沉思了一段時間，然後，他煩惱的摔了一下頭，重重的說：

『不行，我無論如何也不能同意這件事！這等於在鼓勵這個不正常的戀愛！』

『什麼叫不正常的戀愛？他們比起我們當初來呢？』

梁逸舟驚跳起來。

『妳不能這樣比較，那時候和現在時代不同……』

『時代不同，愛情則一。』

梁逸舟盯着吟芳。

『妳是昏了頭了，吟芳！妳一直都有種病態的犯罪感，這使妳腦筋不清楚！妳不想想看，這樣的婚姻合適嗎？一個作家，妳能相信他的感情能維持幾分鐘？他以往的歷史就是最好的證明了。假若以後狄君璞再遺棄了心虹，那時心虹才眞會活不下去呢！而且，妳看到剛才狄君璞的態度了嗎？這件婚事，隨妳怎麼說，我決不贊成！』

『不再考慮考慮嗎？逸舟？』

『不。根本沒什麼可考慮的。』

『那麼，答應我一件事吧！』吟芳擔憂的說：『不要做得太激烈，也不能軟禁心虹，目前，你在心虹面前別提這件事，讓他們繼續來往，另一方面，我們必須給心虹物色一個男友，要知道，她畢竟已經二十四歲了。』

『這倒是好意見，』梁逸舟沉吟的說：『早就該這麼做了！或者，心虹對狄君璞的感情只是一時的迷惑，如果給她安排一個年輕人很多的環境，她可能還是會愛上和她同年齡的男孩子！』他高興的站起身來，拍拍吟芳的手。『就這樣做！吟芳，起來！妳要好好的忙一忙了。』

『怎麼？』

『我要在家裏開一個盛大的舞會！我要把年輕人的社會和歡樂氣息帶到心虹面前來！』

『你認爲這樣做有用嚒？』吟芳瞅着他。

『一定的！』

吟芳不再說話了，順從的站起身子。但是，在她的眼底，却一點也找不出梁逸舟的那種自信與樂觀來。

21

午後，狄君璞悶坐在書房中，苦惱的、煩躁的、自己跟自己生著氣。上午和梁逸舟的一篇談話，始終迴盪在他的腦海裏。他懊惱，他氣憤，他坐立不安，他又後悔自己過於激動，把整個事情都弄得一敗塗地。但是，每每想起梁逸舟所說的話，所指責詛咒的，他就又再度怒火中燒，咬牙切齒起來。老姑媽很識相，當她白炒了一盤辣子雞丁後，她就敏感的知道事情並不像她想像的那樣如意。於是，她把小蕾遠遠的帶開，讓狄君璞有個安靜的、無人打擾的午後。

這午後是漫長的，狄君璞不能不期待著心虹的出現，每一分鐘的消逝，對他都是件痛苦的刑罰。他一方面怕時間過得太快，另一方面又覺得時間過得太緩慢太滯重了。他總是下意識的看手錶，不到十分鐘，他已經看了二十次手錶了。最後，他熄滅了第十五支煙，站起身來，開始在房子裏來來回回的踱著步子，錶上已經四點了，心虹今天不會來了。或者，是梁逸舟軟禁了她，反正，她不會來了。

他停在窗口，太陽快落山了，山凹裏顯得陰暗而蒼茫。他佇立片刻，掉轉身子走回桌前，燃上了第十六支煙。

忽然有敲門聲，他的心臟『咚』的一跳，似乎已從胸腔裏跳到了喉嚨口。拋下了煙，他三步併作兩步的衝進客廳，衝到大門口。大門本來就是敞開的，但是，站在那兒的，並不是他期待中的心虹，而是那胖胖的、滿臉帶笑的高媽。狄君璞愕然的站住了，是驚奇，也是失望的說了句：

『哦，是妳。』

高媽笑吟吟的遞上了兩張摺疊的紙，傻呵呵的說：

『這是我們小姐要我送來的，一張是大小姐寫的，一張是二小姐寫的，都叫我不要給別人看到呢！』

狄君璞慌忙接過了紙條，第一張是心霞的，寫著：

『狄君璞：

媽媽爸爸已取得協議，暫時不干涉姐姐和你來往，怕刺激姐姐。但是，他們顯然另有計畫，等我打聽出來後再告訴你。姐姐對於你早上來過的事一無所知，你還是不要讓她知道好些。珍惜你的時間吧！別氣餒呵！

高媽已盡知一切，她是我們這邊的人，完全可以信任！

心霞』

再打開另一張紙條，却只有簡簡單單的一句話：

『請我吃晚飯好嗎？　　　虹』

狄君璞收起了紙條，抬起眼睛來，他的心裏在歡樂的唱著歌，他的臉上不自禁的堆滿了笑，對高媽一疊連聲的說：

『謝謝妳！謝謝妳！謝謝妳呵！』

高媽笑了。說：

『大小姐馬上就會來了，晚上老高會來接她。』

『不用了，我送她到霜園門口。』

『我們老爺一定會叫老高來接的，我看情形吧！』

高媽轉過身子走了。狄君璞佇立半晌，就陡的車轉了身子，不住口的叫著姑媽。姑媽從後面急匆匆的跑了出來，緊張的問：

『怎麼了？怎麼了？那兒失火了嗎？』

『我心裏，已經燒成一片了！』狄君璞歡叫著說，對那莫名其妙的老姑媽咧開了嘴嘻笑，一面嚷著：『辣子鷄丁！趕快去準備妳的辣子鷄丁！』

折回到書房，他却一分鐘也安靜不下來了，他燒旺了爐火，整理了房間，在火盆旁，他安置好兩張椅子，又預先沏上一杯好茶，調好了檯燈的光線，拭去了桌上的灰塵。又不知從那兒翻出一對蠟燭，和兩個雕花的小燭台，他一向喜歡蠟燭的那份情調，竟堅持餐桌上要用燭光來代替電燈，因而和老姑媽爭執了老半天，最後，姑媽只好屈服了。當一切就緒，心虹也姍姍而來了。

看到心虹，狄君璞只覺得眼前一亮，他從來沒有看到心虹這樣打扮過，一件黑絲絨的洋裝，脖子上繫了一條水鑽的項鍊，外面披著件也是黑絲絨的大衣，白狐皮的領子。長髮鬆鬆的挽在頭頂，用一個水鑽的髮飾扣住。臉上一反從前，已淡淡的施過脂粉，更顯得唇紅齒白，雙眉如畫。她站在那兒，淺笑嫣然，一任他上上下下的打量著自己，只是含笑不語。那模樣，那神態，有說不出來的華麗，說不出來的高貴，說不出來的清雅，與說不出來的飄逸。

好半天，狄君璞才深吸了一口氣說：

『心虹，妳美得讓我心痛。』

把她拉進了書房，他關上房門，代她脫下大衣，立即，他把她擁入了懷中。深深的凝視著她，深深的對她微笑，再深深的吻住了她。她那嬌小的身子，在他的懷抱中是那樣輕盈，她那小小的唇，是那樣溫軟。她那長而黑的睫毛，是那樣慵慵懶懶的垂著，她那黑黑的眼珠，是那樣醉意盎然的從睫毛下悄悄的望著他。他的心跳得猛烈。他的血液運行得急速。一早上所受的悶氣，至此一掃而空。他吻她，不住的吻她，不停的吻她，吻了又吻，吻了再吻。然後，他輕聲的問：

『妳爸爸媽媽知道妳來我這兒嗎?』

『爸爸去公司了。我告訴媽媽我不回去吃晚飯,她也沒問我,我想,她當然知道我是到這兒來了。除了這兒,我並沒有第二個地方可去呀!』

狄君璞沉默了一會兒,他不知道梁氏夫婦到底準備怎樣對付他,但他知道一點,投鼠忌器,他們也怕傷害心虹。這成了他手中唯一的一張王牌。他現在沒有別的好辦法,除了等待與忍耐以外。命運既已安排他們相遇,應該還有更好的安排。等待吧!看時間會帶來些什麼?

『你有心事,』心虹注視著他,長睫毛一開一闔的。『告訴我,你在想些什麼?』

『沒有什麼。』狄君璞牽著她的手,把她引到火邊的椅子上坐下。他坐在她旁邊,把她的手闔在他的手中。『我等了妳整個下午,怎麼這樣晚才來?』

『你為什麼不去霜園?』她問,心無城府的微笑著。『難道一定要我來看你?唔,』她斜睨著他:『我看你被我寵壞了,什麼都要我遷就你。但是,』她熱烘烘的撲向他:『我會遷就你,無論你要我做什麼,我都會遷就你,我知道你不喜歡到霜園來,那兒的氣氛不適合你,你寧願要這樸樸實實、笨笨拙拙的農莊,也不願要那豪華的霜園,對吧?好,你既然不喜歡去霜園,那麼,我來農莊!如果你不討厭我,我就每天來吃晚飯!』

狄君璞心中通過了一陣又酸楚又激動的暖流,這孩子,這癡癡的傻孩子呵!她已經在為他的不去造訪而代他找藉口了。一時間,他竟衝動的想把早上的事告訴她,但他終於忍住了,只是勉强的笑笑說:

『妳知道，心虹，妳家裏的人太多，而我，是多麼希望和妳單獨相處呵！』

『噓！』心虹把一個手指頭壓在嘴唇上，臉上有一股可愛的天眞。『你不用解釋，眞的，不用解釋！我每天都來就是了！記住，君璞，你高興怎麼做就怎麼做，我不要改變你。假如你願意，給我命令吧，你是我的主人，而我，一切聽你吩咐。先生。』

狄君璞拿起她的手來，輕輕的吻著她的手指，他用這個動作來掩飾他眼底的一抹痛楚。呵，心虹！她怎樣引起他心靈深處的悸動呵！

『告訴我，』他含糊的說：『我有什麼地方值得妳這樣愛我？』

『呵，我也不很知道，』她深思的說，忽然有點兒羞澀了。『在我生病的時候，我常常看你的小說，它們吸引我，經常，我可以在裏面找到一些句子，正是我心中想說的。我想，那時我已經很崇拜你了。後來，爸爸告訴我，有一個作家租了農莊，我却做夢也想不到是你，等到見到你，又知道你就是喬風，再和你接近之後，我忽然發現，你就像我一生所等待着的，所渴求著的。呵，我不會說，我不會描寫。以前我並非沒有戀愛過，雲飛給我的感覺是一種窒息的，壓迫的，又發冷又發熱的感覺，像是一場熱病，燒得我頭腦昏然。而你，你帶給我的是心靈深處的甯靜與和平，一種溫暖的、安全的感覺。好像我是個在沙漠中迷途已久的人，忽然間找到了光，找到了水，找到了家。』她抬眼看他，眼光是幽柔而清亮的。『你懂嗎？』

他緊握了一下她的手，算是答覆。注視著她，他沒有說話。迎視著他那深深沉沉、癡癡迷迷的注視，她也不再說話了。好長一段時間，他們只是默默相對。室內好靜好靜，只偶爾有爐火的輕爆聲，打破了那一片的沉寂。窗外，太陽早就落了山，暮色慢慢的，慢慢的，從窗外飄進室內，朦朧的罩住了室內的一切。光線是越來越黯暗了，他們忘了開燈，也捨不得移動。房間中所有的家具物品，都成了模糊的影子。他們彼此的輪廓也逐漸模糊，只有爐火的光芒，在兩人的眼底閃爍。

『心虹。』好久好久之後，他才輕喚了一聲。

『嗯？』她模糊的答應著，心不在焉的。仍然注視著他，面頰被爐火烤成了胭脂色。

『我有件東西要拿給妳看。』他說。

『是什麼？』

他滿足的低嘆了一聲，很不情願的放開了她的手，站起身來，走到書桌邊去。拿起一張稿紙，他扭亮了檯燈，折回到心虹身邊來，把那張稿紙遞給了她。她詫異的看過去，上面寫著一首小詩，題目叫『星河』，這是他昨夜失眠時所寫的。她開始細聲的唸著上面的句子：

星河

在世界的一個角落，
我們曾並肩看過星河，
山風在我們身邊穿過，
草叢裏流螢來往如梭，

我們靜靜佇立，
高興著有你有我。

穹蒼裏有星雲數朵，
夜露在暗夜裏閃閃爍爍，
星河中波深浪闊，
何處有鵲橋一座？
我們靜靜佇立，
慶幸著未隔星河！

曉霧在天邊慢慢飄浮，
晨鐘將夜色輕輕敲破，
遠處的山月模糊，
近處的樹影婆娑，
我們靜靜佇立，
看星河在黎明中隱沒。

心虹唸完了，抬起頭來，她的眸子清亮如水。把那張稿紙壓在胸前，她低聲的說：

『給我！』

『給妳。』他說，俯下頭去吻她的額。

她攤開那張紙，又唸了一遍，然後，她再唸了一遍，她眼中逐漸湧上了淚水，唇邊却帶著那樣陶醉而滿足的笑。跳起來，她攀著狄君璞的衣襟，不勝喜悅的說：

『我們之間永遠不會隔著星河，是不是？』

『是的。』他說。攬住她的肩，把她帶到窗前。他們同時都抬起頭來，在那穹蒼中找尋星河。夜色才剛剛降臨，星河未現，在那黑暗的天邊，只疏疏落落的掛著幾顆星星。他們兩相依偎，看著那星光一個個的冒出來，越冒越多，兩人都有一份莊嚴的、感動的情緒。忽然間，心虹低喊了一聲，用手緊緊的環抱住狄君璞的腰，把頭深深的埋在他胸前，模糊而熱烈的喊：

『呵，君璞，我愛你！我愛你！我愛你！』

他攬緊了她，把下頷緊貼在她黑髮的頭上，默然不語。而門外，老姑媽已經在一疊連聲的叫吃晚飯了。

於是，他們來到了餐桌上。這是怎樣的一餐飯呀！在燭火那朦朧如夢的光芒下，在狄君璞和心虹兩人那種恍恍惚惚的情緒中，一切都像披上了一層夢幻的輕紗。似乎連空氣裏都漲滿了某種溫馨，某種甜蜜。狄君璞和心虹都很沉默，整餐飯的時間中，他們兩人都幾乎沒說過什麼，只是常常忘了吃飯，彼此對視著，會莫名其妙的微笑起來。在這種情形下，坐在一邊的老姑媽和小蕾，也都跟著沉默了。老姑媽只是不時的以窺探的眼光，悄悄的看他們一眼，再悄悄的微笑，而小蕾呢？她是被這種氣氛所震懾了。她好奇，她也驚訝。瞪著一對圓圓的眼睛，她始終注視著心虹。最後，她實在按捺不住了，張開嘴，她突然對心虹說：

『梁阿姨，妳爲什麼要有很多名字？』

『什麼？』心虹不解的，她的思緒還飄浮在別的地方。她和狄君璞都沒有注意到，她已經把『梁姐姐』的稱呼改成了『梁阿姨』。

『妳看，妳以前的名字叫梁姐姐，婆婆說，現在要叫梁阿姨了，再過一段時間，還要叫媽媽呢！』小蕾天眞的、一本正經的說著。

老姑媽驀的從喉嚨裏乾咳了幾聲，慌忙把頭低了下去，再也沒想到孩子會把這話當面給說了出來，老姑媽尷尬得無以自處。心虹却飛紅了臉，把眼睛轉向了一邊，簡直不知該怎麼辦好。狄君璞望著小蕾，這突兀的話使他頗爲震動。美茹在小蕾還沒懂事前就走了，事實上，美茹一直不喜歡孩子，她嫌小蕾妨礙了她許多的自由。因此，這孩子幾乎從沒有得到過母愛。他注視著小蕾，伸手輕輕的握住了小蕾的手，說：

『小蕾，妳願意梁阿姨做妳的媽媽嚒？』

小蕾好奇的看看心虹，天眞的問：

『梁阿姨做了我媽媽，是不是就可以跟我們住在一起？』

『是的。』狄君璞回答。

孩子興奮了，她喜悅的揚起頭來，很快的說：

『那麼，她從現在起，就做我的媽媽好嚒？』

心虹咳了一聲，臉更紅了。老姑媽已樂得合不攏嘴。狄君璞含笑的看著孩子，忍不住在她額上重重的吻了一下，多可人意的小東西呵！

這篇談話對心虹顯然有了很大的影響，因此，在飯後，心虹竟一直陪伴著小蕾，她教她作功課，教她唱歌，給她講故事。孩子睡得早，八點鐘就上了床，心虹一直等她睡好了，才離開她的床前。挽著狄君璞，她提議的說：

『到外面走走，如何？』

狄君璞取來她的大衣，幫她穿上，攬著她，他們走到了山野裏的月光之下。避免去農莊後的楓林，狄君璞帶著她走上了那條去霧谷的小徑。楓林夾道，繁星滿天。那夜霧迷離的山谷中，樹影綽約，山色蒼茫。他們相併而行，晚風輕拂，落葉繽紛，岩石上，蒼苔點點，樹葉上，露珠晶瑩。這樣的夜色裏，人類的心靈中，除了純淨的美的感覺以外，還能有什麼呢？愛，是一種至高無上的美。

他擁住她，吻了她。

抬起頭來，他們可以看到月亮，看到月華，看到星雲，看到星河。她把頭靠在他的肩上，低聲說：

『我很想許願。』

『許吧！』

『知道馮延巳的那闋「長命女」嚒？』

他知道。但他希望聽她唸出來。於是，心虹用她那低低的、柔柔的聲音，淸脆的唸著：

『春日宴，綠酒一杯歌一遍，
再拜陳三願；
一願郎君千歲，
二願妾身長健，
三願如同樑上燕，
歲歲長相見！』

她的聲音那樣甜蜜，那樣富於磁性，那樣帶著心靈深處的摯情。他感動了，深深的感動了。攬緊了她，他們並肩站在月光之下。他相信，如果冥冥中眞有着神靈，這神靈必然能聽到心虹這闋『再拜陳三願』，因爲，她那眞摯的心靈之聲，是應該直達天庭的呵！

『看！一顆流星！』她忽然叫著說。

是的，有一顆流星，忽然從那星河中墜落了出來，穿過那黑暗的廣漠的穹蒼，不知落向何方去了。狄君璞伸出手來，做了一個承接的手勢，心虹笑著說：

『你幹嘛?』

『它從星河裏掉下來，我要接住它，把它送給妳，記得妳告訴過我的話嗎?妳曾幻想在星河中划船，撈著那些星星，每顆星星中都有一個夢。我要接住這顆星，給妳，連帶著那個夢。』

他做出一個接住了星星的手勢，把它遞在她手裏。她立即慎重的接了過來，放進口袋中。兩人相對而視，不禁都笑了。

他們再望向天空，那星河正璀璨着。她又低聲的唸了起來：

『在世界的一個角落，
我們曾並肩看過星河，
山風在我們身邊穿過，
草叢裏流螢來往如梭，
我們靜靜佇立，
高興着有你有我。』

他們佇立着，靜靜的，久久的。

22

心虹的生命是完全變了。

忽然間，心虹像從一個長長的沉睡中醒來，彷彿什麼冬眠的動物，經過一段漫長的冬蟄，一旦甦醒，睜開眼睛，第一眼看到的就是春天那耀眼而溫暖的陽光。於是，新的生命來臨了。隨著新生命同時來臨的，是無盡的喜悅，煥發的精神，和那用不完的精力。

不知從何時開始，心虹不再做惡夢了，每晚，她在沉思和幻夢中迷糊睡去，早晨，再在興奮和喜悅中醒來。那經常環繞着她的暗影也已隱匿無蹤，花園裏，山谷中，楓樹前，岩石後，再也沒有那困擾著她的鬼影或呼喚她的聲音。那種神秘的、無形的、經常緊罩著她的憂鬱也已消失，她不再無端的流淚，無端的嘆息，無端的啜泣。攬鏡自照，她看到的是煥發的容顏，光亮的眼睛，明豔的雙頰，和沉醉的笑影。她驚奇，她詫異，她愕然……狄君璞，這是個怎樣的男人，他把她從黑霧彌漫的深谷中救出來了。

她的變化是全家都看到的，都感覺到的。當她輕盈的笑聲在室內流動，當她衣袂翩然的從房裏跑出來，如翩翩的小蛺蝶般飛出霜園，飛向山谷，飛向農莊。當她在夜深時分踏著夜霧歸來，看到仍等候在客廳裏的吟芳，她會忽然撲過去，在吟芳面頰上印下一吻，喘息的說：

『呵！好媽媽！我是多麼的高興哪！』

這一切，使全家有著多麼不同的反應。單純而忠心的高媽是樂極了，她不住的對吟芳說：

『這下好了，太太，我們大小姐的病是眞好了！』

她開始盲目的崇拜狄君璞，能使小姐病好的人必然是英雄和神仙的混合品！她更忠心的執行著代小姐傳信的任務，成爲了心虹和狄君璞的心腹。

吟芳是困擾極了，她實在不能確知心虹的改變是好還是壞。也不敢去探測心虹那道記憶之門是開了還是依然關著，雲飛的名字在霜園中，仍然無人敢於提起。對於狄君璞，她很難對此人下任何斷語，所有的作家在她心目中都是種特殊的人物，她不敢堅持狄君璞和心虹的戀愛是對的，也不敢反對梁逸舟。看到心虹快樂而煥發的臉龐，她會同情這段戀愛，而衷心感到阻撓他們是件最殘忍的事情。但，想到狄君璞的歷史和家庭情形，她又覺得梁逸舟的顧慮都是對的。她深知一個『後母』的個中滋味。就在這種矛盾的情緒中，她困擾，她焦慮，她也時時刻刻感到風暴將臨，而担驚不已。

梁逸舟呢？在這段時期中，他是又暴躁，又易怒，又心情不定。既不能阻止心虹去看狄君璞，又不能把狄君璞逐出農莊，眼看這段愛情會越陷越深，他是煩躁極了。好幾次，他想阻止心虹去農莊，都被吟芳拉住了。於是，他開始邀約一些公司裏的年輕男職員回家吃飯，開始請老朋友的子女來家遊玩，但，心虹對他們幾乎看都不看，她一點也不在意他們，就像他們根本不存在一樣。於是，他開始積極的籌備一個家庭舞會。並計畫把這個家庭舞會變成一個定期的聚會，每星期一次或每個月兩次，他不止爲了心虹，也要爲心霞物色一個男友。

天下最難控制的是兒女之情，最可憐的却是父母之心！梁逸舟怎能料到非但心虹不會感謝他的安排，連心霞也情有所鍾。在大家都爲心虹操心的這段時間裏，梁逸舟夫婦都沒注意到心霞的天天外出有些特別。吟芳只認爲心霞是去台北同學家，心霞一向活潑愛朋友，所以，她連想都沒想到有什麼不妥之處。梁逸舟是總把心霞看成『天眞的孩子』的，還慶幸她有自己的世界，不像心虹那樣讓他煩心。他們怎會想到在這些時間中，心霞都逗留在不遠處的一個小農舍裏，常和個半瘋狂的老婦作伴，或和一個濃眉大眼的年輕人駕著摩托車，在鄉間的公路上疾馳兜風。

心虹的心房是被喜悅和愛情所漲滿了，她是多麼想找一個人來分享她的喜悅！多麼想和人談談狄君璞，高媽雖然忠心，却笨拙而不解風情。吟芳是長輩，又不是她的生母。梁逸舟更別談了，整天板著臉，彷彿和她隔了好幾個世紀。於是，只剩下一個心霞了！偏偏心霞也是那樣急於要和姐姐傾談一次！所以，在一個晚上，心霞溜進了心虹的房間，鑽進了她的被褥，姐妹兩個並肩躺著，有了一番好知心的傾談。

『姐姐，我知道妳的秘密，』心霞說：『妳去告訴狄君璞，叫他請我吃糖。』

心虹臉紅了，怎樣喜悅而高興的臉紅呵！

『爸爸媽媽是不是都知道了?』她悄悄問。『他們會反對嗎?妳想。』

心霞沉吟了片刻。

『我猜他們知道，但是他們裝作不知道。』

『爲什麼呢?他們一定不贊成，就像當初不贊成雲飛一樣。但是，我現在的心情很奇怪，我反而感謝他們曾經反對過雲飛，否則，我怎麼可能和狄君璞相遇呢?』

心霞呆呆的看著心虹，她已聽狄君璞說過心虹恢復了一部份的記憶，但是，到底恢復了多少呢?

『姐姐，妳對雲飛還記得多少?』

『怎麼!』心虹蹙起眉毛，很快的摔了摔頭。『我們別談雲飛，還是談狄君璞吧!妳覺得他怎樣?』

『一個有深度，有學問，有思想，又感情豐富的人!』心霞說，眞摯的。『姐姐，我告訴妳，好好愛他吧，因爲他是眞心愛著妳的!我們的一生，不會碰到幾個眞正有情而又投緣的人，如果幸福來臨了，必須及時把握，別讓它溜走了。』

『嗨，心霞!』心虹驚奇的瞪著她:『妳長大了，這是我第一次聽到妳這種談話，妳不再是個黃毛丫頭了!告訴我，妳碰到些什麼事?也戀愛了嗎?只有戀愛，可以讓人成熟。』

『姐姐!』心霞叫，擠在心虹身邊。

『是嗎?是嗎?』心虹支起上身，用帶笑的眸子盯著她。『妳還是從實招來吧!小妮子，妳的眼睛已經洩漏了。快，告訴我那是誰？妳的同學嗎？我認不認得的人？快！告訴我！』

心霞凝視著心虹，微微的含著笑，她低低的說：

『姐姐，是妳認識的人。』

『是嗎？』心虹更感興趣了，她抓住了心霞的手腕，搖撼著。『快，告訴我，是誰？我真的等不及的要聽了，說呀！再不說我就要呵妳癢了。』

心霞把頭轉向了一邊，她的表情是奇異的。

『妳眞要知道嗎？姐姐？』

她的神色使心虹吃驚了。心虹臉上的笑容消失了，她的心往下沉。

『總不會也是狄君璞吧，』她說：『妳總不該永遠喜歡我所喜歡的人！』

心霞大吃一驚，立即叫著說：

『哎呀，姐姐，妳想到那兒去了？不是，當然不是！』她掉回頭來看著心虹，原來……原來……原來她也記起了她和雲飛的事！她不禁吶吶起來：『姐姐，妳知道以前……以前我根本不懂事，我並不是眞的要搶妳的男朋友，雲飛……雲飛他……』

『哦，別說了，』心虹放下心來，馬上打斷了心霞。『過去的事還提它做什麼，忘了它吧！我們談目前的，妳告訴我，那是誰呢？』

心霞咬咬嘴唇。

『妳不告訴爸爸媽媽好嚒？他們會氣死！』

『是嗎？』心虹更吃驚了。『妳放心，我一個字也不說，是誰呢？』

『盧雲揚！』她輕輕的說了。

這三個字雖輕，却有著無比的力量，室內突然安靜了。心虹愕然的楞住了，好半天，她都沒有說話，只覺得腦子裏像一堆亂痲一樣混亂。自從在農莊的閣樓上，她恢復了一部份的記憶之後，因爲緊接著，就是和狄君璞那種刻心蝕骨的戀愛。在這兩種情緒中，她沒有一點兒緩衝的時間，也沒有一點兒運用思想的餘地，只爲了狄君璞在她心目中佔據的份量太重太重，使她有種感覺，好像想起雲飛，都是對狄君璞的不忠實，所以，她根本逃避去想到有關雲飛的一切。也因此，自從記起有雲飛這樣一個人以後，她就沒有好好的回憶過，也沒有好好的研究過。到底雲飛現在怎樣了？他到何處去了？對她而言，都是一個謎。她本不想追究這個謎底，而且巴不得再重新忘記這個人。而現在，心霞所透露的這個名字，却把無數的疑問和過去都帶到她眼前來了。

『怎麼，姐姐？』她的沉默使心霞慌張，或者她做錯了，或者她不該對她提這個名字。『妳怎麼不說話了？』

『啊，』心虹仍然怔怔的。『妳讓我想想。』

『妳在想什麼？』心霞擔心的問。

『雲飛。』她低聲說。忽然間，她抓住了心霞的手臂，迫切的俯向心霞，她的眼睛奇異的閃爍著，聲調裏帶著痛苦的堅決。『妳告訴我吧，心霞，那個……那個雲飛現在在那裏？』

『姐姐！』心霞低呼著。

『說吧！好妹妹，我不怕知道了，我也不會再昏倒了，妳放心吧！告訴我！他走了嗎？到什麼地方去了？爲什麼妳會碰到雲揚？他們還住在鎮外的農舍裏嗎？說吧，心霞，都告訴我，我要把這個陰影連根拔去。快說吧，雲飛到什麼地方去了？』

『他……他……』心霞結舌的，終於，她決心說出來了，她忽然覺得，早就應該這樣做了。或者，狄君璞是對的，不該遮著傷口就算它不存在呵！至於心虹是否推落了雲飛這一點，她可以不提。於是，她輕聲的說了：『他死了。姐姐。』

『啊！』心虹驚呼了一聲。片刻沉寂之後，她慢吞吞的問：『生病嗎？』

『不。是意外，他從農莊後面的懸崖上摔了下去。』

她又沉默了許久，她的眼睛怔怔的望著心霞，裏面閃爍著又像痛苦，又像迷茫的光芒。

『什麼時候的事？前年秋天？』這時已是一月底了。『當時有別人在場嗎？』

『是前年秋天，當時只有妳在場，我們找到妳的時候，妳正昏倒在欄杆旁邊，我想，妳是目睹他摔下去的。』

『啊！』她輕喘了口氣，臉色有些蒼白。『這就是我生病的原因，是嗎？』

『是的。』

她又沉默了。緊緊的蹙著眉頭，她在搜索著她的記憶，苦苦的思索。但是，她失敗了。

『怎會發生這樣的事？』她困惑的問。

『欄杆朽了。他可能是靠在欄杆上和妳說話，欄杆斷了，他就摔了下去。也可能是在欄杆那兒滑了一下，那晚下著毛毛雨，地上滑得不得了，如果他跌倒在欄杆上，欄杆一折斷，他就必定會摔下去。反正，是個意外。這種意外，誰也沒辦法防備的，是不？』

心虹忽然間跳了起來，坐在床上，說：

『是了，我想起來了！』

『妳想起來了？』心霞驚異的。

『不不，不是那件事。我想起幾個月之前，狄君璞剛搬來的時候，我曾經在山谷中被一個瘋老太太扯住，她說我是兇手，要我還她兒子來！原來……原來那是雲飛的母親，後來那個年輕人就是雲揚，他們恨我，以爲……』

『是的，那就是雲揚和他母親，那老太太失掉了兒子，就有點神經不正常，因爲那天晚上雲飛是去見妳，她就認爲這悲劇是因妳而發生的。妳不要把她說的話放在心上，事實上，盧老太太現在已經很好了，只是糊塗起來，還總認爲雲飛沒有死，還向我問起妳來呢！問妳怎麼不去她家玩，是不是和雲飛鬧翻了。』

『啊，可憐的老太太！』心虹喃喃地說，眼中竟映出了淚光。她顯然絲毫也沒有想到她有殺害雲飛的可能。『我想去看她，』她由衷的說，看着心霞。『我可以去看她嗎？妳想？』

『我想可以的。』

『啊，』心虹轉動着眼珠，深深思索。『我懂了，怪不得你們都並不積極治療我的失憶症，你們怕我痛苦。怪不得我每次看到懸崖頂上的欄杆都要發抖……那欄杆是出事之後才換的，是不是?』

『是的，出事之後，附近鎭上都說這農莊危險，因爲有時也會有些牧童到那兒去玩的，所以，爸爸就重新築了一排密密的欄杆，再漆上醒目的紅油漆!』

『哦!』心虹長噓了一口氣，臉色依然蒼白。這答案使她難過而昏亂，但是，在她的精神上，却也解除了一層無形的桎梏。『哦!』她低語:『這是可怕的!』

『但是，姐姐，一切都早已過去了!』心霞急忙說，讓心虹躺了下來，她用手摟着她。『妳不要再去想這件事了，現在，妳已有一段新的生命了，不是嗎?新的愛情，新的人生，把雲飛拋開吧。姐姐。老實說……』她沉吟了一下。『我最近才知道一些事……呵，算了，別提了，讓過去的都過去吧!我爲妳和狄君璞祝福!』

心虹的思想仍然縈繞在那件悲劇上，她看着心霞，擔憂的說:

『心霞，雲揚和妳……你們很相愛嗎?雲揚會不會也像他母親一樣恨我?』

『哦，姐姐!』心霞很快的說。『雲揚不恨妳，姐姐。最初，他很難過，可能也遷怒到妳身上，可是，後來他想通了。自從和我戀愛以後，他更不恨妳了，非但不恨妳，他還和我一樣，希望妳快樂幸福。他說，在他的幸福中，他願全天下的人都幸福，他說，妳是我的姐姐，就憑這一點，他也無法恨妳，何況，那件意外又不是妳的責任!所以，姐姐，妳看，我們一定可以處得很好!我現在最担心的是爸爸和媽媽，他們以前反對雲飛，認爲他是流氓，對於雲揚，他們一定也有相同的看法。悲劇發生後，爸爸就說，希望和盧家再也不要搭上關係!而且，雲揚曾拒絕爸爸給他介紹的工作，又拒絕爸爸金錢的幫助，那時悲劇剛發生，他的心情很壞，數度和爸爸正面衝突。所以，姐姐，我眞煩惱極了。如果爸媽反對，我會活不下去！姐姐，妳知道愛情是怎樣的，是嗎？』

『我怎麼可能不知道呢！』心虹幽幽的說，攬緊了她的妹妹。『都是我不好，如果沒有雲飛的事，妳和雲揚大概也就沒有問題了。』

『那也說不定，妳別怪到妳身上，妳根本沒有什麼錯。姐姐，妳知道爸爸的，他溫和的時候眞好，但是固執起來却比誰都固執，我眞不知道應該在怎樣的時機裏，才能把我和雲揚的事情告訴他！』

『我也面臨同樣的問題呢，心霞。』

『姐姐。』心虹叫了一聲，却又不知要說什麼，一時間，姐妹二人深深的相對注視，一種同病相憐的情緒使她們依偎得更緊了。那種知己之感和彼此間深切的瞭解與關懷，比姐妹之情更深更重的把她們環繞在一起了。好半天，心霞才又開了口。『姐姐，妳注意到爸爸近來儘帶些男孩子到家裏來嗎？』

『是的。』

『那是爲了妳，我想。』

『他們爲什麼不能接受狄君璞呢？爸爸不是一開始也說狄君璞是個很好的人嗎？』

『他們認爲狄君璞結過婚，又有孩子……』

『媽嫁給爸爸的時候，爸爸不是也結過婚有了孩子嗎？』心虹很快的接口。

『如果他們能這樣想就好了。』心霞嘆了口氣：『大人們的問題，就在於他們常常忘記自己也戀愛過，常常忘記自己是怎樣度過這個年代的。我眞不懂，爲什麼他們不會爲我們設身處地的想一想呢！並不是因爲他們是父母，愛我們，帶大了我們，他們就成爲我們思想與感情的主宰呀！』

『妳要知道，心霞，在父母的心目裏，我們永遠不會長大，他們常常無法接受一個事實，就是我們有了獨立的思想與看法，不再和他們處處走同一路線了。我想，這對他們來說，也是很難的一件事。許多時候，他們會把我們的獨立看成一種背叛，一種反抗！兩代之間永遠有着距離，就在於父母永遠忘不了，兒女是他們生下來的，是他們創造的這件事實！噢，心霞，有一天我們也會有兒女，也會變老，等那一天來臨的時候，我們會不會也和我們的父母犯同樣的毛病呢？』

『我想可能的。妳說呢？』

『我也這樣想。現在我們是兒女，到了那時候，我們可能又有一篇屬於父母的、主觀的見解了。』

『姐姐，我們現在先說定好不好，假若二三十年後，我們對我們的子女，有太主觀的見解，或固執的主張時，我們彼此都有責任提醒對方，回憶一下今天晚上！』

『好！』

『勾勾小指頭！一言爲定！』

心霞伸出小手指，姐妹兩個的指頭勾在一起了。她們相視而笑，緊緊依偎。心霞喃喃的說：

『姐姐，妳眞不該和我是異母的姐妹，我多愛妳呀！』

『別給媽聽到了，她待我眞比親生母親還好！』

『姐，我今晚不回房間了，就跟妳一床睡好嗎？』

『當然。』

姐妹倆並肩而臥。經過了這一番彼此心靈的剖白，她們忽然覺得這樣親密，這樣融洽。從沒有一個時候，她們之間的感情，比這時更深摯更濃厚了。

23

第二天午後，在狄君璞的書房裏，心虹把昨夜和心霞的談話內容都告訴了狄君璞。用一種略帶責備和埋怨的眼光，她瞅着他，有些憂愁的說：

『你爲什麼不把雲飛墜崖的事告訴我呢？君璞？』

他望着她。

『妳太善良，心虹。所以妳會患上失憶症，我何苦告訴妳，再引起妳的傷心呢？如果有一天，妳自己記起了一切，不是比較自然嚒？』

『其實，告訴我也好，』她深思的說。『我初聽到的時候震驚而難過，但是，現在，我却覺得像心靈上解除了一層負荷似的。奇怪，我眞不瞭解我自己。那還是個我愛過的人，爲什麼我知道他死了，並不像你們想像那樣大受刺激，我竟能平靜的接受這件事。爲什麼呢？是因爲我有了你嗎？』她看着他：『君璞，你不認爲我這人很可怕嗎？有了新的愛人就丟了舊的？』

『呵！妳的毛病就是思想太多了，又太善於責備自己了！』狄君璞說，攬住她，吻着她。『忘了這一切吧，妳答應過我不再提了，是嗎？』

『我只是覺得對那個老太太很有歉意，我想爲她做點什麼事，君璞，我能爲她做點什麼事嗎？』

狄君璞深思的望着她，點了點頭。

『我想我們可以的，心虹。』

『是什麼呢？』

『讓我慢慢再告訴妳吧！現在，如果妳有心情的話，』狄君璞笑望着她：『我有一樣禮物要送給妳。』

『眞的？』心虹高興了起來。『是什麼？』

『伸出手來，閉上眼睛！』狄君璞命令着。

『君璞，你可不許使壞呵！』心虹懷疑的。

『人格担保！』

心虹閉上眼睛，伸出了手。狄君璞看着她，那垂着的長睫毛在那兒不安靜的顫動着，唇邊微微的帶着個輕顰淺笑。伸出的手掌白細修長，彷彿托着一個美麗的夢。他不自禁的用唇壓在那手掌上，心虹低低的驚呼，仍然閉着眼睛，她問：

『這就是你的禮物嚒？』

『不。還有別的！』

一樣涼沁沁的東西輕輕的落進了她的掌心中，接着，是一條鍊條細碎的滑入了她的手掌，她忍不住了，睜開眼睛，她看到自己所托着的，竟是一顆光彩奪目的星星，她不禁驚叫了。拿起來，她細細的看着，那是一個K白金的胸飾，上面垂着K白金的鍊條，胸飾是個星形，上面綴着水鑽，因此，整個星星閃爍而奪目，璀璨而晶瑩。她抬起眼睛來，怔怔的看着狄君璞。

『這……這是什麼？』她結舌的問。

『那顆從星河裏墜落下來的星星，我不是答應過要把它送給妳的嗎？每顆星星裏包着一個夢，妳要知道這顆星星裏包着什麼夢嗎？打開它！心虹！』

原來那星星和普通的鷄心胸飾一樣能夠打開來，裏面可以放張照片或是什麼的。她打開了它，立即，她看到那裏面鐫刻着細小的字迹，她低低唸着，却是那首『星河』的第一段：

『在世界的一個角落，
我們曾並肩看過星河，
山風在我們身邊穿過，
草叢裏流螢來往如梭，
我們靜靜佇立，
高興着有你有我！』

心虹驚喜的揚起頭來，那樣興奮，那樣喜悅，那樣難以相信！她嚷着說：

『你從那兒弄來的？』

『天上！』他笑着。這是他在珠寶店中定製的。合起了那顆星星，他把它掛在她的頸項上，那顆星星垂在她胸前，剛好她穿了件黑色的洋裝，襯托得那顆星星分外閃亮，像暗夜中第一顆昇起的星光。

『呵！君璞！』她叫着。『這多美呵！只有你才想得出這種花樣！誰知道我眞的把星河裏的星星摘下來了！還連帶着那個夢呢！』她用手圈住了狄君璞的脖子，熱情的吻他，說：『我們是不是會永遠並肩看星河呢？』

『永遠！』他反覆的吻她，每吻一下，就說一句：『永遠！』然後，他審視着她，問：『高興嗎？』

『高興！』

『快樂嗎？』

『快樂！』

『心情愉快嗎？』

『愉快！』

『不難過了嗎？』

『不難過了！』

『那麼，我要帶妳出去一趟。』

『去那兒？』

『去看一個朋友。』

心虹不再說話，只是用一種驚奇的眼光看着狄君璞。狄君璞從架子上拿了兩罐包裝好的奶粉，和一大盒的香腸及食品，說：

『好了，我們走吧。』

『要去台北嗎？你要把我介紹給你的朋友嗎？我需不需要換一件衣服？』

『停止妳那許許多多的問題吧！跟我來，但是，答應我永遠保持妳的好心情。來吧！』

他帶着心虹走出了書房，告訴姑媽不一定趕得及回來吃晚飯，就走出農莊，沿着那條通往鎮上的路走去。心虹不再問問題了，她對狄君璞是那樣信任，即使他將帶她走入地獄，她也會含着笑去的。

很快的，他們來到了鎮上，走完了一條街，轉進一條狹窄的巷子，他們來到一家裁縫店的門口，心虹愕然地說：

『你要給我做衣服嗎？』

『問題又來了！』狄君璞微笑地說。『跟我來吧，妳馬上就可以知道答案了。』帶着她走到那狹隘的樓梯口，他却又站住了，深深的望着心虹，他說：『妳答應過我要永遠保持好心情的，是不？』

『是的。』她說，有點兒不安。『你在弄什麼花樣？別嚇唬我，君璞。』

『不會嚇妳，心虹。』他說：『我早就想帶妳來了，這兒住着一個孤獨的女孩子，她需要友誼，需要安慰。自從我發現她之後，就常到這兒來，她知道我和妳的事。妳願意給她一份友誼嗎？』

『當然！君璞！』她說着，驚異而狐疑的看着他。

『那麼，來吧！』

他領先走上了樓梯，一面上樓，一面揚着聲音喊：

『有人在家嗎？客人來了！』

蕭雅棠立即衝到樓梯口來，手裏抱着孩子，高興的說：

『是狄先生嗎？怎麼……』她一眼看到心虹，就張口結舌的楞在那兒了。狄君璞上了樓，笑着說：

『我說過要帶心虹來。妳們見見吧，我想，總不必我再介紹了！』

心虹站在樓梯口，也呆住了。兩個女人面面相覷，都怔在那兒說不出話來。最後，還是蕭雅棠先恢復神志，振作了一下，她陡的叫了起來：

『啊，梁心虹，妳讓我太意外了！』

『我和妳一樣意外，』心虹這才吶吶的說出話來。『君璞只說帶我來看一個朋友，並沒有說是妳。妳怎麼……怎麼搬到這兒來住了？』

『這裏房租便宜。』蕭雅棠毫不掩飾自己的窘況。『生了寶寶之後，就搬到這兒來了，雲揚給我租的房子。』

『寶寶？』心虹困惑的看着她懷裏的孩子。

『是的，就是……我告訴過妳我有孕了，不是嗎？那晚在山谷裏的時候。這就是那孩子，雲飛的兒子——我叫他寶寶。』

心虹是更困惑了，不止困惑，而且驚慌，在她的記憶中，這一環始終沒有和前面的連鎖到一起。她瞪視着那孩子，茫然不知所措。蕭雅棠也愕然了，半晌，她才怔怔的說：

『怎麼……妳……原來妳仍然沒有記起來！』她求助似的看了看狄君璞，後者給了她一個寬慰的眼色。她恢復了自然，對心虹靜靜的微笑着。

『這是雲飛的兒子！』她如同是第一次告訴她一樣的說着。『我的日子曾經很艱苦，但是，現在已經好多了，狄先生和雲揚都很照顧我。妳看！這就是那個混蛋給我留下的！』她把孩子遞到心虹面前：『願意幫我抱抱他嗎？我去倒茶！』

心虹下意識的接過了孩子，依然茫然而困惑，她呆呆的瞪着孩子那張粉妝玉琢的小臉。孩子很乖巧可愛，一到了心虹手中，就咧着小嘴對她嘻笑，又伸出胖胖的小手來，碰觸着心虹的面頰，嘴裏咿咿唔唔的訴說着沒有人懂的語言。蕭雅棠到後面去倒茶了，心虹掉過頭來，看着狄君璞，低低的說：

『你一點都沒告訴我，有這樣一個孩子！』

『假若昨晚心霞沒把雲飛墜崖的事告訴妳，我仍然不會帶妳來的。妳要知道，我無法預測這事在妳心中會引起怎樣的反應。』

『你怕我怎樣呢？生氣？嫉妒？你以爲我對雲飛還有愛情嗎？還會吃醋嗎？』心虹責難的低語：『你早就該帶我來了！可憐的雅棠！想想看，我也很可能變成今日的她！如果我早知道，我可以儘量幫她的忙呵！』

『現在也爲時未晚，』狄君璞輕聲說：『我不是帶妳來了嗎？告訴妳，她最需要的幫助是友情！她已經在孤獨和輕視中掙扎了很久了！她眞是個勇敢的女孩子！』

他們在籐椅中坐了下來，心虹不能自已的打量着那個孩子，掩飾不住她對這孩子所生出的一種複雜的情緒。蕭雅棠端着兩杯茶出來了，對狄君璞說：

『你怎麼每次來都要帶東西呢？』

『別提了。』狄君璞說：『最近還好嗎？』

『總是這樣子。啊，』她忽然想了起來：『上星期雲揚帶心霞來過。』

『心霞？』心虹驚異的叫了一聲。她也知道這回事呵，怪不得昨晚她吞吞吐吐，欲說又止，大概就是這件事了！她看着蕭雅棠，後者對她微笑了一下。

『妳很驚奇呵！』她說：『我倒覺得雲揚和心霞是很好的一對，妳現在總不會還把我當雲揚的女朋友吧？』

『當然。』心虹急忙說，有點赧然了。

『妳可以對雲揚放心，』蕭雅棠的臉色忽然變得莊重而嚴肅，她的眼光是誠懇的。『雲揚和雲飛完全是不一樣的人，雖然他們是兄弟，但是，在做人和品格方面，雲揚是高出雲飛太多了！』

心虹點了點頭，她的眼底有着感動的光芒。蕭雅棠伸手去抱過孩子，心虹望着那嬰兒，低聲的說：

『孩子很漂亮，長得像雲飛。』

『我本來想拿掉他的，』蕭雅棠說，用手托着孩子的頭，讓他躺在她的手腕上，用一種又憐愛又憂愁的眼光，她注視着孩子。『雲飛死了，這孩子出世就會是個私生子，我恨透雲飛，連帶使我也恨這孩子。我想拿掉他，却不知該怎麼去拿，也沒有勇氣，我去找雲揚，求他幫忙。但是，雲揚却對我說，拿掉他是件殘忍的事，孩子何辜？該失去一條生命？他說他負責生產費，要我生下他來，如果我仍然不要他，就送給雲揚，他願意收養這孩子。就這樣，我就把這孩子生下來了。誰知道，一生下來，我就再也離不開他了。』她舉起孩子，深深的吻着孩子的面頰和頸項。孩子怕癢，開始舞動着雙手，咯咯咯咯的笑了起來。『現在，』蕭雅棠繼續說了下去。『這孩子却成爲我的生命和我的世界，也是我活在這世界上唯一的意義。』

心虹靜靜的聽着，她的眼睛一瞬也不瞬的望着她，眼裏充盈着淚。蕭雅棠說完了，室內有片刻的沉靜，她的眼光仍然癡癡的停駐在孩子的面龐上。然後，心虹開了口：

『我很抱歉。雅棠。』

蕭雅棠很快的抬起頭來，望着心虹。

『爲什麼？』她問。『因爲雲飛的死嗎？』

『總之，如果不是因爲我，他是不會死的。』心虹說。

『那麼，他會在什麼地方呢？我打賭不會在妳身邊，也不會在我身邊，不知道他會在那一個女人的身邊，也不知道他會再造多少的孽。說不定還有更多的私生子要來到這個世界上呢！抱歉？妳不必對我抱歉，心虹，我從沒有爲這件事恨過妳或怪過妳，從沒有。如果我要恨，我恨的是雲飛，不是妳。』

心虹凝視着蕭雅棠，這篇話完全出乎她的意料之外，蕭雅棠說得那樣坦白，那樣誠懇。她沒有責怪她，沒有像那個老太太那樣指責她是兇手。心虹覺得心中有份說不出的安慰和溫暖。她凝視着蕭雅棠的眼光裏立即說出了她心中的思想，同時，蕭雅棠也立即從心虹的眼光中讀出了這份思想。兩個女人禁不住的都相視微笑了起來。就在這相視微笑中，一層瞭解的、嶄新的友誼就滋生了。

『孩子多大了？有一週歲了嗎？』心虹問，含笑地望着那肥肥胖胖的小嬰兒。

『沒有，才八個月，塊頭很大，是嗎？才能吃呢！將來一定很結實。』蕭雅棠回答。不由自主的流露了一份母性的驕傲，她那看着孩子的眼光是寵愛而得意的。

『再給我抱抱好嗎？』心虹無法遏止自己對這孩子的好奇，雲飛的孩子！那個差點做了她丈夫的男人！

蕭雅棠把孩子交給了心虹，站起身來說：

『正好我該給他沖奶了，妳抱着，我去沖去。』

狄君璞以一種感動而欣慰的眼光望着這一切，他坐在一邊，幾乎一句話也不說。望着這兩個女人化解了她們之間那種微妙的尷尬，建立起友情與親密，這是動人的，他不願說任何的話，以免破壞了她們之間的氣氛。但是，樓梯上一陣急促的脚步聲，打破了室內的甯靜，接着一個女性的聲音喊了起來：

『蕭雅棠在嗎？我們來了！』

蕭雅棠驚奇地站住了，狄君璞和心虹也驚奇的站了起來，同時，那剛跑上來的一男一女也驚奇的站住了。來的不是別人，却是心霞和雲揚。

『嗨，怎麼會是你們？你們怎會在這裏？』心霞愕然地叫着。

『妳能來，我怎麼不能來呢？』心虹笑着說，不由自主的興奮了。

『狄先生！』雲揚向狄君璞打着招呼，他手裏也拎着許多奶粉和什麼的。

狄君璞和雲揚笑着點了點頭，這眞是一個奇怪的聚會，他一生沒碰到過比這更特殊的場面了。這羣人彼此間的關係實在微妙，但場面却是興奮而熱鬧的。蕭雅棠顯然是驚喜交集，她嚷着說：

『到底今天是個什麼特殊的日子？你們會一起跑來了？你們是約好的嗎？』

『不是，不約而同而已。』雲揚說。把東西放了下來。不住的以驚奇的眼光看着心虹和她手中的孩子。

心虹的眼光和雲揚的接觸了，兩人似乎都有點兒不安。可是，興奮和歡愉的氣息是富傳染性的，舊恨早已過去，新的關係裏却有着溫情，雲揚很快就拋開了那困擾着他的一絲兒惱意，他對她大踏步的走了過來，由衷的說：

『很高興見到妳，心虹。』

他的唇邊帶着微笑，他的眼底有着友情，他直呼她的名字，像以前他經常出入霜園時一樣，這表示所有的仇恨都已過去了。這一羣年輕人，把新的友誼建築起來了，這是一些多麼熱情而善良的人哪！

『嗨，大家坐吧！不要都站着！』蕭雅棠忽然想起她是主人來了，她把椅子上的東西拿開，高聲的招呼着，又要向樓下跑。『這樣難得的聚會，必須好好熱鬧一下，你們都不許走，我出去買點東西，今晚大家都在我這兒吃晚飯！』

『等一下！』雲揚說：『妳怎麼做得了我們這麼多人吃的？』

『我可以幫忙！』心虹說。

『我提議，』狄君璞阻止了大家的吵聲：『假若你們大家不反對，我想請你們去台北吃沙茶火鍋！』

『沙茶火鍋！』心霞首先贊同：『好極了！就是沙茶火鍋！』

『孩子呢？帶去嗎？』心虹問，她對那孩子顯然已生出一份微妙的感情。

『我可以把他托給樓下的房東太太！』蕭雅棠說，『你們等一等，我先給他喝瓶奶！』她往後面衝去，又興奮又激動。生活對於她，在好長的一段時間裏，都成了一件無可奈何的事。而現在，那屬於年輕人的、活潑的、喜悅的日子，似乎又回來了！這些訪客，這些朋友，她知道，他們都渴望着給她快樂的！她是多麼感激他們呵，他們何止帶來快樂呢？他們還帶來一份嶄新的生命呵！

片刻之後，這一羣人已浩浩蕩蕩的向台北的方向出發了，帶着歡愉，帶着喜悅，帶着無窮無盡的對未來的希望，他們向前邁着步子，把曾有過的那些烏雲和陰影都拋向腦後了。未來，對他們是一條神奇的路，他們都已振作着，準備去探索，去追尋了！

24

但是，這條神奇的路會是一條坦途麼？是沒有荊棘沒有巨石的麼？是沒有風浪沒有困厄的麼？迎接着他們的到底是些什麼？誰能預測呢？

在這些日子裏，梁逸舟是更加熱中於帶朋友回家吃飯了，各種年輕人，男的、女的，開始川流不息的出入於霜園。心虹和心霞冷眼的看着這一切的安排，她們有些不耐，有些煩躁，巴不得想遠遠的躲開。可是，父母畢竟是父母，她們總不能永遠違背父母的意思，因此也必須要在家裏應酬應酬這些朋友。而梁逸舟的選擇和安排並不是盲目的，他有眼光，也有欣賞的能力，這些年輕人竟都是些俊秀聰穎的人物。再加上年輕人與年輕人是很容易接近的。因此，當春天來臨的時候，這些年輕人中已經有好幾個是霜園的常客了。在這之中，有個名叫堯康的男孩子，却最得心虹和心霞兩姐妹的欣賞，也和她們很快的接近了起來。

堯康並不漂亮，瘦高條的身材，總給人一種感覺，就是太瘦太高了，所以，心霞常常當面取笑他，說他頗有『竹感』。他今年二十八歲，父母雙亡，是個苦學出來的年輕人，畢業於師大藝術系，現在在梁逸舟的食品公司中負責食品包裝的設計，才氣縱橫，常有些出乎人意料之外的傑作，在公司裏很被梁逸舟所器重。他的外型是屬於文質彬彬的一類，戴副近視眼鏡，沉默時很沉默，開起口來，却常有驚人之句出現，不是深刻而中肯的句子，就是幽默而令人捧腹的。但是，眞使心虹姐妹對他有好感的，並不在於他這些地方，而是他還能拉一手非常漂亮的小提琴。

美術、文學，和音樂三種東西常有類似之處，都是藝術，都給人一種至高無上的美感，都能喚起人類心靈深處的感情。通常，喜愛這三者之一的人也會欣賞其他的兩樣，心虹姐妹都是音樂的愛好者。因此，堯康和他的小提琴就在霜園奠定了一個良好的基礎。

堯康是個相當聰明的人，走進霜園不久，他就發現梁逸舟的目的是在給兩個女兒物色丈夫。他欣賞心虹的雅致，他也喜歡心霞的活潑。可是，眞正讓他逗留在梁家的原因，却不見得是爲了心虹姐妹，而是霜園裏那種『家』的氣氛，對於一個孤兒來說，霜園實在是個天堂。所以，對心虹姐妹，他並沒有任何示愛或追求的意味，這也是他能夠被心虹姐妹接受的最大的原因。

就這樣，連狄君璞也可以經常聽到堯康的名字了，他沒有說什麼，只是常常默默的望着心虹，帶着點兒窺探與研究的意味。當有一天，心虹又在讚美堯康的小提琴的時候，狄君璞沉默了很久，忽然跳了起來，用唇猛的堵住了她的嘴，在一吻以後，他的嘴唇滑到她的耳邊，他輕輕的在她耳邊說：

『妳覺得，我需要去學小提琴嗎？』

『呵！』心虹驚呼了一聲，推開他，凝視着他的臉，然後，她發出一聲輕喊，迅速的抱住他的脖子，熱烈的吻住他，再叫着說：

『哦！你這個傻瓜呵！一百個堯康換不走一個你呀！你這個傻透傻透的傻人！』

從此，狄君璞不再芥蒂堯康，反而對他也生出濃厚的興趣，倒很希望有個機會能認識他。

就在這時候，霜園裏舉行了第一次的家庭舞會。

當舞會還沒有舉行的時候，心虹和心霞都有些悶悶不樂，參加舞會的人絕大部份是梁逸舟邀請的，另外還有些是心霞的男女同學。心虹的同學，很多都失去聯繫了，她也無心去邀請他們。對這個舞會，她是一點興趣也沒有，她寧願在農莊的小書房裏，和狄君璞度過一個安安靜靜的晚上。她也明白，如果自己不參加這舞會，父親一定會大大震怒的，所以，她曾表示想請狄君璞來參加，梁逸舟深思了一下，却說：

『他不會來的，這是年輕人的玩意兒，他不會有興趣！』

『他並不老呵！』心虹憤憤的說。

『也不年輕了！』梁逸舟說了一句，就走開了。

『如果他願意來呢？』心虹嚷着說。

梁逸舟站住了，他的眼睛閃着光。

『如果他願意來，』他重重的說：『就讓他來吧！』

可是，狄君璞不願意去。攬着心虹，他婉言說：

『妳父親之所以安排這樣一個舞會，就是希望在一羣年輕人中，給妳找一個男友。我去了，場面會很尷尬，對妳對我，都不是一件愉快的事。我不去，心虹，別勉强我。但是，當妳在一羣男孩子的包圍中時，也別忘了我。』

狄君璞並不笨，自從上次和梁逸舟衝突之後，他就沒有再踏入過霜園。他明白梁逸舟對他所抱的態度，這次竟不反對他參加，他有什麼用意呢？他料想那是個瘋狂的、年輕人的聚會，或者，梁逸舟有意要讓他在這些人面前自慚形穢。他是不會自慚形穢的，可是，他也不認爲自己能和他們打成一片，再加上梁逸舟可能給他的冷言冷語，如果他參加，他豈不是自取其侮？

心虹知道他說的也是實情，她不再勉强了，但在整個舞會籌備期中，她都是無精打采的。心霞呢，她也對父親提出了一個使他大大意外的要求：

『我要邀請兩個人來參加！』她一上來就開門見山，斬釘截鐵的說。

『誰？』梁逸舟驚奇的。

『盧雲揚和蕭雅棠！』

『雲揚？』梁逸舟豎起了眉毛，蕭雅棠是誰，他根本記不得了，雲揚他當然太知道了！看心霞把他們兩個的名字連起來講，他想，那個蕭雅棠當然就是雲揚的女朋友了，却做夢也想不到心霞和雲揚的戀愛。『雲揚！』他叫着：『爲什麼要請他們？姓盧的給我們的煩惱還不夠嗎？我希望盧家的人再也不要走進霜園裏來！』

『爸爸，』心霞喊着：『寃家宜解不宜結呵！你正好藉此機會，和他們恢復友誼呀！』

『我爲什麼要和他們恢復友誼呢？』梁逸舟瞪着眼睛說：『那個盧雲揚！那個蠻不講理的渾小子！比他哥哥好不了多少！我以前要想幫助他，他還和我搭架子，講派頭，發脾氣，耍個性，這種不識抬舉，不知天高地厚的小流氓，請他來幹什麼！』

『爸爸！』心霞的臉色發靑了。『人家現在是××公司的工程師，整個公司裏誰不器重他？你去打聽打聽看！人家是靠自己奮鬥出來的，沒有倚賴你，這就損傷了你的自尊了嗎？』

『心霞！』梁逸舟喊：『妳怎麼這樣和爸爸說話！一點禮貌都沒有！爲什麼妳一定要讓他們參加？當初他連我的幫助都不接受，現在又怎會參加我們家的舞會？』

『如果他願意來呢？』心霞和心虹一樣的問。

『如果他願意來，就讓他來吧！』梁逸舟煩惱的說，孩子們！她們怎麼都有這麼多的意見呢！但是，他對盧雲揚，並沒有太多的顧慮，他認爲他不會來，即使來了，只表示他的怨恨已解，那也沒有什麼不好之處，就隨他們去吧！

心霞的邀請雲揚，同樣碰釘子，雲揚很快的說：

『我不去！』

『爲什麼？』

『我發過誓，不再走進霜園！』

『你腦筋不清楚了嗎？』心霞惱怒的嚷：『怪不得爸爸罵你是個渾小子呢！難道你預備一輩子跟我就不死不活的拖下去？你不藉此機會，和爸爸修好，跟我們家庭恢復來往，還要等到什麼時候？』

雲揚瞪着心霞。

『懂了嗎？』心霞喊：『我要爸爸看看你，我要讓他知道，你不亞於任何一個他所找來的男孩子！你懂了嗎？你這個傻瓜蛋！』

雲揚擁住了她，吻住她的嘴。

『去嗎？』心霞問。

『去！』他簡短的說。

『帶雅棠來。』

『妳要她做我的煙幕彈？』

『我要她找回年輕人的歡樂，你哥哥不需要她殉葬，她才只有二十二歲呢！』

他深深的吻她。

『妳是個好女孩，心霞。』他說：『一個太好太好的女孩。』

於是，那舞會終於舉行了。整個的霜園，被佈置得像個人間仙境。花園裏，每一棵樹上，都綴上了紅紅綠綠的小燈，閃閃爍爍，明明滅滅，彷彿有一樹的星星。樹與樹之間，都有彩條連結着，彩條上，也綴着小燈。另外，在花園的假山下，岩石中，他們置放了一個個的小燈籠，燈籠是暗紅色的，映得整個花園中一片幽柔的紅光，像天際的彩霞。

室內，是燭光的天下。這是堯康的意見，他用燭光取代了電燈。在室內的牆上，他釘了燭台，點上了幾十支蠟燭，燭光一向比電燈的光更詩意，那搖曳的光芒，那柔和的光線，使大廳中如夢如幻，如詩如畫。

堯康是藝術家，又擅長於美術設計，這次舞會的佈置，他出了許多力。心虹本來對這舞會毫無興趣，但，後來，她也幫着堯康，佈置起客廳來，在這幾日中，她和堯康十分接近，他們常在一邊竊竊私語，也常談得興高采烈。這使梁逸舟沾沾自喜，吟芳也暗中欣慰。

舞會開始了，賓客如雲。無論從那一個角度看，這都是個太成功太成功的舞會。雲揚帶着蕭雅棠來了，蕭雅棠穿着件翠綠色的衣服，袖口和領口都綴着同色的荷葉邊，頭髮盤在頭頂，耳朵上戴了兩個金色的大圈圈耳環，她的出現，竟引起全場的注意，像一道閃亮的光，把大廳每個角落都照亮了。雲揚穿着一身黑色的西裝，繫了一條紅色的領帶，高高的身材，寬寬的肩膀，濃黑的頭髮與眉毛，漂亮而神采奕奕的眼睛。他扶着蕭雅棠的手腕，把她帶到梁逸舟和吟芳的面前，極有禮貌也極有風度的微微鞠躬，含笑說：

『梁伯伯，梁伯母，讓我介紹蕭小姐給你們！』

梁逸舟不能不暗中喝了一聲采。這實在是太漂亮太引人注意的一對！他接受了雲揚的招呼，把平日對他的不滿都減少了不少，這樣的晚上，他不會對誰生氣的。何況，雲揚接受了邀請，這表示他已經不再敵視他們了。

唱機是堯康在管理着，心虹在一邊協助他。心虹今晚穿了一件純黑色滾銀邊的晚禮服，長髮垂肩，除了胸前垂着的一顆星星之外，她沒有戴任何飾物，在人羣中，她也像一顆閃亮的星星。

堯康放了一張史特勞斯的皇帝圓舞曲，開始了第一支舞，一面對心虹深深一鞠躬：

『願意我陪妳跳第一支舞嗎？』

心虹嫣然一笑，接受了堯康的邀請，他們翩躚於舞池中了。心霞早已帶着蕭雅棠，介紹給所有的人，面對這樣一位少女，男士們都趨之若鶩了，因此，立即有人邀她起舞，而心霞呢，她的第一支舞當然是屬於雲揚的，就這樣，舞池裏旋轉出無數的洄漩。樂聲悠揚，燭光搖曳，人影婆娑，無數的旋轉，轉出了無數個春天。那坐在一邊觀看的梁逸舟夫婦，不禁相視而笑了。

蕭雅棠的舞跳得十分好，她的身子輕盈，腰肢細軟，每一次旋轉，她那短短的綠裙子就飛舞了起來，成爲一個圓形，像一片綠色的荷葉，她的人，唇紅齒白，雙頰明艷，恰像被荷葉托着的一朵紅蓮。一舞即終，許多人都對着她鼓起掌來，立即，她成爲許多男士包圍的中心，一連幾支曲子，她都舞個不停。

堯康看着心虹，說：

『那個綠衣服的女孩子今天大出風頭了！』

『美嗎？』心虹問。

『是的。』他用一種藝術家審美的眼光看着蕭雅棠：『艷而不俗，是很難得的！她有藝術設計的才幹，那件綠衣服還硬是要配上那副大金耳環，才彼此都顯出來了！配色是一項學問，妳知道。』

心虹微笑了，再對蕭雅棠看過去，蕭雅棠現在的舞伴是雲揚。堯康帶着心虹旋轉了一個圈圈，又說：

『她那個男朋友對她並不專心，這是今天晚上他們合跳的第一支舞。看樣子，那男孩子對妳妹妹的興趣還濃厚一些。』

『那男孩子叫盧雲揚，女的叫蕭雅棠，他們並不是你想像中的一對，雲揚另有心上人。雅棠呢？』心虹沉思了一下。『她有個很淒涼的故事，有機會的時候，我會說給你聽。』

『是嗎？』堯康的眼光閃了閃，又好奇的對雲揚和雅棠投去了好幾瞥的注視。

『我們舞過去，』心虹說：『讓我給你們介紹。』

他們舞近了雲揚和雅棠，心虹招呼着說：

『雲揚，給你們介紹，這是堯康，學藝術的，精通美術設計。這是雲揚，××公司工程師。蕭小姐，蕭雅棠。』心虹介紹着，然後又對雲揚說：『雲揚，我有事要找你談，我們換一換怎樣？』

雲揚鬆開了雅棠，心虹對堯康歉意似的笑笑，就把他留給雅棠，跟雲揚滑開了。舞向了一邊，他們輕鬆的談着，時時夾着輕笑，然後他們又愼重的討論起什麼事情來。在一邊默默觀看的梁逸舟，不禁對吟芳說：

『看到嗎？妳猜怎麼？這舞會早就該擧行了！我想，我們担心的許多問題，都已經結束了！』

『但願如此！』吟芳說，深思的看着心虹和雲揚。

隨着時間的消逝，舞會的情緒是越來越激烈，越來越高昂了，他們取消了慢的舞步，換上了清一色的靈魂舞的唱片，樂聲激烈，那擂動的鼓聲震動了空氣，也震動了人心，大家是更高興了。心虹一向喜靜而不喜動，今晚竟反常的分享了大家的喜悅。她又笑又舞，胸前的星星隨着舞動而閃爍。她輕盈的周旋於人羣中，像一片飄動的雲彩，又像一顆在暗夜裏閃爍的星辰。心霞呢？穿着件粉紅色鑲白邊的洋裝，一片青春的氣息，活潑，快樂，神采飛揚。笑得喜悅，舞得瘋狂。這姐妹二人似乎已取得某種默契，既然父母都煞費苦心的安排這次舞會，她們也就瘋狂的享受而且表現給父母看。整個晚上，這姐妹二人和蕭雅棠成爲了舞會的重心人物。三種不同的典型；心虹飄逸而高貴，心霞活躍而爽朗，雅棠燦爛而奪目。却正好如同鼎上的三足，支持了整個的舞會。男仕們呢？雲揚的表現好極了，他請每一位女仕跳舞，尤其是比較不受歡迎的那些小姐們，他照顧得特別周到，他的人又漂亮瀟灑，談笑風生。再加上有禮謙和，舞步又跳得嫻熟優雅。相形之下，別的男客們未免黯然失色了。

堯康並不是一個很好的社交場合中的人物，他過份的恂恂儒雅，文質彬彬，又有點藝術家的滿不在乎的勁兒。他的舞步並不熟，但他對音樂太熟悉了，節拍踩得很穩，所以每種舞的味道都跳得很足。不過，他始終不太受大家的注意，直到休息的時間中，他應部份熟悉的客人的堅決邀請，演奏了一闋小提琴。他拉了一支貝多芬的『羅曼史』，又奏了一曲『春之頌』。由於掌聲雷動，盛情難却，他再奏了『菰梃花』和『深深河流』。大家更熱烈了，更不放過他了，年輕人是喜歡起鬨的，包圍着他堅邀不止。於是，他拍了拍手，高聲的說：

『你們誰知道我們的主人之一，梁心虹是個很好的聲樂家？歡迎她唱一支歌如何？』

大家又叫又鬧，推着心虹向前。心虹確實學過兩年聲樂，有着一副極富磁性的歌喉。她並沒有忸怩，就走上前去。拉住堯康，她不放他走，盈盈而立，她含笑說：

『我唱一支歌，歌名叫作「星河」，就是這位堯康先生作的曲，一位名作家寫的歌詞。現在，我必須請堯康用小提琴給我伴奏。』

大家瘋狂鼓掌。堯康有些意外，他看了心虹一眼，心虹的眼睛閃亮着，和她胸前的星光相映。他不再說什麼了，拿起小提琴，他奏了一段前奏。然後，心虹用她那軟軟的、纏綿的、磁性的聲音，清晰的唱了起來：

『在世界的一個角落，
我們曾並肩看過星河，
山風在我們身邊穿過，
草叢裏流螢來往如梭，
我們靜靜佇立，
高興着有你有我。
穹蒼裏有星雲數朵，
夜露在暗夜裏閃閃爍爍，

星河裏波深浪闊，
何處有鵲橋一座？
我們靜靜佇立，
慶幸着未隔星河。

曉霧在天邊慢慢飄浮，
晨鐘將夜色輕輕敲破，
遠處的山月模糊，
近處的樹影婆娑，
我們靜靜佇立，
看星河在黎明中隱沒。』

歌曲作得十分優雅清新，心虹又貫注了無數的眞摯的感情，唱起來竟盪氣迴腸。好一會兒，室內的人好靜，接着，才爆發的叫起好來，大家簇擁着心虹，要求她再唱。心虹在人羣裏鑽着，急於想逃出去，因爲她忽然熱淚盈眶了。心霞對雲揚使了個眼色，於是，一張阿哥哥的唱片突然響了起來，心霞和雲揚首先滑入舞池，熱烈的對舞。大家的注意力被轉移了，又都紛紛跳起舞來，一面跳，一面輕喊，鼓聲、琴聲、喇叭聲、人聲、笑聲，和那舞動時的快節拍的動作，把整個的空氣都弄熱了。

夜漸漸的深了，蠟燭越燒越短，許多人倦了，許多人走了，還有許多人隱沒在花園的樹叢中了。

賓客漸漸的告辭，梁逸舟夫婦接受着客人們的道謝，這一晚，他們是相當累了。他們雖也跳過幾支舞，但是，夾在一羣年輕人中，總有些格格不入。所以大部份的時間，他們只是忙着調製飲料，準備點心，或和一些沒跳舞的客人們聊天。現在，當客人逐漸散去，他們忽然發現心虹和堯康一起失蹤了。

『他們兩個呢？那兒去了？這麼晚！』梁逸舟問。

『可能去捉螢火蟲去了！』心霞笑嘻嘻的說。

『捉螢火蟲？』梁逸舟愕然的說，瞪着心霞，再看了吟芳一眼，他忽然若有所悟的高興了起來。『啊啊，捉螢火蟲！這附近的螢火蟲多得很，讓他們慢慢的捉吧！』他笑得爽朗，笑得得意。

心霞也暗暗的笑了。只有吟芳沒有笑，用擔憂的眼光，她注視着窗外迷茫的夜色。

心虹和堯康在那裏呢？眞在捉螢火蟲嗎？讓我們走出霜園，到農莊裏去看看吧！

這晚，對狄君璞而言，眞是一個漫長而難挨的晚上。吃過晚飯沒有多久，他就在室內有些待不下去，走出農莊，他在廣場上看不着霜園，走到農莊後面，他不知不覺的來到那楓林裏。憑欄而立，他極目望去，霜園中那些紅紅綠綠的小燈閃爍着，透過樹叢，在夜色裏依然淸晰，依然引人注意，像一把撒在夜空裏的星光。

距離太遠，他聽不到音樂，但是，他可以想像那音樂聲，旖旋的、纏綿的、瘋狂的、振奮的。那些男女孩子們耳鬢廝磨，相擁而舞，其中，也包括他的心虹。在這一刻，心虹正在誰的懷抱中呢？那個小提琴手嗎？或是其他的男人？

整晚，他心情不定，在農莊內外出出入入。當夜深的時候，他就乾脆停在欄杆前面，不再移動了。燃上了一支煙，他固執的望着那些小燈，決心等着它熄滅以後再回房間，他必須知道心虹不在別人懷抱裏，他才能夠安睡。傻氣嚒！幼稚嚒？他這時才瞭解，愛情裏多少是帶着點傻氣與幼稚的，它就會促使你做出許多莫名其妙而不理性的行爲。

一支煙吸完了，他再燃上了一支，第三支，第四支……那些小燈閃爍如故。抬頭向天，月明星稀，今晚看不到星河。是因爲身邊沒有她嚒？還是他們把星河裏的星星偷去掛在樹上了？他越來越煩躁不安，抛去手裏的煙蒂，他再燃上了一支，那煙蒂帶着那一點火光，越過黑暗的空中，墜落到懸崖下面去了，像那晚從星河中墜落的流星。他深吸了口氣，心虹心虹，妳可玩得高興嗎？心虹心虹，妳可知道在這漫長的深夜裏，有人『爲誰風露立中宵』？

像是回答他心中的問題，他身後忽然響起了一個幽幽柔柔的聲音，輕輕的說：

『你可需要一個人陪伴你看星河嚒？』

怎樣可愛的幻覺？他搖了搖頭。人類的精神作用多麼奇妙呀！他幾乎要相信那是心虹來了呢！

『在世界的一個角落，我們曾並肩看過星河，』那聲音又響了，這次却彷彿就在他的耳邊：

『那星河何嘗美麗？除非有你有我！』

這不正是他的心聲嚒？不正是他想說的話嚒？心虹！他驟然回頭，首先接觸的，就是心虹那對閃爍如星的眸子，然後，是那盈盈含笑的臉龐，那襲黑色的晚禮服，那顆胸前的明星！心虹！這是眞的心虹！他一把握住了她的手腕，驚喜交集，恍惚如夢，不禁吶吶的，語無倫次了：

『怎麼，心虹，是妳嗎？眞是妳嗎？妳來了嗎？妳在這兒嗎？』

『是的，是我。』她微笑着，那笑容裏有整個的世界。『我費了很大的勁，使爸媽不懷疑我，我才能溜出來。如果今晚不見你一面，我會失眠到天亮。現在，離開這欄杆吧，這欄杆讓我發抖。來，我介紹一個朋友給你，堯康。』

他這才看見，在楓林內，一個瘦高條的男孩子，正笑吟吟的靠在一棵楓樹上，望着他們。他立即大踏步的走過去，對這男孩子伸出手來，堯康重重的握住了他的手，眼睛發着光，一腔熱情的說：

『喬風，我知道你！我喜歡你的東西，有風格，有份量！另外，我已知道你和心虹的故事，這幾天，她跟我從頭到尾的談你，我幾乎連你一分鐘呼吸多少下都知道了！所以，請接受我的祝福。並且，我必須告訴你，我站在你們這一邊，有差遣時，別忘了我！』

這個年輕人！這番友情如此熱烘烘的對他撲來，他簡直不知道該說些什麼好了。只能緊握着那隻手，重重的搖撼着。然後，他把手按在堯康的肩上，他說：

『我們去書房裏，可以煮一壺好咖啡，作一番竟夜之談。』

『我一夜不回去，爸會殺了我，』心虹說，笑望着堯康：『那你也該糟了，爸一定強迫把我嫁給你！』

『那我也該糟了！』狄君璞說。

大家都笑了。狄君璞又說：

『無論如何，總要進來坐坐。』

他們向屋裏走去，心虹說：

『我們剛剛來，想給你一個意外，到了這兒，大門開着，書房和客廳裏都沒人，我知道你不會這麼早睡，繞到外面，果然看到你在楓林裏，我們偷偷溜過去，有沒有嚇你一跳？』

『我以爲是什麼妖魔幻化成妳的模樣來蠱惑我。』

『你焉知道我現在就不是妖魔呢？』

狄君璞審視着她。

『眞的，有點兒妖氣呢！』他說。

大家又笑了。

走進了書房，燒了一壺咖啡。咖啡香縈繞在室內，燈光柔和的照射着。窗外是迷迷濛濛的夜霧，窗內是熱熱烘烘的友情。好一個美麗的夜！

25

這天，狄君璞第一次帶心虹去看盧老太太，同行的還有堯康。

堯康對於這整個的故事，始終帶着股強烈的好奇。他獲得這個故事，一半是從狄君璞那兒，一半是從心虹那兒。這故事使他發生了那麼大的興趣，他竟渴望於參與這故事後半段的發展了。

這是星期天，他們料想雲揚也會在家，說不定心霞也在，因爲心虹說，心霞一大早就出去了。走近了那簡陋的農舍，心虹忽然有些瑟縮，那晚在霧谷中捉住她又撕又咬的瘋婦，又出現在她眼前，她的脚步不由自主的滯重了，而且微微的打了個寒顫，這一切沒有逃過狄君璞的注意，他站住了，說：

『怎麼了？』

『你眞認爲我可以去見盧老太太嗎？』心虹不安而憂愁的問：『會不會反而刺激她，等會兒她又捉住我，說我是兇手。會嗎？』

『以我的觀察，是不會的。』狄君璞說：『她自從上次在霧谷發過一次瘋之後，一直都沒有再發作過，雲揚告訴我，醫生說她在逐漸平靜下去。我幾次來，和她談話，她給我的印象，都是個又慈祥又可憐的老太太。在她的潛意識中，始終拒絕承認雲飛已經死了。所以，我們見到她，千萬順着她去講，就不會有問題了。但是，』他憐惜而深情的看着心虹。『假若妳眞怕去見她，我們就不要去吧！怎樣？』

『哦，不不！我要去！』心虹振作了一下，對狄君璞勇敢的笑了笑。『我應該去，不是嗎？如果不是爲了我，她不會失去她的兒子，也不會發瘋。雖然那是個意外，我却也有相當的責任。我應該去看她，只要不刺激她，我願意天天來陪伴她，照顧她。』

『眞希望，妳這一片好心，會獲得一個好的結果。』狄君璞自言自語似的喃喃說。

堯康看了看心虹，深思的邁着步子，他知道狄君璞這句話，並不是指盧老太太的友誼而言，而是指雲飛的死亡之謎而言。他再看看心虹，他在那張溫柔而細緻的臉龐上，找不着絲毫『兇手』的痕迹，她自己似乎一分一毫也沒有想到，她有謀害雲飛的嫌疑。

他們來到了那農舍前的晒穀場上。心虹望着四周，身子微微發顫，她的臉色蒼白而緊張。

『我還記得這兒，』她低聲說：『以前的一切，像一個夢一樣。』

『妳要進去嗎？』狄君璞再一次問。『如果不要，我們還來得及離開。』

『我要進去！』她說，有一股勇敢的、堅定的倔强，這使狄君璞爲之心折。在他想像中，遭過霧谷事件之後，她一定沒有勇氣再見盧老太太的。

伸手打了門。心虹緊偎着狄君璞，他可以感到她身子的微顫。門開了，出乎意料之外的，開門的既不是雲揚，也不是心霞，而是抱着孩子的蕭雅棠。

『怎麼，妳在這兒？』狄君璞愕然的問。

蕭雅棠望着他們，同樣的驚奇。看到堯康，她怔了怔，這個和她共舞多次的瘦長青年，怎會料到她是個年輕的母親，有一段不堪回首的過去呢？她的臉紅了紅，頓時有點兒尷尬和不安。她不知道，堯康早就對她的故事瞭如指掌，對她和她的孩子，他十分好奇，却決無輕視之心。她回過神來，把門開大了，她匆促的說：

『雲揚和心霞約好去台北，早上雲揚來找我，因爲盧伯母又有點不安靜，他怕萬一有什麼事，阿英對付不了，要我來幫一下忙。』

『怎麼！』狄君璞有點兒吃驚。『盧老太太發病了嗎？』他們怎麼選的日子如此不巧！

『不不，不是的。』蕭雅棠急忙說：『只是有點不安靜，到東到西的要找雲飛，一直鬧着要出去。你們進來吧，或者，給你們一打岔，她就忘了也說不定。』

『妳認爲，心虹進去沒關係嗎？』狄君璞問，他是怎樣也不願冒心虹受刺激或傷害的危險。

『我認爲一點關係也沒有。』

狄君璞看看她懷裏的孩子。低低的問：

『妳告訴那老太太，這是她的孫兒了？』

『不，我沒有。』蕭雅棠的臉又紅了一陣。『她以爲我跟別人結婚了，這是別人的孩子，她說這樣也好，說雲飛見一個愛一個，嫁給他也不會幸福。』

『那麼，她的神志還很清楚嘛！』狄君璞說。

蕭雅棠搖搖頭。

『我也不知道她是怎麼回事，有時她說的話好像很有理性，有時又糊塗得厲害。她一直望着這孩子發呆，那眼光好奇怪。她又常常會忘記，總是問我這孩子是從哪兒來的？你們來得正好，跟她談談，看看她會不會好一點。』

他們走了進去，心虹仍然緊偎着狄君璞，又瑟縮，又緊張。蕭雅棠轉過身子，想到裏面去找盧老太太，可是，就在這時，盧老太太走出來了。她穿着一身藍布的衫褲，外面套着件黑毛衣，花白的頭髮在腦後挽着髻。她的面色十分枯黃，眼睛也顯得呆滯，但是，幸好却很整潔，也無敵意。一下子看到這麼多人，她似乎非常吃驚，她回過頭去望着雅棠，吶吶的、畏怯的說：

『雅棠，他們……他們要做什麼？』

『伯母，那是心虹呀！』雅棠說：『妳忘了嗎？』

心虹立即走上前去，一眼看到盧老太太，她就忘了自己對她的恐懼，只覺得滿懷的歉意與內疚了。這老太太那樣枯瘦，那樣柔弱，又那樣孤獨無依，帶着那樣怯生生的表情望着他們，誰能畏懼這樣一個可憐的老婦人呢？她跨上前去，一把握住盧老太太的手，熱烈的望着她，竟不能遏止自己的眼淚，她的眼眶潮濕了。

『伯母，』她哽塞的喊：『我是心虹呀。』

盧老太太瞪視着她，一時間，似乎非常昏亂。可是，立即，她就高興了起來，咧開嘴，她露出一排已不整齊的牙齒，像個孩子般的笑了。

『心虹，好孩子，』她說，搖撼着她的手。『妳和雲飛一起回來的嗎？雲飛呢？』她滿屋子找尋，笑容消失了，她惶惶然如喪家之犬，在屋子裏兜着圈子。『雲飛呢？雲飛呢？』她再望着心虹，疑惑的。『妳沒有和雲飛一起回來嗎？雲飛呢？』

心虹痛苦的望着她，十分瑟縮，也十分惶恐，她不知該怎麼辦了。雅棠跨上了一步，很快的說：

『伯母，妳怎麼了？心虹早就沒有和雲飛在一起了，她也不知道雲飛在什麼地方。』

雅棠這一步棋是非常有效的。在老太太的心目中，雲飛沒有死是眞的，雲飛不正經也是眞的。她馬上放棄了找尋，呆呆的看着心虹。

『呵呵，妳也沒見着雲飛嗎？』她口齒不清的說：『他又不知道跑到什麼鬼地方去了！呵呵，這個傻孩子，這個讓人操心的孩子呵！』她忽然振作了一下，竟對心虹微笑起來，用一種歉意的、討好似的聲調說：『別生氣呵，心虹。妳知道男人都是不正經的，等他回來，我一定好好的罵他呵！』

心虹那纖弱的神經，再也受不了盧老太太這份歉意與溫存，眼淚奪眶而出，她轉開了頭，悄悄的拭淚。

『噢噢，心虹，別哭呵！』老太太曲解了這眼淚的意義，她是更加溫柔更加抱歉了。『別哭呵！乖兒！』她擁着心虹，用手拍撫着她的背脊，不住口的安慰着。『妳不跟他計較呵！我會好好罵他呵！乖兒，別傷心呵！別哭呵！我一定罵他呵！』

狄君璞望着這一切，這是奇異的，令人感傷而痛苦的。他眞不敢相信，這個老婦就是那晚在霧谷如兇神惡煞般的瘋子，現在，她是多麼慈祥與親切！人的精神領域，是多麼複雜而難解呵！

堯康走到狄君璞身邊，低聲的說：

『你認爲帶心虹來是對的嗎？』

『是的。怎樣？』

『你不覺得這會使心虹太難受了？』

『或者。但是，如果心虹能爲她做點什麼，會使心虹卸下很多心理上的負荷。而且，我希望她們之間能重建友誼，那麼，對心虹來說，會減少一個危險，否則，那老太太一發病，隨時會威脅到心虹。』

『我看，』堯康深思的看着那老太太。『我們能爲那老太太做的事都太少了，除非讓雲飛復活，而這是不可能的事。現在，從她的眼神看，她根本就是瘋狂的，我只怕，她的友誼並不可靠。』

狄君璞楞住了，堯康的分析，的確也有道理。他望着那擁抱着的一對，本能的向前邁了一步，似乎想把心虹從盧老太太的掌握中奪下來。就在這時，雅棠懷抱中的孩子忽然哭了起來，這立即就吸引了盧老太太的注意，她放開了心虹，迅速的回頭，望着雅棠說：

『誰在哭？誰在哭？』

『是寶寶，』雅棠說：『他尿濕了。』抽掉了濕的尿布，她說：『我去拿條乾淨的來。』望着裏面的屋子，她一時決定不下來把孩子交給誰。堯康伸出手去說：

『我抱抱，怎樣？』

雅棠的臉又一紅，不知怎麼，她今天特別喜歡紅臉，默默的看了堯康一眼，她就把孩子交給了他。堯康抱着孩子，望着雅棠的背影，心裏却陡然的浮起了一種又蒼涼又酸楚的情緒。這些人，老的、小的、年輕的，他們在製造些什麼故事呵！

雅棠拿着尿布回來了，她身後跟着一個壯健的女僕，捧着茶盤和茶，想必這就是阿英。狄君璞料想，這阿英與其說是女僕，不如說是老太太的監視者更恰當。放下了茶，阿英進去了。雅棠接過孩子，把他平放在桌上，繫好尿布。孩子大睜着一對骨溜溜的大圓眼睛，舞着拳頭，嘴裏咿咿唔唔的說個不停，老太太走了過來，用一種奇異的眼光望着那孩子，楞楞的說：

『這……這……這是誰家的孩子？』

『我的。伯母，我已經告訴過妳了。』

『妳的？』她的眼神更奇怪了，好像根本不瞭解似的。然後，她怯怯的對那嬰兒伸出手去，祈求的、懇切的說：『我能抱他嗎？』是祖孫間那種本能的感情嚒？是屬於血緣的相互吸引嚒？孩子也對老太太伸出手去，嘻笑着、興奮着。雅棠是感動了，她小心地把孩子放進老太太的手中，一邊謹慎地注意着她，生怕她一時糊塗起來，把孩子給摔壞了。

老太太一旦抱住了那孩子，她好像就把周遭所有的東西都忘記了，她臉上流露出那樣强烈的喜悅來，癡呆的眼睛竟放出了異采。退到牆邊的一張椅子邊，她坐了下來，緊緊的摟着那孩子。大家都不由自主的跟了過去，防備的看着她，尤其雅棠，她是非常的緊張和不安了。

孩子躺在老太太懷中，不住的用他那肥胖的小手，撲打着老太太的面頰。老太太低俯着頭，定定的凝視着他，像凝視一件稀世的瓌寶。然後，她忽然抱緊了那孩子，搖撼着，拍撫着，嘴裏喃喃的叫喚着：

『雲飛，我的乖兒！雲飛，我的乖寶！雲飛，我的小命根兒呵！』

大家面面相覷，這一個變化是誰也沒有意料到的。心虹那剛剛收斂住的眼淚又滾落了出來，狄君璞緊緊的攬住了她的肩，安慰的在她肩上緊握了一下。她在狄君璞的耳邊輕聲說：

『難怪她會有這種幻覺，孩子長得實在像雲飛。』

老太太搖着、晃着，嘴裏不停的呢喃着：

『乖寶，長大了要做個大人物呵！雲飛，要愛你的媽呵！我的寶貝兒！我知道你是好孩子，世界上最好的孩子！又漂亮，又聰明，又能幹！我的寶貝兒！誰說你不學好呢？誰說的？你是世界上最好的孩子！你孝順你媽，你最孝順你媽，苦了一輩子把你帶大，你不會拋下你媽走掉的，是不？乖兒？你不會的！你不會就這樣走掉的！媽最疼你，最愛你，最寵你，你不會拋下你媽的！你不會呵！』她把孩子摟得更緊了。『我的乖兒呵！不要走，不要離開媽，我們過窮日子，但是在一塊兒！不要走！不要拋下你媽呵！乖兒！雲飛呵！』

她的思想顯然在二十幾年前和二十幾年後中跳越，聲聲呼喚，聲聲哀求，一個慈母最慘切的呼號呵！大家都被這場面所震懾住了，心虹把面頰埋在狄君璞肩上，不忍再看，雅棠的眼眶也濕潤了。雅棠的心緒也是相當複雜而酸楚的，這老婦所呼喚的，不單是她的兒子，也是雅棠孩子的父親呵！她吸了吸鼻子，一時心中分不出是苦是辣，是悲是愁，是恨是怨？那男人，那墜落於深谷的男人，是『一失足成千古恨』，而遺留下的這個攤子，如何收拾？她再吸了吸鼻子，沒有帶手帕，她用手背拭拭眼睛。身邊有人碰碰她，遞來一條乾淨的大手帕，她回過頭，是堯康！他正用一種深思的、研究的，而又同情的眼光望着她。

『人總有一死的，只是早晚而已。』他安慰的說。

『不！』她很快的回答，挺直了背脊。『我不爲那男人流淚，他罪有應得！我哭的是，那失子的寡母，和那無父的孤兒！』她忽然覺得自己說得冒失，就又頹喪的垂下頭去。『啊，』她低語：『你並不知道是怎麼回事。』

『我知道，』他說：『我已經都知道了。』

她望着他，默然片刻。

『是嗎？』她輕問，就又掉轉頭去看着孩子了。

老太太已經停止了她的呢喃低訴，只是做夢般的搖晃着孩子，眼珠定定的，一轉也不轉。眼光超越了面前的人羣，不知落在一個什麼地方，她的意識顯然是迷糊而朦朧的。並且，逐漸的，她忘記了懷裏的孩子，在片刻呆滯之後，她陡的一驚，像從一個夢中醒來，她驚訝的望着懷裏的孩子，愕然的說：

『這……這是誰的小孩兒？』

『我的。』雅棠說，乘此機會，走上前去，把孩子給抱了過來，她已經提心吊膽了好半天了。

『啊啊，妳的！』老太太說，又突然發現眼前的人羣了。『怎麼，雅棠，妳帶了好多客人來了，阿英哪，倒茶呀！』

『已經倒過了，伯母。』雅棠說。

『啊啊，已經倒過了！』老太太說，顫巍巍的從椅子裏站起來，又猛的看到了心虹，她怔了怔，立即臉上堆滿了笑，對心虹說：『心虹，妳來了！』她把剛剛和心虹見面的那一幕早就忘得乾乾淨淨了。走上前去，她親親熱熱的拉住心虹的手，親暱而又討好似的說：『雲飛不在家，他出去了，去……』她晦澀的笑着，彷彿想掩飾什麼。『他去上班了，上班……啊啊，可能是加班。要不然，就是有特別的應酬，男人家在外面工作，我們不好太管束他們，是不是？來來，妳坐坐，等他一會兒。』

這對心虹眞是件痛苦的事情。狄君璞眞有些懊悔把她帶到這兒來了，像堯康說的，他們能爲這老太太做的事情已經太少了。她已經瘋成這樣子，除非有奇蹟出現，她是不大可能恢復正常了，他又何必把心虹帶來呢？或者，在他的潛意識中，還希望由於她們的會面，而能喚回心虹那最後的記憶？

一小時後，他們離開了盧家。他們離去的時候，老太太已經很安靜了，又幾乎像個正常人一般了，只是殷殷垂注着雲飛的去向，因爲她的樣子不至於再發病，雅棠交代阿英好好伺候，就也跟着他們一起出來了。走出盧家那窄小的農舍，大家都不由自主的長長的吐出一口氣來。

『如果我是雲揚，』堯康說：『我乾脆讓她在精神病院中好好治療。』

『她已經失去一個兒子，她無法再離開雲揚了。』雅棠說：『而且，精神病院對雲揚是個大的負擔，雲揚的負擔已經太重了。』

『據我所知，梁家願意拿出一筆錢來，給老太太治病。』狄君璞說。

『你認爲在精神病院中就治得好她嗎？』雅棠淒涼的笑了笑，問。

狄君璞默然了。這又是堯康說的那句話：人力對她已無幫助了！他望着脚下的土地，沉思不語，一時間，他想得很深很遠，想人生，想人類，想亙古以來，演變不完的人類的故事，他嘆息了。

『我想，』沉默已久的心虹忽然開口了。『我眞是罪孽深重！』

狄君璞一驚，急忙抬頭看着心虹，他把她拉到身邊來，用手攬住了她的肩，他深沉而嚴肅的說：

『記住！心虹，再也不要爲那件事責怪妳自己，妳聽到剛剛那老太太的自言自語嗎？她一再叫雲飛不要拋下她，這證明雲飛在活着的時候，就想拋下她了。如果雲飛不死，我想，他可能也拋下了他母親，那麼，那老太太未嘗會不瘋！』他忽然停住了，吃驚的喊：『心虹！妳怎麼了？不舒服嗎？』

心虹站住了，眼神奇異，神思恍惚，呼吸急促而不穩定。狄君璞已經很久沒有看到她這種樣子了，她似乎又掉入那記憶的深井中了。

『心虹！心虹！心虹！』他連聲喊着。

『哦！』心虹透出一口氣來，又回復了自然，對狄君璞勉强的笑了笑，她說：『我沒有什麼，眞的，只是，剛剛忽然有一陣，我以爲……』

『以爲什麼？』

『以爲我想起了一些東西，關於那天晚上的。但是，就像電光一閃般，我又失去了線索。』

狄君璞憐惜的望着她：

『別勉强妳去回憶，心虹。放開這件事情吧！讓我們輕鬆一下。大家都到農莊去好嗎？雅棠，我女兒看到寶寶，一定要樂壞了。』

雅棠微笑着，沒有反對。於是，他們都向農莊走去了。

26

自從上次開過一次成功的舞會以後，霜園是經常舉行舞會了，梁逸舟沾沾自喜於計策的收效，渾然不知孩子們已另有一番天地，這舞會反而成爲他們敷衍父母的煙幕彈了。在舞會中，他們都表現得又幸福又開心，而另一方面呢，一個眞正充滿了幸福和喜悅的聚會也經常舉行着。

春天是來了，楓樹的紅葉已被綠色所取代，但是，滿山的野杜鵑都盛開了，却比楓樹紅得還燦爛。農莊上那些栅欄邊的紫藤，正以驚人的速度向上延升，雖然現在還沒有成爲一堵堵的花牆，却已成爲一堵堵的綠牆。堯康總說，這種把栅欄變爲花牆的匠心，是屬於藝術家的。因爲只有藝術家，才能化腐朽爲神奇！

堯康已成爲農莊的常客，每個週末和星期天，他幾乎都在農莊中度過。他和狄君璞談小說，談人生，談藝術，幾乎無話不談。在沒有談料的時候，他們就默對着抽煙凝思，或者，帶着小蕾在山野中散步。堯康不止成爲狄君璞的好友，也成爲小蕾的好友，他寵愛她，由衷的喜歡她，給她取了一個外號，叫她小公主。

這天早上，堯康就坐在農莊的廣場上，太陽很好，暖洋洋的。狄君璞搬了幾張椅子放在廣場上，和堯康坐在那兒晒太陽，小蕾在一邊嬉戲着。

『昨晚我去看了雅棠，』堯康說：『我建議她搬一個像樣一點的家，但她堅持不肯。』

『坦白說，你是不是很喜歡她？』狄君璞問。

『很喜歡，』堯康笑笑，『但是不是你們希望的那種感情。』

『我們希望？我們希望的是什麼？』

『別裝傻，喬風。』堯康微笑着。『誰不知道，你一個，心虹一個，還有心霞和雲揚，都在竭力撮合我和雅棠。我又不是傻瓜，怎會看不出來？』

狄君璞失笑了。

『那麼，阻礙着你的是什麼？』他問：『那個孩子？還是那段過去？』

堯康皺皺眉，一臉的困惑。

『老實說，我也不知道是什麼。我並不在乎那孩子，而且我還很喜歡那孩子，我也不在乎那段過去，誰沒有「過去」呢？誰沒有錯失呢？都不是。只是，我覺得，如果我追求她，好像是撿便宜似的。』

『怎麼講？』

『她孤獨，她無助，她需要同情，我就乘虛而入。』

『那麼，你是怕她不夠愛你？』

『也怕我不夠愛她。我對她決沒有像你對心虹的那種感情。』

『我懂了。』狄君璞點了點頭。『你曾經對別的女孩子有過這種感情嗎？』

『糟的是，從沒有。讀書的時候，我也追求過幾個出風頭的女孩子，但都只是起鬨而已，不是愛情。我常想我這人很糟糕，我好像根本就不會戀愛。』

『時機未到而已。』狄君璞笑笑說。

『那麼你說我總有一天還是會戀愛！』

『是的，可能不是和雅棠，可能不是最近，但是總有一天，你會碰到某一個人，你會戀愛，你會發生一種心靈震動的感情。人，一生總要眞正的愛一次，否則就白活了。』

『你是個作家，喬風，』堯康盯着他：『以你的眼光看，人一生只會眞正的戀愛一次嗎？』

『在我十八歲的時候，我認爲人只能愛一次，但是，現在，我不這樣說了。』

『爲什麼？』

『人是種奇異的動物。』狄君璞深思着。『人生又多的是奇異的遇合，在這世界上，我們所不懂的東西還太多了，包括人類的感情和精神在內，對我們的未來，誰都無法下斷語。但是，我認爲，在你愛的時候，你應該眞正的去愛，負責任的去愛。』

『我懂了，』他說：『最起碼，在愛的當時，你會認爲這是唯一的一份。』

『是的。』

『而說不定，這個愛情也只是曇花一現？像你對美茹，像心虹和雅棠對雲飛！』

『別這樣說，這樣就太殘忍了！只是，人是悲哀的，因爲他無法預測未來！而又無法深入認識對方。』

『那麼，你認爲你深入的認識了心虹嗎？』

『是的。』

『那麼，你認爲雲飛是被她推下懸崖的嗎？』

『不是。』

『你怎能那樣確定？誰能知道人在盛怒中會做些什麼？你怎敢說百分之百不是她？』

『我懷疑過，但我現在敢說百分之百不是她！』

『爲什麼？憑你對她的「認識」嗎？』

『是的，還有我的直覺！』

『假若有一天，你發現是她做的，你會失望嗎？』

『不是她做的！』

『假若是呢？』

『不可能有這種「假若」！』

『你是多麼無理的堅持呵！』堯康叫着：『你只是不願往這條路上去想而已，所以，你也放棄了對心虹記憶的探求，因爲你怕了！對嗎？』

狄君璞愕然了。

『我說中要害了，是不是?』堯康的眼鏡片在太陽光下閃爍:『你怕她確實殺害了雲飛!是不?你不願想，是不?你也和一切常人一樣，寧願欺騙自己，也不願相信眞實!』

『那不是她幹的。』狄君璞靜靜的說了。『我仍然深信這一點!』

『假若是呢?』

『除非是出於自衞!否則沒有這種「假若」的可能!』

『喬風，』堯康嘆了口氣:『我想，你眞是如瘋如狂的愛着她的!連她的父母，恐怕也沒有你這麼强的信心!那麼，你爲什麼放棄了探索眞相呢?』

『我沒有放棄，我從沒有放棄!但這事强求不來，我只能等待一個自然的時機，我相信揭露眞相的一天已經不遠了!』

『你怕那一天嗎?』

『爲什麼要怕呢?我期待那一天。』

『你眞自信呵!』堯康凝視着他。

『那麼，你呢?你相信是她推落了雲飛?』

堯康默然片刻，然後，他輕輕的說:

『事實上，你也知道的，每個人都相信是她在盛怒下做的。不止我，連她父母、老高夫婦、心霞、雲揚，和雅棠。只是，大家都原諒她，同情她而已。』

狄君璞望着前面的山谷，喃喃的說：

『可憐的心虹，她生活在怎樣的沉寃中呵！我眞希望有個大力量，把這個謎一下子給解開！』

堯康站了起來，在廣場上踱着步子，不安的聳了聳肩，說：

『都是我不好，引起這樣一個討厭的題目！拋開這問題吧，我們別談了！』他忽然站住了，大發現似的叫着說：『嗨，喬風，你看誰來了！』

狄君璞看過去，立即振奮了。在那小徑上，心虹姐妹二人正聯袂而來。心霞走在前面，蹦蹦跳跳的，手裏握着一大把野杜鵑。心虹走在後面，步履輕盈，衣袂飄然。他和堯康都不自禁的迎了過去，心霞看到他們就笑了，高興的嚷着說：

『今天是星期天，我們就猜到堯康在這兒，趕快，大家準備一下，我們一起找雅棠去！』

堯康回過頭，對狄君璞抬抬眉毛，低聲的說：

『瞧！熱心撮合的人又來了！』

狄君璞有些失笑。

心虹和心霞來到廣場上，心霞把一大把花交給小蕾，拍拍她的肩膀說：

『快！拿去給婆婆，弄個花瓶裝起來。』

小蕾熱心的接過來，跑進屋去了。心霞說：

『我們有個計畫，太陽很好，我們想買點兒野餐，約了雲揚和雅棠，一起去鎭外那個法明寺去玩玩，再去溪邊釣魚，你們的意見如何？』

法明寺在附近的一個山中，風景很好，山裏有一條小溪，出產一種不知名的小銀魚，鎭裏的人常常釣了來出售，用油煎了吃，味道極美。

『好呀！』堯康首先贊同：『晚上姑媽有東西加菜了！釣魚我是第一能手！』

『先別吹牛！我們比賽！』心霞說。『分三組，怎樣？心虹和狄君璞一組，我和雲揚一組……』

『我和雅棠一組，對嗎？』堯康笑嘻嘻的說：『好吧！比賽就比賽，輸了的下次請吃涮羊肉！』

『一言爲定嗎？』心霞叫着。

『當然一言爲定！』

小蕾又跑出來了，雀躍着跳前又跳後。

『你們要去玩嗎？你們不帶我嗎？』她焦灼的嚷着。

『當然要帶妳！』堯康把她一把舉了起來，別看他瘦，他的力氣倒不小。『如果我們的小公主不去，我也不去！』

小蕾是興奮得不知道該怎麼好了，又跳又叫的鬧着要馬上走。心虹到屋裏取來了小蕾的大衣，怕晚上回來的時候天涼。狄君璞跟姑媽交代了，於是，這一羣人來到了雅棠家裏。

雅棠十分意外，也被這羣熱烘烘的人所振奮了。抱着孩子，她又有些兒猶豫，她是怎樣也捨不得把孩子交給房東太太一整天的。堯康看出了她的心事，走上前去，他把孩子抱過來說：

『敎妳一個辦法，去準備一個籃子，放好一打尿片和三個乾淨奶瓶，再用個保溫瓶，沖好滿保溫瓶的奶，不就好了嗎？我們把孩子帶去，有這麼多人，妳還怕沒人幫妳照顧他？快！妳去準備去！我給妳抱着孩子！』

雅棠喜悅的笑了，看看心虹他們說：

『這樣行嗎？不會給你們增加麻煩？』

『怎麼會？』狄君璞說：『快吧，乘妳準備的時間，我去買野餐去！』他走下了樓。

片刻之後，這羣人就浩浩蕩蕩的到了雲揚家中，雲揚當然是開心萬分的同意了。盧老太太站在門口，目送他們離去，一再傻楞楞的問他們，雲飛怎麼沒有一起去？是不是又遊蕩在外面了？

離開了盧家，這一行人開始向目的地走去，這眞是奇妙的一羣，有男有女有孩子有嬰兒！一路上大家嘻嘻哈哈的談笑不停。小蕾和堯康在大唱着『踏雪尋梅』，堯康沉默起來像一塊鐵，開心起來就像個孩子。雲揚扛着三副釣魚竿，和心霞親親熱熱的走在一塊兒，一面走着，釣魚竿上的小鈴就叮叮噹噹的響，和小蕾歌聲中那句『鈴兒響叮噹』互相呼應，別有情趣。狄君璞和心虹走在最後面，是最安靜的一對，兩人依偎着，只是不住的相視而笑。

他們到了廟裏，和尚們看到來了這樣一大羣人，以爲來了什麼善男信女，侍候周到。大家也玩笑的求了籤，又在菩薩面前許願。廟裏供的是釋迦牟尼，狄君璞看着那佛像，忽然說：

『你們知道釋迦牟尼爲什麼額頭正中都有個圓包，右手都舉起來做出彈東西的樣子來？』

『這還有典故嗎？』堯康問。

『當然，有典故。』狄君璞一本正經的說：『當年，有一天，釋迦牟尼碰到了孔子，一個是佛家之祖，一個是儒家之主。兩個人忽然辯起論來，孔子說佛家不通，釋迦牟尼說儒家不通。兩人都帶了不少弟子。於是，他們就打起賭來，說只要對方能說出自己不通之處，就算賭贏了，贏家可以在輸家額上彈一下。由孔子首先發問，於是，孔子說，佛家連字都不會唸，爲什麼「南無阿彌陀佛」要唸成「哪嚒阿彌陀佛」？釋迦牟尼答不出來，孔子勝了第一回合，孔子身邊的子路，就得意洋洋的舉起他的巨靈之掌，在釋迦牟尼的額上彈了一下。子路身强力壯，力大無窮，這一彈之下，釋迦牟尼的額上立刻腫起一個包包。然後，該釋迦牟尼發問了，釋迦牟尼就說，儒家也不會唸字，爲什麼在感歎時，要把「於戲」二字唸成「嗚呼」？這一次孔子也被問倒了，吶吶的答不出來。釋迦牟尼就得意的舉起手來作彈狀，要彈孔子，誰知子路一看，情況不妙，背起孔子就逃走了。所以，至今，釋迦牟尼還帶着他額上的腫包，舉着手作彈狀，等着彈孔子呢！』

這原是個北方說相聲的人常說的笑話，但生長在南方的心虹心霞等人都從來沒有聽說過。一聽之下，不禁都大笑了起來。心虹拉着他說：

『快走吧！你在這兒胡說八道，當心把那些和尚給氣死！』

於是，他們來到了溪邊。

這條溪水相當寬闊，並不太深，可能是淡水河的一條小支流。淺的地方淸澈見底，可以涉水而過，深的地方也有激流和洄漩。河水中和兩岸旁，遍佈着巨型的岩石，石縫中，一蓬一蓬的長着蘆花。那銀白色的花穗迎風搖曳，在陽光下閃爍得像一條條銀羽。溪邊，也有好幾棵合抱的大榕樹，垂着長長的氣根，在微風中搖盪。

他們很快的分成三組，每組找到了自己的落脚之處，開始垂釣了。心虹和狄君璞帶着小蕾，坐在一塊大岩石上。小蕾並不安靜，脫掉了鞋襪，她不管春江水寒，不住的踩到水中去，而且跑來跑去的看三組的魚簍。只一會兒，她就有些厭倦了，因爲她發現大人們對於談話的興趣，都比釣魚更濃厚，於是，她離開了水邊，跑到草叢中去捉蚱蜢去了。心虹根本不敢弄肉蟲子，連看也不敢看，都是狄君璞在上餌，在拋竿，然後交給心虹拿着。心虹今天穿着一身米色的春裝，用條咖啡色的紗巾繫着長髮，別有種飄逸而瀟洒的味道，狄君璞注視着她，不禁悠然而神往了。

『天哪！』他喃喃的說：『妳眞美！』

心虹垂着睫毛，看着手裏的釣竿，唇邊有個好溫柔好溫柔的淺笑。

『你不注意浮標，儘看着我幹嘛？』

『妳比浮標好看。』狄君璞說，忽然握住了她的手。『心虹！』他低低的叫。

『嗯？』她輕輕的答。

『妳想，如果我最近去和妳父親談，會碰釘子嗎？』

『會。』

『那麼，我們要等到什麼時候？』他握緊她。『我一日比一日更强烈的想要妳，妳不知道這對我是怎樣的煎熬！心虹，我們可以不通過妳父親那一關嗎？』

『啊，不。』她瑟縮了一下。『我們不能。』她吸了口氣，眉端輕蹙。是那舊日的創痕在燒灼她嚒？她似乎怕透了提到『私奔』。『你放心，君璞，爸爸會屈服的。』

『我再找他談去！』狄君璞說。

她很快的抬頭看他。

『你用了一個「再」字，』她說：『這證明，你以前已經找他談過了！』

狄君璞默然。

『其實，你根本不用瞞我，』她瞅着他，眼光裏柔情脈脈。『這麼久以來，你不進霜園的大門，你以爲我不會懷疑嗎？上次要你去舞會，你說什麼也不去，我就知道另有原因，後來我盤問高媽，她已經都告訴我了。你早就來求過婚了，爸爸拒絕了你，而且說了很難聽的話，是嚒？是嚒？是嚒？』

狄君璞咬咬牙。

『他有他的看法，他認爲我不會給妳幸福。』

『他以爲他是上帝，知道幸福在何處。』心虹抑鬱而憤怒的，她的情緒消沉了下去。

『我一定要再和妳父親談談，不能這樣拖下去。』

她忽然揚起睫毛來，眼光閃亮。

『你不要去！』她說：『再等一段時間，他現在以爲堯康是我的男朋友，讓他先去誤解，然後，我和心霞會和他談，這將是個大炸彈，你看着吧，不止我的問題，還有心霞和雲揚的事。這枚炸彈可能把霜園炸得粉碎！……』她又微笑了起來，顯然不願讓壞心情來破壞這美好的氣氛。

『你在農莊注意一點，如果看到霜園失火的話，趕快趕來救火呵！』

『那才名副其實的火上加油呢！』狄君璞說。

他們笑了起來，同時，遠在另一塊岩石上的雲揚和心霞突然間大聲歡呼，大家都對他們看去，雲揚高舉着的釣竿上，一條小銀魚正活蹦活跳的掙扎着。雲揚在驕傲的大聲喊：

『首開紀錄！有誰也釣着了嗎？』

小蕾跑過來，拍着手歡呼。狄君璞對心虹說：

『我打賭我們竿子上的魚餌早被吃光了！拉起竿子來，重上一下餌吧！』

心虹拉竿，拉不動，她說：

『你來，鈎子勾着水草了！』

狄君璞接過竿子，一下子舉了起來，頓時間，兩人都呆住了！釣竿上本有三個魚鈎，現在，竟有兩個魚鈎上都有魚！一竿子兩條魚，又是這樣子得來毫不費功夫！他們先吃驚，接着就又喊又叫又跳又笑起來。心霞和雲揚也楞了，然後，心霞就大聲嚷：

『好了！都有魚了！堯康呢！那個釣魚王呢！』

是的，堯康呢？他正遠在一棵大榕樹下，魚竿的尖端靜靜的垂在水裏，另一端被一塊大石頭壓着，他和雅棠却都在榕樹下，照顧着孩子吃奶呢！他們把一塊大毛毯鋪在草地上，讓孩子躺在上面，雅棠扶着奶瓶，看着孩子吃奶，堯康則靜靜的望着她和孩子。她今天打扮得很素淨，淺藍色的毛衣，白色的短裙，和白色的髮帶。那樣年輕，那樣充滿了青春的氣息，那樣稚嫩，還像一朵含苞未放的花，却已是個年輕的母親了！看着她低俯着頭，照顧着嬰兒，襯着那白雲藍天，和那溪水岩石，是一幅極美的畫面。但是，這幅畫面裏，却不知怎麼，有那樣濃重的一股淒涼意味。他看着看着，心裏猛的怦然一動，想起心虹心霞對他的期盼與安排，想起早上和狄君璞的談話，想起自己的孤獨，想起雅棠的無依……在這一瞬間，有幾千幾百種思想從他心頭掠過。他竟突然問，毫不考慮的、衝口而出的說：

『雅棠，我們結婚好嚒？』

雅棠一楞，迅速的抬頭看他，她的眼睛是深湛而明亮的。好一會兒，她低低的說：

『你是開玩笑還是認眞的？』

『認眞的。』他說，自己也不瞭解自己，在這時，他竟生怕會遭遇到拒絕。

她又垂下了眼睛，看着孩子。把奶瓶從孩子嘴中輕輕取出，那孩子吃飽了，嘴仍然在蠕動着，却已經朦朧欲睡了。她拿了一條毯子，輕輕的蓋在孩子身上。再慢慢的抬起頭來看他，她眼裏竟蓄滿了淚。

『非常謝謝你向我求婚。』她說，聲音低而哽塞。『但是，我不能答應你。』

『爲什麼？』他問，竟迫切而熱烈的。『我會把妳的孩子當我自己的孩子，不會要妳和他分開的。』

『不，不，』她輕聲說：『不爲了這個。』

『那麼，爲什麼？難道妳還愛那個——盧雲飛？』他苦惱的從喉嚨裏逼出了那個名字，感到自己聲調裏充滿了醋意。

『不，不，你明知道不是。』她說，頭又垂下去了。

『那麼，爲什麼呢？』

『因爲……因爲……』她的聲音好輕好輕，俯着頭，她避免和他的眼光接觸，她的手無意識的撫弄着毛毯的角。『因爲你並不愛我，你只是可憐我，同情我。你在一時衝動下向我求婚，如果我答應了你，將來你會後悔，你會怪我，你會恨我！原諒我，我不能答應你。但是，我深深的感激你這一片好心。』

堯康凝視着那個低俯的、黑髮的頭。有好長一段時間，他說不出話來，只是默默的望着她，他對她幾個月來的認識，沒有在這一刹那間來得更清楚，更深刻。就在這段凝視中，一種奇異的、酸楚的、溫柔的，而又是甜蜜的情緒注入了他的血管裏，使他渾身都激動而發熱了。這就是早上他向狄君璞說他所缺少的東西，他再也料不到，它竟來臨得這樣快，這樣突然。

『但是，』他喉嚨喑啞的說：『回答我一個問題，妳有沒有一些愛我呢？』

她抬起睫毛，很快的看了他一眼，她的眼睛裏有一抹哀求而懇切的光芒。

『你知道的。』她低低的說。

『我不知道。』他屏着氣息。

『呵，堯康！』她把頭轉向一邊，雙頰緋紅了。『我還有資格愛嚒？』

『雅棠！』他低呼，抓住了她的雙手。『在我心目中，妳比任何女孩都更純潔，妳的心地比誰都善良，妳敢愛也敢恨。爲什麼妳要如此自卑呢？』

她默然不語。

『我再問一次，』他說，握緊她。『相信我不是同情，也不是憐憫，在今天以前，可能我對妳的感情裏混合着同情與憐憫，但現在，我是眞摯的，我愛妳，雅棠。』

她震動了一下。他接下去說：

『妳願意嫁我嗎？』

『或者，你並不眞正瞭解你自己的感情。』她低語。

『我瞭解！』

『我不知道，』她有些昏亂的說：『我不知道該怎樣回答你。堯康，我現在心亂得很，我想……我想……』

他緊握了她一下。

『不必馬上回答，我給妳兩星期思考的時間。兩星期之後，妳答覆我，好嗎？』

『假若……假若……』她囁嚅的說，眼裏淚光盈然。『假若……你眞是這樣迫切，這樣眞心，我又何必要等到兩星期以後呢？』

他震動了！心內立即湧上了一股那樣激烈的狂歡，他抓緊了她的手，想吻她，想擁抱她。但他什麼都沒做，只是癡癡的、深深的、切切的望着她。她也迎視着他，眼底一片光明。然後，小蕾發出了一聲大大的驚呼：

『哎呀！堯叔叔，你們的魚竿被水冲走了！』

他們慌忙看過去，那魚竿早已被激流冲得老遠老遠了。心霞在拊掌大笑，高叫着釣魚王呀釣魚王！狄君璞望望心虹，笑着說：

『我剛剛看到一個光着身子的小孩兒，把他們的竿子推到水裏去了。』

『光着身子的小孩兒？』心虹愕然的。

『是的，光着身子，長着一對翅膀，手裏拿着小弓小箭的小孩兒。』

心虹啞然失笑了。

陽光一片燦爛，溪流裏反射着萬道光華。春風，正喜悅的在大地上迴旋穿梭着。

27

但是，春日的藍天裏也會有陰雲飄過，也會響起春雷，也會落下驟雨，表面的寧靜，到底能夠維持多久？何況，他們的安靜，一向就沒有穩定的基礎，像孩子們在海灘上用沙堆積的堡壘，禁不起風雨，禁不起浪潮。該來的風暴是逃不掉的，那狂風驟雨終於是來臨了！

問題發生在堯康身上，這一向，堯康出入於梁家，經常把心虹姐妹帶出去，已給梁氏夫婦一個印象，以爲他不是在追求心虹，就是在追求心霞。但是，自從堯康和雅棠戀愛以後，他到梁家的次數越來越少，而心虹外出如故，梁逸舟開始覺得情況不妙了。他盤問老高和高媽，心虹每日的去向，老高夫婦二人守口如瓶，一問三不知，梁逸舟更加懷疑了。想到數月以來，開舞會，邀請年輕人，操心、勞碌、奔走、安排……可能完全白費，難道心虹竟利用堯康來做煙幕，那豈不太可惡了？心虹天眞幼稚，這主意準是狄君璞想出來的！梁逸舟恨之入骨，却又拿狄君璞無可奈何。而另一方面，心霞的改變也是顯著的，她常和姐姐一起出去，整天家中見不着兩個女兒的影子，難道心霞也在受狄君璞的影響？還是在和堯康約會？人，一旦對某件事物偏見起來，就是可怕而任性的，尤其梁逸舟，他的個性就屬於容易感情用事的一類。現在，狄君璞在他心目中，已比當日盧雲飛更壞、更可惡。盧雲飛畢竟還年輕，狄君璞却是個老奸巨滑！他當日既能全力對付盧雲飛，他現在也準備要用全力來對付狄君璞了！

於是，那風暴終於來臨了！

這天黃昏，堯康到了霜園。他是因爲雅棠高興，在家包了餃子，要堯康來約心虹姐妹和狄君璞、雲揚一起去吃餃子。堯康已先請到了狄君璞和雲揚，再到霜園來找心虹姐妹。誰知在客廳內，他劈頭就碰到了梁逸舟。他剛說要請心虹姐妹出去，梁逸舟就說：

『正好，堯康，你坐下來，我正有話要找你談！』

堯康已猜到事情不妙，他對那倒茶出來的高媽暗暗的使了一個眼色，示意她去通知心虹和心霞下樓來。就無可奈何的坐進沙發裏，望着梁逸舟。

『什麼事？董事長？』他問，他仍然用公司中的稱呼喊梁逸舟。

『堯康，你最近不常來了。』梁逸舟燃起了一支煙，深吸了一口。

『我忙。』堯康不安的說。

梁逸舟注視着他，眼光是銳利的。到底這年輕人在搞什麼鬼呢？他愛的是心虹還是心霞？

『你常來找我女兒，』他冷靜的說：『並不是我老古董，要過問你們年輕人的事。但是，我畢竟也是個做父親的，不能完全不聞不問。你是不是應該向我交代一下？』

『交代？』堯康結舌的說：『董事長，您的意思是……』

『我的意思是，你在和我的女兒戀愛嗎？』梁逸舟單刀直入的問，語氣是强而有力的。

『哦！董事長！』堯康吃了一驚。

『你也不必緊張，』梁逸舟從容不迫的說，審視着堯康，他還抱着一線希望，就是堯康是在和心虹戀愛，心霞還太小，物色對象有的是時間呢！『我並不是反對你，你很有才氣，在公司中表現也好，假若你和心虹戀愛，我沒什麼話說，只是心虹年紀也不小了，既然你們相愛，我就希望擇個日子，讓你們訂了婚，也解決了我一件心事。』

『噢！董事長！你完全誤會了！』堯康煩躁的叫，他沉不住氣了：『心虹的愛人可不是我！』

『那麼，是誰？』梁逸舟銳利的問。

『狄君璞！』一個聲音從樓梯上響起，清晰而有力的回答了。他們抬起頭來，心虹和心霞都站在樓梯上，她們是得到高媽的訊息，走下樓來，剛好聽到梁逸舟和堯康這段對話，心虹再也忍不住，心想，早晚要有這一天的，要來的就讓它來吧，立即用力的回答了，一面走下樓來。

梁逸舟瞪視着心虹，幾百種怒火在他心頭燃燒着，妳這個專門製造問題，不識好歹的東西！妳給我找的麻煩還不夠嗎？爲什麼連幫妳的忙都幫不上？站在這兒，妳恬不知恥的報上妳愛人的名字，妳以爲愛上一個離過婚、鬧過桃色糾紛的中年人是妳的光榮嗎？他沉重的呼吸着，氣得想抽她兩個耳光，如果不是忌諱着她有病的話！有病！她又是什麼病呢？還不是自己找來的病！他越想越有氣，越想越不能平靜，狠狠的盯着心虹，他惱怒的說：

『胡鬧！』

心虹的背脊挺直了，她抗議的喊：

『爸爸！』

『多少合適的人妳不愛，妳偏偏要去愛一個狄君璞！』梁逸舟吼叫了起來。『爲妳開舞會，爲妳找朋友，我請來成羣的人，那麼多年輕人，個個比狄君璞强……』

『爸爸！』心虹的臉色蒼白了，眼睛睜得好大好大。『我沒有要你爲我找丈夫呵，我已經二十四歲，我自己有能力選擇對象……』

『妳有能力！妳有能力！』梁逸舟怒不可遏，簡直不能控制自己，他再也顧慮不了心虹的神經，衝口而出的喊：『雲飛也是妳自己選擇的！多好的對象！一萬個人裏也挑不出一個！』

吟芳從樓上衝了下來，聽到吼叫，她已大吃一驚，下樓一看這局面，她就更慌了，抓着梁逸舟的手臂，她焦灼的搖撼着，一疊連聲的喊：

『逸舟！逸舟！有話好好說呀，別發脾氣呀！』

『別發脾氣！我怎能不發脾氣！』梁逸舟叫得更響了：『從她出世，就給我找麻煩！』

『爸爸，』心虹的臉更白了。『你不想我出世，當初就不該生我呵！』

『逸舟！你昏了！』吟芳叫着說，臉色也變了。

『爸爸，』站在一邊的心霞，忍不住插口說：『你們就讓姐姐自己作主吧！那個狄君璞又不是壞人！』

『雲飛也不是壞人嗎?』梁逸舟直問到心霞的臉上去。『妳少管閒事!妳懂什麼?那個狄君璞,是個鬧過婚變的老色狼!他的愛情能維持幾天?他的第一個太太呢?他根本就不是個正派人……』

『爸爸,』心虹的嘴唇抖動着,眼裏蓄滿了淚,侮辱狄君璞是比罵她更使她受刺激的。她的情緒激動了,她的血液翻騰着,她大聲的叫:『不要這樣侮辱人,好像你自己是個從不出錯的聖人君子!你又何嘗是個感情專一的人?你們逼死了我的母親,以爲我不知道嗎?』

『心虹!』吟芳大叫,眼淚奪眶而出,她撲向梁逸舟,尖聲喊:『停止了吧!停止了吧!你們不要吵了吧!』

梁逸舟的眼睛紅了,眉毛可怕的豎着,他的臉向心虹逼近,他的聲音從齒縫裏壓抑的迸了出來:

『妳這個沒良心的渾蛋!白養了妳這一輩子,妳早就該給我死掉算了!』舉起手來,他想給心虹一耳光,但是,吟芳尖叫着撲過去,哭着抱住了梁逸舟的手,一面哭一面直着喉嚨喊:

『要打她就打我吧!要打她就打我吧!』

梁逸舟廢然的垂下手來。心虹已哭泣着,瑟縮的縮到牆邊,緊靠着牆壁無聲的啜泣。心霞跑過去抱住了她,也哭了。心虹只是不出聲的流淚,這比嚎啕痛哭更讓人難受。心霞抱着她不住口的喊:

『姐姐!姐姐!姐姐!』

堯康再也看不過去了，這一幕使他又吃驚又震動，他跳了起來，用力的說：

『你們怎麼了？狄君璞又不是妖怪，董事長，你又何必反對成這個樣子，這眞是何苦呢！』

『住口！堯康！』梁逸舟的火氣移到了堯康的身上，他用手指着他的鼻子，咆哮着：『這兒沒有你說話的餘地！你如果再多嘴的話，我就連你也一起反對！』

『哼！』堯康佛然的說：『幸好我沒有娶你女兒的念頭，否則也倒了楣了！』

『你沒有娶我女兒的念頭！』梁逸舟的注意力轉了一個方向，更加有氣了，沒想到他看中的堯康，竟也是個大渾蛋！他怒吼着說：『你沒有娶我女兒的念頭，那你和心霞鬼混些什麼？』

『我和心霞鬼混？』堯康揚起了眉毛。『我什麼時候和心霞鬼混來着？董事長，你別弄錯了！我和你女兒只是普通朋友，心霞的愛人是盧雲揚！』

『是什麼？盧雲揚？』梁逸舟直跳了起來，再盯向心霞，大聲問：『是嗎？心霞？』

心霞驚悸的看着父親，眼睛恐慌的瞪大了，一語不發。

這等於是默認了。梁逸舟跌坐在沙發中，用手捧着頭，不再說話，室內忽然安靜了，只有大家那沉重的呼吸聲。梁逸舟像一個洩了氣的皮球，癱瘓在椅子中動也不動，呼吸急促的鼓動着他的胸腔，他的神情却像個鬥敗了的公雞，再也沒有餘力來作最後一擊了。他不說話，有很長久的一段時間，他一直都不說話，他的面容驟然的憔悴而蒼老了起來。一層疲倦的、蕭索的、落寞的，而又絕望的表情浮上了他的臉龐。這震動了心虹姐妹，比他剛剛的吼叫更讓姐妹二人驚懼，心霞怯怯的叫了一聲：

『爸爸！』

梁逸舟不應，好像根本沒有聽見。吟芳蹲在他面前，握住他的雙手，含淚喊：

『逸舟！』

梁逸舟抽出手來，摸索着吟芳的頭髮，這時，才喃喃的、低聲的說：

『兒孫自有兒孫福，莫爲兒孫做馬牛。咳，吟芳，我們是爲誰辛苦爲誰忙呢？』

吟芳仰頭哀懇的看着梁逸舟，在後者這種震怒和蕭索之中，她知道自己是什麼話都說不進去的。她默然不語，梁逸舟也不再說話，室內好靜，這種沉靜是帶着壓迫性的，是令人窒息的，像暴風雨前那一刹那的寧靜。心虹姐妹二人仍然瑟縮在牆邊，像一對小可憐蟲。堯康坐在椅子裏，看看這個又看看那個，不知該走好還是留好，該說話好還是該沉默好，在那兒不安的蠕動着身子，如坐針氈。就這樣，時間沉重而緩慢的滑過去，每一分鐘都像是好幾千幾百個世紀。最後，梁逸舟終於抬起頭來說話了，他的聲音裏的火藥味已經消除，却另有一種蒼涼、疲倦，和無奈的意味。這種語氣是心虹姐妹所陌生的，她們是更加驚懼了。

『心虹，心霞，』他說：『妳們過來，坐下。』

心虹和心霞狐疑的、畏縮的看了看父親，順從的走過來，坐下了。心虹低垂着頭，揑弄着手裏的一條小手帕，心霞挺着背脊，窺伺的看着父母。梁逸舟轉向了堯康。

『堯康，』他望着他，聲音是不高不低的。『你能告訴我，你在這幕戲中，是扮演什麼角色嗎？』

『我？』堯康楞住了。『我只是和心虹心霞做朋友而已，我們很玩得來，我並沒有料到，您把「朋友」的定義下得那樣狹窄，好像男女之間根本沒有友誼存在似的。』

『一個好朋友！』梁逸舟點了點頭，冷冷的說：『你把我引入歧途了！你是我帶進霜園來的，却成爲她們姐妹二人的掩護色，我還有什麼話好說呢？我是落進自己的陷阱裏了！』他自嘲的輕笑了一下，臉色一變。『好了！』他嚴厲的說：『現在，堯康，這兒沒有你的事了，你走吧！』

堯康巴不得有這一句話，他已急於要去通知狄君璞和雲揚了。看這情形，心虹姐妹二人一定應付不了梁逸舟，不如大家商量商量看怎麼辦。他站起身來，匆匆告辭。梁逸舟不動也不送，還是吟芳送到門口來。堯康一走，梁逸舟就對心虹姐妹說：

『孩子們，我知道妳們大了！』

這句話說得淒涼，言外之意，是『我已經失去妳們了』！心虹的頭垂得更低了，她懊惱剛剛在激怒時對父親說的話，但是，現在却已收不回來了！心霞咬緊了嘴唇，她的面色是苦惱而痛楚的。

『我不知該對妳們兩個說些什麼，』梁逸舟繼續說，語氣沉痛。『男大當婚，女大當嫁。妳們大了，妳們要戀愛，妳們想飛，這都是自然現象，我無法責備妳們。可是，妳們那樣年輕，那樣稚嫩，妳們對這個世界，對閱人處世，到底知道多少？萬一選錯了對象，妳們將終身痛苦，父母並不是妳們的敵人，千方百計，用盡心機，我們是要幫助妳們，不是要陷害妳們。爲什麼妳們竟拒父母於千里之外？』

『爸爸，』心霞開口了。『我們並不是要瞞住你們，只是，天下的父母，都成見太深呀！』

『不是天下的父母成見太深，是天下的子女，對父母成見太深了！』梁逸舟說：『別忘了，父母到底比妳們多了幾十年的人生經驗。』

『這也是父母總忘不了的一件事。』心虹輕聲的、自語似的說。

『妳說什麼？心虹？』梁逸舟沒聽清楚。

『我說……』心虹抬起眼睛來，大胆的看着父親，她的睫毛上，淚珠仍然在閃爍着。『幾十年的人生經驗，有時也會有錯誤，並不是所有的老人都不犯錯了！』

『當然，可能我們是錯了，』梁逸舟按捺着自己，儘量使語氣平和。『但是，回答我一個問題，心虹。我知道妳的記憶已經幾乎完全恢復，那麼，我對雲飛的看法是對呢？還是錯呢？』

心虹沉默了片刻。

『你是對的，爸爸。』她終於坦白的說。

『妳還記得妳當初為雲飛和我爭執的時候嚒？』

『記得。』她勉强的回答。

『那時妳和今天一樣的强烈。』

『但是，狄君璞和雲飛不同……』

『是不同，沒有兩個人是相同的。』梁逸舟沉吟了一下。『知道他和他太太的故事嗎？』

『我沒問過，但我看過「兩粒細沙」。』

『作者都會把自己寫成最值得同情的人物，都是含寃負屈的英雄。事實上，他那個妻子等於是個高級交際花，他娶了她，又放縱她，最後弄得穢聞百出。心虹，妳以爲作家都是很高尙的嗎？碰到文人無行的時候，是比沒受過教育的人更糟糕呢！』

『他是你帶來的，爸爸，』心虹悶悶的說：『那時你對他的評語可不是這樣的！』

『那時候我還沒料到他會轉妳的念頭！』梁逸舟又有些冒火了。『那時候是我瞎了眼睛認錯了人，所以，我現在必定要挽回我的錯誤！』他吸了口氣，抑制了自己，他的聲音又放柔和了。『總之，心虹，我告訴妳，狄君璞決不是妳的婚姻對象，即使不討論他的人品，以他的年齡和目前情況來論，也有諸多不適當之處。妳想，妳怎能勝任的當一個六歲孩子的後母！』

『媽媽也勝任於當一個四歲孩子的後母呵！』心虹衝口而出的說。

吟芳猛的一震，她的臉痛苦的歪曲了。梁逸舟的話被堵住了，呼吸沉重的鼓動着他的胸腔，他的眼睛直直的瞪着心虹，有好幾分鐘說不出話來。然後，他重重的說：

『心虹，妳眞認爲吟芳是個成功的後母嗎？我們一直避免談這個問題，現在就公開談吧！吟芳對妳，還有話說嗎？她愛妳非但絲毫不差於心霞，恐怕還更過於愛心霞，這並非是爲了表現，而是眞情。但是妳呢？妳爲什麼還心心念念記着妳那死去的母親？爲什麼？爲什麼？』

『那畢竟是我的親生母親呵！』心虹掙扎着回答。

『對了！就是這觀念！我和吟芳用了一生的時間要妳把吟芳當生母，卻除不掉根深柢固隱埋在妳腦中的觀念，妳又怎能除去小蕾對她生母的觀念呢！』

『她對她的生母根本沒有觀念。』

『妳呢？妳對妳那個母親還記得多少？爲什麼妳竟一直無法把吟芳當生母？何況，吟芳還根本就是妳的生母！』

『逸舟！』吟芳驚叫。

『什麼？』心虹一震，莫名其妙的看着梁逸舟。

『好吧！大家把一切都說穿吧！二十幾年來，這一直是個家庭的秘密。心虹，妳以爲吟芳是妳的後母，現在，我告訴妳，吟芳是妳百分之百的親生母親！妳和心霞是完完全全同一血統的親生姐妹！』

心虹怔怔的看着父親，完全驚呆了。心霞也呆住了，不住的看看父親又看看母親，再看看心虹，一臉的驚愕與大惑不解。吟芳用手蒙住臉，再也控制不住自己，她開始哭泣起來。

『那時在東北，』梁逸舟說了，不顧一切的抖出了二十幾年前的秘密。『我是個豪富之家裏的獨子，很早就由父母之命結了婚，婚後夫妻感情也還不錯，但我那妻子體弱多病，醫生診斷認爲不能生育。就在這時，我認識了吟芳，很難解釋當時的感情，我與妻子早已是掛名夫妻，認識吟芳後我才眞正戀愛了。一年之後，吟芳生下了妳，心虹。』他注視着心虹。『我們怎麼辦呢？我那多病的妻子知道了，堅持要把孩子抱回來，當作她生的一樣撫養，我與吟芳也認爲這樣對妳比較有利，否則，妳只是個沒有名義的私生子。於是，我把妳抱回來，我那妻子也眞的愛妳如命，爲了怕別人知道妳不是她生的，她甚至解僱所有知情的奴僕，改用新人。這樣，過了兩三年，她又擔心我和吟芳藕斷絲連，竟堅持要生一個孩子，她求我，她甘願冒生命的危險，要一個自己的兒子，我屈服了。她懷了孕，却死於難產，孩子也胎死腹中。一切像命中注定，我娶了吟芳，而妳，心虹，竟把生母永遠當作後母了。』

心虹瞪視着梁逸舟，像聽到了一個神話一般，眼睛睜得那樣大，那樣充滿了驚奇與疑惑。梁逸舟又說了下去：

『這些年來，我們一直不敢說穿眞相，因爲年輕時的荒唐必須暴露，而又怕傷到妳的自尊，怕影響妳和心霞對父母的看法，我們隱忍着，足足隱忍了二十四年！現在，心虹，妳知道一個後母有多難當了，以一個親生母親的感情與血緣關係，吟芳仍然是個失敗的後母！』

心虹的眼光調向了吟芳，這一篇話已大大的震動了心虹，她想起了許許多多的事，想起了自己常做的惡夢，想起那夢裏的長廊、圓柱，想起每次哭母親哭醒過來。而自己的生母却始終都在身邊！她懷着一個無母的心病，病了這麼許多年！母親，母親，妳在哪兒？母親，母親，妳竟在這兒！她眼裏逐漸湧上了一片淚光，淚水在眼眶中洶湧、氾濫……她凝視着吟芳，吟芳也用帶淚的眸子，懇切而求恕似的看着她，她低問：

『這是眞的嗎？』

『這是眞的！』吟芳輕聲回答。

心虹眼裏的淚水奪眶而出，她大喊了一聲：

『媽呀！你們爲什麼不早說！你們爲什麼不早說！』

就對吟芳衝了過去，這是二十幾年來，她第一次由衷的喊出了一聲『媽』，母女二人擁抱在一起了。梁逸舟也覺得鼻子裏有些酸酸的，竟懊悔為什麼不早就揭穿一切。心霞在一邊，又是笑，又是淚，又是驚奇。這一個意外的插曲，把原來那種劍拔弩張的氣氛都沖淡了，大家似乎都已忘記了最初爭執討論的原因，只是興奮的、激動的忘情於這母女相認的感情裏。

就在這時，一陣急促的門鈴聲驚動了他們。

28

來的人是狄君璞和盧雲揚。

狄君璞和雲揚本來都在雅棠家裏，等着心虹姐妹來吃餃子，結果，心虹姐妹沒有來，堯康卻帶來了那驚人而意外的消息。立即，狄君璞和雲揚都作了一個決定，就是到霜園來，乾脆和梁逸舟談個一清二楚。雖然堯康並不太贊成他們馬上去霜園，他認爲在梁逸舟目前的暴怒之下，他們去談根本不會有好結果。可是，他們還是去了。

當他們走進霜園的客廳時，他們看到的是相擁在一起的心虹母女，在一邊默默拭淚的心霞，和滿面沉重的梁逸舟。梁逸舟一見到他們，猛吃了一驚，臉色就變得難看了，他瞪視着他們，好半天，才憤憤然的說：

『好好，你們公然升堂入室了！你們來做什麼？倒給我說個明白！』

『梁先生，』狄君璞說，不安的看了心虹一眼，你們怎麼欺侮她了？讓她哭成了一個淚人兒？

『我們能不能大家不動火，好好的談一談？』

『我和你這種人沒有什麼好談的！』梁逸舟大聲說：『我記得我告訴過你，請你永遠別走進霜園來！君子自重呵，你難道連自尊心都沒有了嗎？』

『爸爸！』心虹驚愕的喊，離開了吟芳的懷抱，她那帶淚的眸子不信任似的看着父親。『爸爸！你怎能……怎能用這種態度和君璞說話？』

『我怎能？我怎能？』梁逸舟的火氣更大了，他瞪着心虹說：『難道我還該對他三跪九叩嗎？感謝他引誘了我那個不成材的女兒嗎？』

『爸爸！』心虹悲憤的大喊了一聲，用手搗住臉，又哭了。這整個晚上的事已使她脆弱的神經如拉緊的弦，她緊張，她痛苦，她驚惶，她又悲憤，再加上認母後的辛酸及意外，她簡直不知該如何自處了。吟芳邁前了一步，她看出目前的情況危機重重，又驚又懼，拉住梁逸舟，她急急的說：

『逸舟，逸舟，冷靜一點，好不好？求求你，逸舟！冷靜一點！』

『我怎能冷靜？』梁逸舟暴跳如雷。『我眼看着這兩個豺狼在勾引我的女兒，我要保護她們，她們反而跟我對抗，認定了要往火坑裏跳！』

『梁先生！』雲揚大聲的叫了一聲，他的聲音是有力的。他仍然有年輕人的那份魯莽和血氣。『請你不要侮辱人，行嗎？』

『嗬！你有什麼資格在我面前吼？』梁逸舟緊盯着雲揚。『你哥哥在我家弄神弄鬼失敗了，現在輪到你了，是嗎？你們兄弟眞是一個娘胎養出來的寶貝！是不是不弄到梁家的財產，你們就不會放手？』

雲揚的臉變青了。

『梁先生！我請你說話小心！我想你生來不懂得人類的感情，只認得金錢！我現在對你說，我要娶心霞，你答應，我要她，你不答應，我也要她！我要她要定了！至於你的錢，你盡可以留着將來自用，你送我我也不會要！我對你說話算客氣，因爲你是心霞的父親！假若你要再繼續侮辱我，我也不怕和你拉破臉！』

『雲揚！』心霞喊着，吃驚的走到他身邊去，拉拉他的胳膊搖撼着，焦灼的嚷：『你就少說幾句吧！』

『好呀！這還算話嗎？』梁逸舟氣得渾身發抖。『你們饒勾引了我的女兒，還跑到我家裏來耍流氓！這時代還有天理沒有？養兒女到底有什麼好處？』他指着狄君璞和雲揚：『我告訴你們！你們馬上給我滾出去！這還是我的家，不容許你們在這兒撒野！』

『走就走！』雲揚摔開了心霞，掉頭欲去。狄君璞止住了他。

『等一等，雲揚！』他說，走上前去，他站在梁逸舟的面前，一個字一個字清清楚楚的說：『梁先生，我們會離去，不用你趕。但是，在離開以前，我有幾句話必須說清楚。愛，不是過失，你也是人，你也愛過，你該懂得這份感情的强烈。你今天可以逞一時之快，把我們駡得體無完膚，趕出你的家。但是，受苦的不止我們，還有你的兩個女兒！看看她們！梁先生，你把她們置於怎樣痛苦的境地！如果你能放棄對我們的成見，這會是一團喜氣，你不能放棄成見，那麼，未來會發生怎樣的悲劇，就非你我可以意料的了！你不妨想想看。何苦呢？以前的悲劇結束，新的喜劇開始，原是多理想的局面！雲揚能和梁家化干戈爲玉帛，再締姻緣，你該慶幸呵！至於我，雖然千般不好，萬般不對，但是，我這份感情是眞摯的，我對心虹，並不是要佔有，而是要奉獻呵！』

他的這篇話，說得相當的誠懇，相當的漂亮，也相當的有力。吟芳爲之動容，不能不用另一種新的眼光去衡量他。心虹的手從臉上放了下來，她默默的看着他，眼裏帶着淚，帶着哀愁，帶着痛苦，也帶着摯愛與崇拜。梁逸舟也怔住了，一時，竟被他的氣魄和言語給堵得無話可說，但是，片刻以後，他回過味來，覺得自己竟被他幾句話給打倒，眞是件太沒面子的事，更由於他句句有理而使他惱羞成怒了。於是，他猛的一拍桌子，怒聲喊：

『你少在我面前賣弄口才，我告訴你，我打心眼裏看不起你，我根本不會把女兒嫁給你，你聽明白了嗎？現在，請吧！立刻離開我的屋子！』

心虹迅速的奔向狄君璞，她在半昏亂中，自己也不知道在做些什麼，她臉上有種不顧一切的倔強，望着狄君璞的眼光是激烈而狂熱的。

『君璞！我跟你一起走！』她說，掉過頭來看着父親。『你這樣趕他走，我也不留下來！』

梁逸舟又驚又氣，他大步踏的跨上前去，一把扣住心虹的手腕，厲聲說：

『妳敢？妳給我待在家裏，不許走出大門！難道妳跟一個男人私奔了還不夠？還要跟第二個？』

這幾句話對心虹如一個轟雷，她不由自主的全身一震，頓時臉色慘變，喘息着喊：

『你說什麼？我和男人私奔？我和誰私奔過？』

『妳是眞不知道還是裝不知道……』梁逸舟憤憤的喊：『妳給我找的麻煩實在夠多了！妳能不能夠安安靜靜在家裏做個大家閨秀？』

『逸舟！』吟芳驚喊着，撲過來。『你就別說了吧，求求你！』轉頭看着狄君璞和雲揚。她祈求的說：『請你們先回去吧！我一定會給你們一個滿意的答覆，你們先回去好嗎？』

狄君璞看看心虹，心虹是更加昏亂了，她又縮在牆邊，呆滯的瞪大了眼睛，茫然的看着室內的人，面色如死，眼神凌亂，她在和自己的記憶掙扎，也在和自己的意識掙扎。然後，她忽然爆發般的大喊了一聲：

『媽呀！你們把一切都告訴我吧！我和誰私奔過？是怎麼一回事？媽媽，妳既是我的親媽媽，告訴我吧！我做過些什麼？我做過些什麼？』

『心虹，妳沒做過什麼，』吟芳急急的擁住了心虹。她知道揭穿這件事對心虹是多麼殘忍的事情，她一向都自認是個純潔的好女孩呵！『那些過去的事再也別提了，妳上樓去休息一下吧！心虹，我陪妳上樓去，別再去想了！』

『但是，我和雲飛私奔過嗎？』她固執的問：『我現在一定要知道這一點，是嗎？心霞，妳告訴我，是嗎？』

心霞一楞，面對着心虹那迫切而哀求的眸子，她嚥了一口口水。

『是的。』她低聲說，痛苦的看看心虹，又看看雲揚，再看看父母，把頭垂了下去。

『啊！』心虹啜泣着，把臉轉向牆壁：『我比我想像中更壞，我是怎樣一個壞女孩啊！』轉回頭來，她直視着狄君璞，昏亂的眸子裏，竟閃着一抹狂野的光。『那麼，狄君璞，你可知道這件事？你知不知道我和雲飛私奔過？』

狄君璞痛楚的蹙緊了眉毛，點了點頭。

『那麼，』她的眼神更狂野了，她的語氣是强烈的。『你還要我嚒？』

『我要。』狄君璞說，喉嚨是沙啞的。『記住，我並不比妳淸白多少。而妳所做的，不能怪妳，在那種熱情衝擊下，妳什麼事都可能做出來，那無損於妳的淸白，只證明妳的熱情而已，心虹，相信我，在我心目中，妳是完美無缺的！』

『哈，好一篇愛的告白！』梁逸舟接了口，聲音是苛刻而諷刺的。他聽出這幾句話對心虹必然會有影響力，他必須阻止他，用一切力量來阻止他！『你不如把這些句子寫到小說裏去，還可以騙點稿費，在這兒說，簡直是一種浪費！你還站在這兒幹嘛？爲什麼還不走？』

『梁先生！』狄君璞動怒了，他憤然的盯住了他：『你是個沒有人心的人，你是個禽獸！』

『好，』梁逸舟重重的喘着氣：『你罵我是禽獸！你這個不要臉的東西！』揚着聲音，他大聲叫：『老高！老高！老高！給我把這兩個流氓趕出去！』

『不用你趕，我自己走！』狄君璞佛然說，轉過身子，向大門走去。心虹尖銳的叫了一聲，衝向狄君璞，狂熱的喊着：

『要走，你帶我走！』

『心虹，站住！如果妳跟他走，我會把妳關到瘋人院裏去！』梁逸舟說。

『我沒有瘋，我知道自己在做什麼，我選擇一條最正確的路——這男人，他尊敬我，他愛護我。而你，爸爸！你把我看成一個賤婦！』

『妳本就是個賤婦！』梁逸舟是眞火了，急切中口不擇言，他根本不知道自己在說些什麼。

『可是……』心虹渾身抖顫，也不知道自己在說些什麼。『誰叫我是個私生女呢？我出身就不高貴呵！如果你罵我下賤，那也是家學淵源呵！』

『啪！』的一聲，梁逸舟揚手給了心虹一個耳光，這個耳光打得很重，心虹蹌踉了一下，幾乎跌倒，她眼前金星亂迸，頭裏嗡嗡作響，臉上立即呈現出五條手指印。梁逸舟氣得咬牙切齒，他蒼白着臉說：

『生這樣的女兒，是爲了什麼？白疼妳一輩子，白愛妳一輩子！給我製造了多少問題，找了多少痲煩，妳殺了人，我幫妳遮掩。早知道如此，就該把妳送進監獄去！』

這又是一個新的、致命的一擊！心虹瞪大了眼睛，身子搖搖欲墜。

『我……殺了人？我……殺了人？』她喃喃的問。

『是的！妳殺了盧雲飛！妳把他推落了懸崖！』梁逸舟大吼。憤怒已經使他喪失了理性，他只想找一樣武器，把這個大逆不道的女兒給打倒。

心虹呆站在那兒，那根綳緊的弦越拉越緊，終於斷裂了！她一聲不響的往後仰倒，昏了過去。吟芳大叫，伸手想抱住她，但沒抱到，她倒在地毯上，帶翻了身邊的小茶几，几上的茶杯花瓶一起翻落在地下，發出好大的一陣響聲。狄君璞不由自主的衝了過去，跪下來，抱住心虹的頭。她躺在那兒，面如白紙，呼吸細微如絲，看來似乎了無生氣。狄君璞仰起頭來，直視着梁逸舟，他的眼睛發紅了，呼吸急促了，對着梁逸舟，他忘形的大叫：

『你爲什麼要這樣？你不知道她根本沒有殺任何人嗎？你怎能對自己的女兒這樣做？你還有人性嗎？你對她瞭解多少？你竟指她爲兇手？事實上，她連一隻螞蟻都不會傷害！』

眼看心虹昏倒，梁逸舟也知道自己說錯了話，不論是在怎樣的震怒中，他也不該說那句話的。可是，讓狄君璞來指責他，他卻受不了。又心疼心虹，又懊惱失言，他把所有的怒氣都傾倒在狄君璞的身上。

『都是你！』他嚷着。『這一切都是你引出來的！你有什麼資格對我吼叫，如果沒有你，我們一家過得和和氣氣幸幸福福的。所有的問題都是你引出來，你反而在這兒大吼大叫！現在，你滾吧！馬上滾！我會照顧我的女兒，不要你來管！』奔過去，他也俯身看着心虹。

心霞和吟芳正用冷毛巾敷在心虹額上，高媽也來了，又餵水，又解開衣領，又搧扇。但心虹始終不省人事，狄君璞把她抱起來，放在沙發上。梁逸舟仍然在咆哮着叫狄君璞滾，狄君璞抬起頭來，看着他，一字一字的說：

『在心虹醒來以前，我不會走！你就是抬了大砲來轟我，我也不走！所以，你還是不要叫喊吧！』

『君璞，』吟芳哀求的看着他：『你去吧！求你！我保證讓高媽來告訴你一切，你先去吧！』

『不！』狄君璞堅持的說，看着心虹。

心虹呻吟了一聲，頭轉側着，不安的欠動着身子，大家都緊張的看着她，室內忽然安靜了。心虹又大大的呻吟了一聲，痛苦的睜開眼睛來，恍恍惚惚的看着室內的人羣。然後，她蹙眉，扭動着身子，嘆息，又呻吟。吟芳緊握着她的手，焦灼的呼喚：

『心虹！心虹！妳怎樣？好些嗎？』

心虹睜大了眼睛，凝視着吟芳，好半天好半天，大粒的淚珠開始從她眼角中滑落下來，迅速的奔流到耳邊，她啜泣着說：

『媽，我但願我從來沒有存在過！』

只說了這一句話，她就把頭轉向沙發裏邊，面對着沙發，只是無聲的流淚，什麼話都不再說了。狄君璞扳着她的肩，呼喚她，她也不肯回頭，狄君璞急了，說：

『心虹！那是個誤會，妳知道嗎？妳父親只是在氣憤中口不擇言而已，事實上，妳決沒有做任何不利於雲飛的事，那完全是個意外罷了！』

『眞的，心虹。』這次，梁逸舟也附和起狄君璞來了，他迅速的接了口，心虹那份絕望把他給打倒了。『沒有人懷疑過妳。剛剛我們都在氣頭上，誰都說了些不負責任的話。好了，別傷心了！』

心虹搖了搖頭，仍然把臉埋在沙發裏，她的聲音是疲倦的、絕望的，而又毫無生氣的。

『君璞，』她說，『你去吧！離開我吧，你會找到比我好的女孩，我配不上你！』

狄君璞驚跳了一下，心中一陣慘痛。在心虹這句話中，最使他心驚膽戰的，是那股訣別的意味。

『心虹！』他顫慄的說：『妳拋不開我了，妳知道的。我不會離開妳，妳就是世上最好的女孩！』

『我不是。』她幽幽的說。聲音平靜得驚人，比她的哭泣更讓人膽寒。『我欺騙了你，欺騙了所有的人，也欺騙了我自己。我壞，我淫賤，我兇惡，我做了許多自己都不知道的壞事。我現在都明白了，你們一直在包庇我，事實上，我根本不值得你們寵愛。君璞，你去吧！我對不起你！對不起雲揚，對不起爸爸媽媽，對不起你們所有的人！去吧，君璞，我現在不想見你，我要到樓上去，我要一個人待在房間裏。』

她從沙發上爬起來，搖搖晃晃的站着。狄君璞惶然的再喊了一聲：

『心虹！』

她根本不回過頭來，而用背對着他們。像一個美女，忽然發現自己被毀了容，成爲一張醜陋而可怕的臉。於是，她再也不願愛她的人看到這張臉，甯願把自己深藏起來。她似乎就在這種情況中，搖搖晃晃的，她邁着不穩的步子，向樓梯那兒走去。吟芳追過去扶住她，說：

『我送妳回房間。我陪妳。』

『不，媽媽。請讓我一個人。』

吟芳不知所措的回頭過來，狄君璞對她迫切的使了一個眼色，示意她追上去。於是，吟芳也跟着到樓上去了。

客廳中有一刹那的沉靜，那樣令人窒息的沉靜。然後，狄君璞知道，繼續留下去，也沒有意義了。他望向梁逸舟，後者的臉上，剛才那種倔強與盛氣凌人已經消失了。現在，他反而顯出一種孤獨無助和嗒然若喪的神情來。狄君璞知道，他也在深切的懊悔與自責裏。他看着他，有許多話想對他說，卻不知從何說起。最後，卻只說了句：

『請照顧她，梁先生。』

梁逸舟震動了一下，心底掠過一陣痛楚的痙攣，他看着狄君璞。在這一刹那，他們兩個人所擔憂的事情是相同的，他們都看出來了那危機，心虹，她已經把自己完全封鎖了，在那份强烈的自慚形穢中，只怕他們都將失去她。而她呢？她會走向一個無法意料的地獄裏。

『如果你肯隨時給我一點消息，』狄君璞又說：『我會非常感激你。』他嚥了一口口水，心裏酸澀無比，而且撕裂般的痛楚着。『別和我敵對吧，無論如何，我只是愛她呵！』

『我也只是愛她呵！』梁逸舟像是只需要辯護似的說，他是更形沮喪了。

『可是我們對她做了些什麼？我們把她逼進絕境了！我們這兩種不同的愛毀掉了她！梁先生。』狄君璞語重心長。『請助她吧！』他迅速的回轉頭，向房門口走去，因爲，他覺得一股熱淚直往鼻子裏衝，他怕會控制不住自己的眼淚。梁逸舟仍然呆站在客廳中，像一個塑像般一動也不動。他走向門口，雲揚也跟着他走過去。心霞身不由己的跟上來，站在大門口，她含淚看着他們。狄君璞再一次對心霞說：

『請照顧她！心霞。』

『你放心。』她顫聲說。『我會隨時給你消息。』

『要小心，』他說，眉頭緊蹙。『防備她！』

『我懂得。』

『再見，心霞，』雲揚說：『我也等妳的消息。』

『再見。』心霞輕聲說。

他們走出了霜園，兩人心裏都充塞着難言的苦澀。尤其是狄君璞，他已隱隱的看到眼前一片迷霧，誰知道未來有些什麼可怕的東西在等待着他們？霜園外面，黑夜早就無聲無息的來臨了，暗夜的原野，是一片黑暗與混沌。

前面有着幢幢人影，一個急促的聲音驚動了他們：

『雲揚，喬風！是你們嗎？』

『是誰？堯康？』雲揚驚奇的站住了。

是的，那是堯康。不止堯康，還有雅棠，帶着盧家的女傭阿英！雅棠跑過來，一面喘息，一面上氣不接下氣的報告了一項驚人的消息：

『雲揚，糟了！你母親發了病，她打了阿英，一個人跑掉了！她說要去殺人，現在不知跑到何處去了？』

這就是霜園門外迎接着他們的第一件事。

29

夜好深，夜好沉，夜好靜謐。

心虹靜悄悄的躺着，傾聽着周遭的一切，她已經這樣一動也不動的躺了好幾小時。她知道，全屋子裏的人都在注意她，都在窺伺她，現在，夜已經很深很深了，她料想，家裏的人應該都已睡熟了吧？

這是多麼漫長而難熬的一個晚上！她的世界竟被幾句話輾成了粉碎。首先，是有關『母親』的那個大祕密，一個被她認爲是後母的女人，在二十年漫長的光陰之後，竟一變而爲生母！她曾迷失的找尋過母親，她也曾把夢兒訪遍，她曾夜夜呼喚，也曾日日凝佇！她虛擬了母親的形象，也在腦中勾劃了幾百種母親的輪廓，却原來，母親始終在她身邊！二十年來，朝朝暮暮，母親竟沒有離開過她！這可能麼？這可能麼？她，心虹，她是多麼愚昧無知而又盲目呵！

這動搖了她對人生的一種基本的看法，摧殘了她的自信。母女相認，給予她的溫暖却遠沒有給予她的痛楚多。而緊接着，她還來不及從這份痛楚裏甦醒，一個大打擊就又當頭落下，這一年多來，她始終自認是個純潔的少女，也因此，她敢於奉獻給狄君璞她那顆眞摯的心，却原來，自己早已和人私奔，再也談不上純潔和璞眞！不但如此，更可怕的，她竟殺了那個男人！她，心虹，她到底是個怎樣可怕的女人？

她不懷疑父親是說謊，不懷疑這件事的眞實性。因爲，她瞭解自己那份熱烈如火的情感，愛之深，恨之切！怪不得，她不是在各處都留下過殺人的蛛絲馬跡嗎？從床上坐起來，她一把搶過床頭櫃上的一本詞選，打開來，她找着了自己的筆迹：

『利用感情爲工具，達到某種目的的人，該殺！』

『玩弄感情的人，該殺！』

『輕視感情的人，該殺！』

『無情而裝有情的人，該殺！』

她迅速的合起了書，把它抛在床邊。是了！她是個兇手！她早就決心要殺他了！這就是證據！她一定約好他在那懸崖頂上見面，然後乘他不備把他推落懸崖！啊！一個失去記憶的人，茫然的找尋着自己，最後找到的自己竟是個殺人兇手，她該怎麼辦？啊，怪不得全家誰都不願她恢復記憶，怪不得鎭上的人見了她就竊竊私議，怪不得盧老太太要向她索命……怪不得！怪不得！

怪不得！

她心驚肉跳，額上冷汗涔涔。想想看，自己的手上染滿了鮮血，自己的身上，帶滿了汚穢，自己的心靈，充滿了罪惡，而今而後，該當若何？她推開了棉被，赤着足走下床來，輕輕悄悄的，她無聲無息的走到窗前，站在那兒，她望着外面那黑暗的原野，和廣漠的穹蒼。

天際，星河璀璨，月光迷離。星河！她想起狄君璞的小詩，她摸索着自己脖子上掛着的那顆星星！呵，君璞，君璞，我不是你心目中那顆小星星，我只是一塊汚泥，刻成了星形，鍍上了白金，我是個虛僞的冒充者，混淆了你的視線，欺騙了你的感覺。呵，君璞，君璞，善良如你，天當佑你！罪惡如我，天當罰我！

她打了個寒噤，夜涼如水。她極目而視，暗夜中，山也模糊，樹也模糊。星也迷離，月也迷離。四周好靜，聽不到蟲鳴，聽不到鳥語。只有低幽的風，在原野裏徘徊嗚咽，穿過樹梢，穿過山谷，發出那如泣如訴的聲音。她側耳傾聽，忽然間，她聽到在那風聲中，夾雜着什麼其他的聲音，低低的，沉沉的，啞啞的，在呼喚着：

『心虹！跟我走！心虹！跟我走！』

她顫慄，她發冷，她又聽到這呼喚了！她更專注的傾聽那聲音，那在一年多以來，經常出現在她耳邊的聲音：

『心虹！跟我走！心虹！跟我走！』

夜風裏，那聲音喊得悲涼。是了！她腦中如電光一閃，整個身子都僵硬的挺直了起來。這是雲飛的聲音！那墜崖的孤魂正遊蕩在山野間，那無法安息的幽魂正在做不甘願的呼喚！

『心虹！跟我走！心虹！跟我走！』

他在索命呵！

『心虹！跟我走！心虹！跟我走！』

那呼喚聲更加迫切了，更加悲涼了，更加淒厲了！她的背脊挺直，眼光直直的瞪着窗外。

『心虹！跟我走！心虹！跟我走！』

『我來了！』

她對窗外低低的說。是的，血債必須由血來還！我來了！她轉過身子，像被催眠了一般，她輕悄的走到門邊，輕輕的，輕輕的，輕輕的扭動着門柄，打開了房門，她沒有驚動任何人。赤着脚，她走出房間，她甚至沒有披一件衣服，只穿着那件白綢的睡袍。沒有鞋，沒有襪，她下了樓，走進客廳。避免去開客廳那厚重的拉門，她穿進厨房，開了後門，走進花園裏。

幾分鐘之後，她已經置身在山野裏了，披散着一頭美好的黑髮，穿着件白綢的睡袍，赤着脚，輕悄的走在那荒野的小徑上。她像個受了詛咒的幽靈。她耳邊，那呼喚的聲音仍然在繼續不斷的響着：

『心虹！跟我走！心虹！跟我走！』

『我來了！我來了！我來了！』

她低呼着，加速了脚步。她赤着的脚踩在枯枝上，踩在尖銳的石子上，踩在荊棘上，細嫩的皮膚上留下了一條條的血痕，她不覺得痛。寒風侵襲着她，那薄霏霏的衣服緊貼着身子，她也不覺得寒冷，她耳邊只聽到那越來越急促，越來越淒厲的呼喚：

『心虹！跟我走！心虹！跟我走！』

『我來了！我來了！我來了！』

她喊着，幾乎是在奔跑了。沿着那小徑，她奔進了霧谷，穿過那岩石地帶，她往農莊的方向奔去。可是，忽然間，在黑暗之中竄出了一個人影，一把抱住了她。

『我捉住了妳！哈！我捉住了妳！』那人影叫着，怪聲的發笑，聲如夜梟淒鳴。『妳還我兒子來！妳還我！妳還我！哈，我捉住了妳！』

心虹站住，夜色裏，盧老太太那張扭曲的臉像個兇神惡煞，那怪異的眼神，那凌亂的白髮，那尖銳而淒厲的聲音，劃破了夜空，打碎了寧靜。奇怪的，是心虹絲毫也沒有驚懼，更沒有感到意外，她反而安詳而快樂的說：

『哦，是妳，妳來得好！』

『妳殺了我兒子！妳要償命！』那瘋婦嚷着。

『是的，是的，我要償命！』心虹說，側耳傾聽。『聽到嗎？他在叫我。』

『什麼？什麼？』老婦問。

『他在叫我，雲飛在叫我。』她像做夢般說：『我要去了，妳也來嗎？妳應該送我去！我們走吧！』

老婦扭着她。

『我不放妳！』她狡黠的說：『妳要逃跑！』

『我不逃。』心虹安靜的說：『我要到那懸崖頂上去，我要從那懸崖上跳下來！妳聽，他在叫我！妳聽！』

老婦眞的側耳傾聽，她的眼睛怪異的盯着她。

『妳要從懸崖上跳下來！』她說。

『是的。』心虹說。

『如果妳不跳，我要把妳推下去。』她說。

『那更好了，來吧！我們快去！聽，他在叫我！』

夜色裏，那聲音仍在她耳邊急促的響着：

『心虹！跟我走！心虹！跟我走！』

『我來了！我來了！我來了！』心虹應着，掙扎着往山上跑去。老婦也踏跟的跟了上去，她的手仍然緊攥着心虹的衣服。她們跑出了霧谷，跑上了山，直奔那農莊後的懸崖。這時，山谷中眞的傳來了一片呼叫：

『心虹！心虹！妳在哪兒？』

『心虹！回來！心虹！』

『姐姐！姐姐呀！姐姐！』

同時，谷裏到處都亮起了手電筒的光芒。心虹站住了，怔了怔，說：

『他們來找我了！我們快些去吧！要不然，他們不會放我走了！』

『快些去！快些去！』老婦尖銳的說，怪笑着，興奮着。『快些去！哈！快些去！』

心虹跑進了楓林，老婦也跟了過來，谷裏的手電筒更明顯了，閃亮着像一盞盞小燈，心霞他們一定在發瘋般的搜尋着。一切要快了，快些結束吧！雲飛，你不要再叫了。血債必須用血來償。你不要再叫了，我來了！我來了！我來了！她一步步的走向那欄杆。

狄君璞在臥室中，忽然沒來由的驚跳了起來，一頭一身的冷汗。暗夜裏有着什麼，他的心跳得那麼猛烈。事實上，他根本沒睡，只是靠在床上休息。整晚，他都和雲揚堯康等在山谷中和荒野裏四處搜尋盧老太太，却連一點蹤迹都沒有找到，後來鎮上一個婦人說，看到盧老太太在公路局車站，於是，大家推斷盧老太太一定糊裏糊塗的搭上車子去了台北。於是雲揚到台北去報了警，徒勞的搜尋無補於事，大家只好回家去等着。好在霜園門禁森嚴，大家都料定不會發生什麼事情。夜深難覓，不如等天亮再說。就這樣，狄君璞回到家裏就已經快十二點了。帶着那樣凌亂的心情，那樣燒灼着的情感和憂愁，他根本不能睡覺，靠在床上，他一直在那份沉重的思緒裏折騰着。

而現在，他忽然驚跳了起來。

夜色裏，確實有什麼聲音驚動了他，使他發冷而心跳。他下了床，披上衣服，從窗口看出去，看不出什麼所以然來。但他的心跳得更猛，呼吸急促而緊張。然後，他聽到一聲低喊，一聲女性的低喊，依稀在說着：

『我來了！我來了！我來了！』

他不再猶豫，開了房門，他直奔出去，剛來到農莊前的空地上，他就看到那條通往楓林的小徑邊，草叢裏有個亮晶晶的東西在閃爍着，他奔過去，彎腰拾了起來，心臟猛的一跳；那是心虹戴在胸前的那顆星星，那顆從星河中墜落的星星！他一把握緊了那顆星，緊得手心中都刺痛起來。然後，出於一種直覺，他狂奔着跑進了楓林。

一跑進楓林，他就看到了一幅使他心驚膽裂的場面。

心虹，披着長髮，穿着睡袍，赤着脚，已經越過了懸崖邊的欄杆，站在欄杆外凸出的懸崖邊緣上，一隻手抓着欄杆，一隻手按着她那隨風飄飛的睡袍下襬，眼睛迷迷濛濛的望着下面的山谷，似乎隨時準備要往下跳。而在一邊，盧老太太白髮飛揚，眼神怪異，却在拍着掌，跳着脚喊：

『跳！跳！跳下去！跳下去！』

狄君璞心魂俱裂，滿身冷汗，他想撲過去，但是他不敢，怕他一撲過去，心虹就會往下跳。因爲，她現在顯然在一種被催眠似的心神恍惚中。站在那兒，他一時覺得像掉進了冰窖，渾身都像冰一般的冷了。

他立即恢復了神志，喘息着，他開始向心虹那兒慢慢的移近，一步一步，一寸一寸的挨過去，同時，他輕聲的、沙啞的低喚着：

『心虹！心虹！心虹！』

心虹一震，她茫然回顧，似乎在找尋着什麼，她的眼光和狄君璞的接觸了，她又一震，狄君璞立即喊：

『心虹！別鬆手！』

『他叫我，我要去了！』心虹望着狄君璞，像解釋一件很普通的事情一般說着。

『誰叫妳？』狄君璞問，故意和她拖延時間，他又向她邁近了一步。

『雲飛。』她說。

『雲飛是誰？』他問，再邁近一步。

這時，一片呼喚心虹的聲音已經到了農莊這兒，心虹有些心神不定，她側耳傾聽，又看看身下的懸崖。狄君璞魂飛魄散，他很快的說：

『妳還沒告訴我，雲飛是誰？』

『你知道的，我要去了。』

『我不知道。』他再邁近了一步。

『就是我殺掉的那個人，我現在要償還這筆債。』

『妳沒有殺任何人，妳知道。』他停在欄杆邊上。

『我殺了，我推他掉下懸崖。』

那片喚心虹的聲音更近了。然後，梁逸舟夫婦和心霞帶着老高與高媽，都衝進了楓林，一看這局面，吟芳首先就尖叫了起來。心虹一驚，轉身就要往下跳。狄君璞已接近了她，這時立即一個箭步竄過去，一把就抓住了心虹握着欄杆的那隻手，心虹的身子已經一半都滑到了懸崖外面，狄君璞用力拉緊了她，撲過去，他翻到欄杆外面，冒險的用手抓着欄杆，把心虹拉了上來，然後，他抱住了她，連欄杆帶她的身子一起抱得緊緊的。心虹掙扎着，大聲的叫着：

『放開我！放開我！放開我！讓我去！讓我去！讓我去！』她哭泣着，奮力掙扎，然後一口咬在狄君璞的手上，狠狠的咬下去，狄君璞仍然緊抱不放，抓緊了欄杆，他們在懸崖邊上驚險萬狀的掙扎着。同時，狄君璞用那樣迫切的聲音，一疊連聲的呼喚：

『心虹！心虹！心虹！妳不能這樣去的！妳昏了頭了！妳醒醒吧！』

老高衝過來了，抓住了心虹的衣領，他們合力把心虹抱了起來，抱過欄杆，狄君璞也翻了過來，那在一邊看的梁逸舟夫婦和心霞，早驚嚇得一身冷汗了。心虹依舊在奮力掙扎，又哭又喊又叫。那在旁邊拍手的老婦這時陡的跳了過來，大聲嚷：

『跳下去呀！跳下去呀！跳下去呀！』

『老高，你去捉住她，』狄君璞喘息着說：『心虹交給我！現在已經沒關係了。』他抱緊了心虹，經過了這一番驚險之後，他餘悸猶存，心臟仍在擂鼓似的敲動着。

老高放掉了心虹，跑過去抓那個老婦，但是，那老婦人靈活的擺脫了老高，一衝就衝到欄杆邊，她抓住欄杆，忽然破聲尖叫起來：

『血！血！血！都是血！看呀，這欄杆上都是血！都是紅的血呀！雲飛的血呀！我兒子的血呀！』她用手觸摸那欄杆，好像那欄杆上眞有血一般。接着，她却號哭了起來，一面哭，一面哀傷的訴說着：『雲飛，我沒有要把你推下去，我祇是要阻止你離開我呀，你怎能拋開你的母親？雲飛，回來吧！你回來呀！你不能跟那個女人走！雲飛，我沒有要你摔下去！我沒有要你摔下去！都是那個女人……都是那個女人……』

心虹一直在狄君璞懷中掙扎哭泣叫喊，但是，這時却突然安靜了，她驚奇的看着那個瘋狂的老婦，呆住了。狄君璞也楞住了，只因爲這老婦人說的話太過於稀奇。老高還要過去抓那個老婦人，狄君璞喊了一聲：

『不要去碰她！聽她說什麼？』

事實上，呆住的豈止是狄君璞和心虹，連梁逸舟夫婦和心霞也驚愕得說不出話來了。而那老婦還在那兒哭號不休。

『雲飛，不要離開我！雲飛，回來吧！不要帶那個女人逃走！我們過苦日子，我不要錢，祇要大家在一塊兒！雲飛，回來！求你回來！求你！求你！求你！我的兒子呀！你怎能離開我，我把你從那麼一點點抱大！啊！雲飛，我沒有要殺你，我沒有要殺你呀！你回來吧！……』

心虹渾身震動了一下，然後，像從一段長長的惡夢中醒來，她愕然地回頭，瞪視着狄君璞，她的眼光已恢復了意識，她的臉色蒼白而煥發着光采，她的聲音清新如早晨初啼的黃鶯：

『嗨，君璞，我記起來了，我記起一切的事情了！』

『什麼？』狄君璞一時間不知她所指何事，困惑地問。他的眼睛緊盯着她那又蒼白又美麗的臉龐，那衣衫單薄的、小小的身子在他懷中微顫。他又驚又喜又顫慄。哦，心虹！他幾乎失去了的心虹！在她那眼光中，他知道，她又是他的了！他狂喜，他震動，他感恩，幾乎無力再去弄清楚她句子的意義了！

心虹仍然看着他，她的眼睛光明如星！

『我都記起來了！君璞，你不懂嗎？忽然間，我所有的記憶都回來了！』她說，聲音朗朗。

『眞的？』狄君璞猛然間弄明白了，他大聲問：『眞的？』

『眞的。』她靜靜的說：『我全記起來了，那晚的事和那晚以前的事，我全記起來了！』她嘆息，忽然覺得疲倦而乏力，一層溫溫軟軟的感覺像浪潮般包住了她，她偎進了他的懷裏，把頭緊緊的依靠在他那寬闊的肩膀上。

30

半小時後，心虹已經溫暖的裹着一條大毛毯，靠在狄君璞書房裏的躺椅上了。那毛毯把她包得那樣嚴密，連她那可憐的、受傷的小脚也包了起來，那小脚！當狄君璞看到那脚上的血痕、裂口，和青腫的痕迹時，他是多麼的心痛和憐惜呵！赤着脚走過這一段荒野，她經過了多麼漫長的一段跋涉！眞的，在她的生命上，這段跋涉也是多麼艱鉅和痛苦，她終於走過了那段遍是岩石與荊棘的地帶了。

室內瀰漫着咖啡的香味，狄君璞正在用電咖啡壺煮着咖啡。梁逸舟夫婦和心霞都坐在一邊的椅子中。老高和高媽已護送那老太太去盧家了。那老太太，在經過一番翻天覆地的哭號和悲啼以後，就像個洩了氣的皮球般癱瘓在欄杆邊的泥地上，只是不停的抱頭哭泣，身子抽搐得像一個蝦子，當大家去扶她起來的時候，她已不再掙扎，也不叫鬧，她順從的站起來，就像個聽話而無助的小嬰兒。看着周邊的人羣，她瑟縮的、昏亂的呢喃着：

『我的兒子，雲飛，他掉到那懸崖下去了，你們快去救他呀！』

『是的，是的，我們會去救他！』高媽安慰着，和老高扶持着她：『妳先回去吧！』

『那……那欄杆斷掉了！』她說，固執的，解釋的：『我兒子，他……他……掉下去了！』

『是的，是的，』高媽說着，他們攙扶她走出了楓林。在這一片喧鬧中，老姑媽和阿蓮都被驚醒了，也跑出來，驚愕的看着這一羣夜半的訪客。狄君璞吩咐老高夫婦及時把盧老太太送回家，並要高媽面告雲揚一切的經過。然後，看到心虹那赤裸的小脚，他就把心虹橫着抱了起來，向屋中走去，一面對梁逸舟夫婦說：

『大家都進來坐坐吧！我想，我們都急於要聽心虹的故事。』

就這樣，大家都來到了狄君璞的書房裏。老姑媽一看到心虹的脚——那腳正流着血。就驚呼了一聲，跑到廚房去燒了熱水，他們給心虹洗淨了傷口，上了藥。又讓心虹洗淨了手臉，因爲她臉上又是淚又是髒又是汗。再用大毛毯把她包起來，這樣一忙，足足忙了半個多小時，心虹才安適的躺在那躺椅上了，那冰冷的手和脚也才恢復了一些暖氣，蒼白的面頰也有了顏色。狄君璞望着她說：

『妳要先睡一下嗎？』

『不不，』心虹急促的說，不能自已的興奮着。『我要把一切都告訴你們。』

梁逸舟坐下了，在經過了今天晚上這驚心動魄的一幕之後，他的心情已大大的改變了。當他今晚第一眼看到心虹站在那懸崖邊上時，他就以爲自己這一生再也見不着活着的心虹了。可是，現在，心虹仍然活生生的躺着，有生命，有呼吸，有感情……他說不出自己的感覺，却深深明白了一件事，這條生命是狄君璞冒險挽救下來的。他沒有資格再說任何的話，他沒有資格再反對，她，心虹，屬於狄君璞的了。

吟芳和心霞都坐在心虹的身邊，她們照顧她，寵她，撫摸她，吻她，不知怎樣來表示她們那種度過危機後的驚喜與安慰。狄君璞遞給每人一杯咖啡，要阿蓮和老姑媽去睡覺，室內剩下了他們，狄君璞望着心虹說：

『講吧！心虹。』

心虹捧着一杯熱氣騰騰的咖啡，輕輕的啜了一口，她眼裏有着朦朧的霧氣，身子輕顫了一下，似乎餘悸猶存。她再啜了一口咖啡，正要開始述說，有人打門，雲揚趕來了。

雲揚已經從高媽口中得知了懸崖頂上的一幕，老太太自回家後就安靜而順從，他安排她上床，她幾乎立即就熟睡了。聽到高媽的敍述，雲揚又驚奇又困惑，再也按捺不了他自己對這事的關懷，他吩咐阿英守着老太太，就趕到農莊來了。

坐定了，狄君璞遞給他一杯咖啡。心虹開始了她的敍述，那段充滿了痛楚辛酸與驚濤駭浪的敍述。

『我不知道該從那兒說起，』她慢慢的說，注視着咖啡杯裏褐色的液體。『我想，我私奔之前的事，你們也都知道了，我就從私奔之後說吧。那天我從家裏逃出去之後，雲飛帶我到了台北，他租了一間簡陋的房子，我們就同居了。在那間房子裏，我和他共度了十天的日子。』她蹙緊了眉頭，閉了閉眼睛，這是怎樣一段回憶呀，她的面容重新被痛苦所扭曲了。再睜開眼睛來，她用一對苦惱的、求恕的眸子望着室內的人：『原諒我，我想儘量簡單的說一說。』

『妳就告訴我們懸崖頂上發生的事吧！』雲揚說，對於他哥哥的劣迹，他已不想再知道更多了。

『要說明懸崖上的事，必須先說明那十天。』心虹說，深吸了一口氣，下定決心來說了。『那十天對我眞比十年還漫長，那十天是地獄中的生活。我在那十天裏，發現了雲飛整個的劣迹，證明了我的幼稚無知，爸爸是對的，雲飛是個惡魔！』她看看雲揚：『對不起，我必須這樣說！』

『沒關係！妳說吧！』雲揚皺着眉，搖了搖頭。

『一旦得到了我，他馬上露出了他的眞面目，他問我要身分證，說是有了身分證，才能正式結婚，我走得倉促，根本忘了這回事，他竟憤怒的打了我，罵我是傻瓜，是笨蛋，然後他問我帶了多少珠寶出來，我告訴他一無所有，他氣得暴跳如雷。於是，我明白了，他之所以要正式和我結婚，並不是爲了愛我，而是要藉此機會，造成既成事實，以謀得梁家的財產。爸爸的分析完全對了！接着，我發現他還和一個舞女同居着，我曾懇求他回到我身邊來，那時我想既已失身於他，除了跟着他之外，還有什麼辦法呢？我還抱着一線希望，就是憑我的愛心，能使他走上正路。誰知他對我嗤之以鼻，他說，他任何一個女友都比我漂亮，要我，只是奠定他的社會基礎而已，如果我要干涉他的私生活，那他就要給我好看！至此，我完全絕望了！我所有的夢都醒了，都碎了，我除了遍體鱗傷之外，一無所有了！』她頓了頓，眼裏漾着淚光，再啜了一口咖啡，她的神情蕭索而困頓。

『我知道了，』吟芳插口。『於是，妳就逃回家裏來了。』

『不不，我不是逃回來的，是他叫我回來的。』心虹很快的說。『總之，我要告訴你們，那十天我受盡了身心雙方面的折磨，粉碎了一個少女對愛情的憧憬，忍受了任何一個女人都忍受不了的屈辱。他很瞭解我，知道我對貞操的看法，他認爲我再也逃不出他的掌心了，何況，他一向對女人得心應手，這加强了他的自信。他對我竟絲毫也不掩飾他自己。那十天內，他凌辱過我，罵過我，打過我，也像待小狗似的愛一陣寵一陣。然後，他叫我回家，要我扮着迷途知返的模樣，使家裏不防備我，讓我偷出身分證和珠寶。他知道，不和我正式結婚，是怎樣也無法取得公司中的地位的。他計畫，和我結婚以後，就帶着我偷渡到香港，憑我偷到的金錢珠寶，混個一年半載，再回來。那時，爸爸的氣一定也消了不少，他再來扮演賢婿的角色，一步一步奪得公司、金錢，和社會地位。於是，十天後，我回來了。』

她再度停止，室內好靜，大家都注視着她。她深吸了一口氣，低低嘆息。

『我回來之前，已經跟他約好，三天後的晚上在農莊中相會。他已先去登記了公證結婚，又安排了偷渡的船隻，按他的計畫，我晚上攜帶大筆款項、珠寶，和身分證到農莊，當晚潛往台北，第二天早上就在法院公證結婚，下午到高雄，晚上就上了船，在赴港途中了。我依計而行，老實說，那時我是準備一切照他安排的做，因爲我認爲除了跟隨他之外，再也無路可走了！可是，一回到家裏，看到媽媽爸爸我就完全崩潰了！沒有言語能形容我那時的心情，我問爸爸還要不要我，當爸爸說他永遠要我時，我知道，我再也不會跟雲飛走了！再也不會了！我是眞的回來了！回家來了！不止我的人，還有我那顆創痕累累的心。』她坐了起來，垂着頭，淚珠靜悄悄的從面頰上滑落。吟芳用手帕拭去了她的淚，輕聲說：

『可憐的、可憐的孩子！』她自己也熱淚盈眶了。

『三天中，我前思後想，決定從此擺脫雲飛，一切從頭開始。這三天裏，父母和心霞待我那樣好，沒有責備，沒有嘲笑，沒有一句重話。所有的只是疼愛與關懷，這時，我想，那怕是殺掉雲飛，我也不跟他走。然後，那約定會面的時間到了，我悄悄的告訴高媽，我要去見雲飛最後一面，兩小時之內一定回來，就溜出了霜園，到農莊去赴約。我沒有帶身分證，沒有帶珠寶，沒有帶錢，我預備向他告別，從此離開他。

『溜出霜園後，我就被蕭雅棠抓住了，她已知道雲飛一部份的計畫，她在那兒等着我。她激怒而衝動，告訴我她已懷着雲飛的孩子，告訴我雲飛欺騙她的全部經過。我再也沒有料到，他不止害了我，還坑了蕭雅棠！我又憤怒又悲痛，我告訴她，我不會跟他走，那怕殺了他我也不跟他走！這樣，我就到了農莊。』

她已敍述到高潮的階段，她停下了，怔怔的看着手裏的咖啡杯。她的思想正痛苦的深陷在那最後一夜的雨霧裏。狄君璞用一杯熱的咖啡換走了她手中的冷咖啡，他的眼光始終憐惜而熱烈的停駐在她的臉上。

『那天正下着小雨，』她繼續說。『我比預定的時間晚到了一小時，他已經很不耐煩了。我在楓林的懸崖邊找到了他，他正站在欄杆前面，望着我從山谷中走上來。一見到我，他劈頭的第一句話就是：

『妳弄到了多少錢？』

『我告訴他沒有錢，沒有珠寶，沒有一切，因爲我不跟他走了！如果你們當時見到了他，就會知道他那時變得多麼可怕。他打了我，抓住我，他又撕又打又罵又詛咒，我掙扎着，弄破了衣服，跌在泥濘裏，又弄了一身的泥。那時，他完全喪失了理智，像一個發瘋的野獸，我想，他會打死我。於是，我奔跑，但他把我捉了回來，叫囂着說，他依然要帶我走，即使沒有身分證及金錢，他依然有辦法利用我讓爸爸屈服。他挾持着我，就在這時候，一件意外發生了，盧老太太忽然氣極敗壞的出現了！』

她再度停止，抬眼看了雲揚一眼。

『那晚不止我一個人在懸崖上，還有你母親，她是來阻止這整個計畫的，我想，是雲飛告訴了她。』

雲揚點了點頭，他的眼底一片痛楚之色。

『請說下去！』他沙啞的說。

『盧伯母一出現就直奔我們，她是奔跑着趕來的。她抓住了雲飛的手臂，開始懇求他不要離開她，又懇求我不要讓雲飛離開她，她說她半生守寡，就帶大了這兩個兒子，雲飛一走，她的世界也完了！我那時正在和雲飛掙扎，盧伯母這一來，使雲飛分散了注意力，我掙脫了雲飛要跑，他撲過來，又抓住了我，他打我，猛烈的打我，又撕扯我的頭髮，强迫我跟他走。盧伯母再撲過來，她嚷着，叫我回家，叫我不要誘惑她兒子，我哭泣着解釋，我並不要跟她的兒子走，我也不要誘惑她的兒子，但她不聽我，只是嘮嘮叨叨的述說着，拉扯着雲飛的手不放。雲飛氣了，他用力的推了她一下，老太太站不住，摔倒在泥濘裏。於是，盧伯母氣極了，開始大哭了起來，說生了兒子不中用，有了女人就不要娘。雲飛不理她，拉着我就要走，就在這時，盧伯母突然直撞了過來，嘴裏嚷着說：

『你既然不要娘了，我就撞死了算了！』

『雲飛沒有料到她這一撞，他拉着我的手鬆開了，他自己的身子就踉蹌着直往後退，然後，那個悲劇就發生了，我聽到欄杆折斷的聲音，我聽到雲飛落崖時的慘號。我當時還想，我一直想殺他，現在是眞的殺了他了！於是，我就昏倒了過去，什麼都不知道了。』

故事完了。這懸了一年多的疑案，終於揭曉。一時間，室內安靜極了，誰都沒有說話，空氣是沉重而凝凍的。然後，梁逸舟振作了一下，看着心虹，說：

『妳還記得我趕到的時候，妳對我說的話嗎？』

『我說過什麼嗎？』心虹困惑的問：『我不知道，我只記得昏倒之前，我一直在喃喃的叫着：「我終於殺了他了！我終於殺了他了！」因爲，如果不是爲了我的原因，他是不會墜崖的。』

梁逸舟深深的嘆了一口氣。

『可是，就爲了這一句話，我們竟誤會了一年半之久！』他轉過頭來，望着雲揚。『你竟然不知道你母親來過這兒嗎?你可信任心虹所說的?』

『我信任。』雲揚低低的說,他的喉嚨是緊逼而痛楚的。他的臉色蒼白,眼睛却閃爍着坦白而正直的光芒。『我現在想起來了,那天,當我得知雲飛墜崖的消息之後,我只想先瞞住母親,我根本沒去看她在不在屋子裏,就一直趕往現場,那是黎明的時候,等我回家,已經是中午。媽坐在屋裏,瘋了,癡癡呆呆的訴說着雲飛死了!我只當是鎮上那些好事之徒告訴她的,現在想來,她一開始就知道了!在她潛意識中,一定不願想到是她撞到雲飛,雲飛才會墜崖,所以,她把這罪名給了心虹。以後,她好的時候就說雲飛沒死,病發就說是心虹殺了他了!現在,這些環節都一個個的套了起來,我全明白了。』他垂下頭,一臉的沮喪、感傷,和痛楚。『獲得了眞相,我想,我可以好好的治療一下母親了。』

狄君璞喝乾了手裏的咖啡,把杯子放到桌上。他走過來,用手緊按了一下雲揚的肩膀,他的聲音沉着而有力。

『雲揚,振作一下!』他說:『這一年半以來,大家都在研究殺死雲飛的兇手是誰?你知道嚒?他確實不是死於意外。但是,殺他的兇手不是心虹,也不是你母親,而是他自己。我們能責備誰呢?除了雲飛自己以外?』

雲揚默然不語。梁逸舟不能不用欣賞的眼光,深深的看了狄君璞一眼。他忽然想起狄君璞對他說過的話,他曾責問他瞭解心虹多少?狄君璞是自始至終都深信心虹不是兇手的唯一一個人!是的,他瞭解心虹,遠勝過他這個做父親的人!看樣子,在這世界上,對人生、對人類,他需要學習的地方還太多了。他把眼光從狄君璞身上移到雲揚身上，這時，這大男孩子正大踏步的走向心虹，用一對坦白而求恕的眸子望着她，誠摯的說：

『心虹，請接受我最誠摯的道歉，這麼久以來，我一直誤會了妳！』

這話，似乎也該由他這個做父親的來說，而雲揚却先說了！那年輕人，他有怎樣一個勇於認錯的個性，有怎樣一張坦白而真摯的臉！他似乎相形見絀而渺小了。

心虹瑟縮了一下，她帶淚的眸子清亮而動人的瞅着他。

『別道歉，雲揚。』她的聲音好輕，好溫柔，好懇切。『只是，答應我，永遠不要玩弄感情，永遠尊重你所愛的人，保護她，憐惜她，別讓我妹妹，再忍受我當年的痛苦。』

『妳放心，心虹。』雲揚低沉地說。很快的抬起頭來，看了心霞一眼，後者也正怔怔的、溫柔的望着他，兩人的目光一接觸，就再也分不開來了。

心虹轉向了狄君璞。她的面容上有哀傷，有摯情，有祈求，有慚愧。她的聲音低而清晰。

『君璞，你現在知道了我全部的故事，最壞的一段歷史，及最見不得人的一面，你還要我嗎？』

狄君璞一瞬也不瞬的注視着心虹，用不着言語，他的眼睛已經把他要說的話全說了。那是怎樣一種專注而熱烈的眼光呵！

梁逸舟默默的看着這一切，在幾小時之內，他經歷了幾百種人生了。這一刻，面對着這樣兩對癡情一片的人兒，他分不出自己心裡是怎樣的滋味，是酸？是甜？是苦？是辣？終於，他站起身來，走過去，他拍了拍吟芳的肩膀，用一種易感的、暗啞的聲調說：

『我們該走了，吟芳。妳看，窗子發白了，天已經快亮了！』

吟芳驚奇地看了他一眼。

『但是心虹怎麼辦呢？她還沒有鞋呢！』

梁逸舟看着狄君璞，後者也掉過頭來，靜靜地看着他，兩人這樣相對注視了一段很長很長的時間，然後，梁逸舟對吟芳微笑了一下，說：

『妳不覺得，心虹一時還不能走動嗎？她得在這兒休息一下，至於鞋子和衣服，等天亮，讓高媽給送來吧！』

吟芳愕然的看着梁逸舟。接着，她的眼睛發亮，她的神采飛揚，她的心像鼓滿了風的帆，湧漲着喜悅與感動。她順從的站起身來了，她知道這意味着什麼，一切的風暴都過去了！新來的黎明該是晴朗的好天氣！她喜悅的看了看心虹又看了看狄君璞，這一對情侶的眼睛閃亮，滿面孔都燃燒着光采。這是人生最美麗的一刻呵！她禁不住輕輕地說了：

『好好的珍惜你們所有的東西呵！』

於是，她跟梁逸舟走向了門口，雲揚驚覺的也站起身來說：

『我也該走了。』

梁逸舟站住了，看着雲揚。

『或者你願意在這樣的黎明中，帶心霞去山野中散散步，呼吸一點新鮮空氣。』

『爸爸！』心霞驚喜交集地喊，幾乎不能信任自己的耳朵。

梁逸舟不再說話了！攬着吟芳，他們走出了農莊，人，常常活了一輩子都沒有成熟，而會在一刹那間成熟了！梁逸舟忽然覺得有一份說不出來的平靜，心底充塞着的是一片酸楚、甜蜜、充實而又恬然的情緒，所有困擾着他的那些問題和煩惱都一掃而空了。他望着原野裏的天空，黎明正慢慢地從山谷中昇起。天上還掛着最後的幾顆曉星，晨霧迷迷濛濛地籠罩在原野上，遠山近樹，一片模糊。

『我似乎記得孩子們常在唱一支歌，有關於星河什麼的，其中好像有句子說：「我們靜靜佇立，看星河在黎明中隱沒。」吟芳，妳可願意和我一起看星河在黎明中隱沒嗎？」梁逸舟說。

『永遠，永遠，我願和你並肩看星河。』吟芳緊緊地依偎着梁逸舟，在這一刻，她愛他比幾十年來加起來更多！更深！更切！

事實上，這時候，在並肩看着星河的又豈止他們一對？在農莊的窗前，在楓林的小徑，正有其他兩對戀人，也正靜靜佇立，看星河在黎明中隱沒！或者，還有更多更多的情侶，像堯康和雅棠，像世界上許許多多其他的戀人們，也都在世界各個不同的角落裏，並肩看着星河。這世界何其美麗，因爲有你有我！

黎明來臨了，眞正的來臨了！彩霞正從山谷中向上擴散，染紅了天，染紅了地，染紅了山樹和原野。那最後的幾顆曉星也逐漸地隱藏無蹤。

天亮了。

——全書完

一九六九年十二月廿日晚初稿完稿

十二月二十六日修正完畢

皇冠
CROWN
〈註冊商標第173155號〉

皇冠叢書第254種

《瓊瑤全集》

星河

瓊瑤◉著

發 行 人：平鑫濤
出版發行：皇冠雜誌社
台北市敦化北路120巷50號
電話：7168888
郵撥帳號0010426－9號
登 記 證：局版台誌字第0946號

責任編輯：方麗婉
美術編輯：吳慧雯・林偉達
校　　對：曾美珠・謝慧珍・愛岑

印刷者：秋雨印刷股份有限公司
台北市忠孝東路三段96號2樓
電話：7710175

原始出版日：一九六九年十二月
典藏版・初　版：一九九〇年八月

國際書碼：ISBN 957-33-0331-0
本書定價：新台幣180元・港幣55元

15c万